KT-483-273

Son Av

DOĞAN KİTAP TARAFINDAN YAYIMLANAN DİĞER KİTAPLARI

Kızıl Nehirler
Taş Meclisi
Leyleklerin Uçuşu
Kurtlar İmparatorluğu
Siyah Kan
Şeytan Yemini
Koloni
Ölü Ruhlar Ormanı
Sisle Gelen Yolcu
Kaiken
Lontano
Kongo'ya Ağıt
Ölüler Diyarı

SON AV

Orijinal adı: La Dernière Chasse

Yazan: Jean-Christophe Grangé
Fransızca aslından çeviren: Tankut Gökçe
Yayına hazırlayan: Hülya Balcı

1. baskı / Şubat 2020 / ISBN 978-605-09-7076-0
Sertifika no: 11940

Kapak tasarımı: Serkan Yolcu
Baskı: Mega Basım Yayın San. ve Tic. A.Ş.
Cihangir Mah. Güvercin Cad. No: 3/1
Baha İş Merkezi. A Blok Kat: 2
34310 Haramidere-İstanbul
Tel. (212) 412 17 00
Sertifika no: 44452

Doğan Egmont Yayıncılık ve Yapımcılık Tic. A.Ş.
19 Mayıs Cad. Golden Plaza No.3, Kat 10, 34360 Şişli - İSTANBUL
Tel. (212) 373 77 00 / Faks (212) 355 83 16
www.dogankitap.com.tr / editor@dogankitap.com.tr / satis@dogankitap.com.tr

Son Av

Jean-Christophe Grangé

Çeviren: Tankut Gökçe

I

İz peşinde

1

Hiçbir şey hatırlamıyordu, yani neredeyse hatırlamıyordu.

Onu nehirden çıkarmışlardı, karnı aşağıdan yukarı doğru açılmış, çok kan kaybetmiş, içi bir avcı matarası gibi suyla dolmuştu. O sırada, bilinci hâlâ yerindeydi –neyin bilincindeydi, sorulması gereken aslında buydu.

Ambulansta komaya girmişti. İki haftayı komada geçirmişti. Beyninin derinliklerinde bir ışık yanmadan önce hiçlikte geçen iki hafta. İçinden tanımlanması imkânsız cisimlerin, biçimsiz yaratıkların, yaşam kırıntılarının fışkırdığı sütümsü bir sıvıyla dolu bir kuyu... Bu evrede baskın olan sperm düşüncesiydi.

Sonra, sütle olan benzerlik ağır basmıştı. Hint kozmogonisinin çok bilinen bir sahnesini düşünüyordu. Vaktiyle Angkor Tapınakları'nda hayranlıkla seyrettiği freskler: Olağanüstü yaratıkların ortaya çıkması için süt denizini çalkalayan tanrılar ve şeytanlar. Onun beyninde bu dans, sadece şiddet sahneleri, katil suratlar, hazmı zor yenilgiler demekti... Bir cinayet büro polisinin hafızasını oluşturan her şey.

Sonunda, doktorları büyük şaşkınlığa uğratıp komadan çıkmıştı. Tanrıların dansı hâlâ devam ediyordu, ama *in real life*[1] olarak, delik bir bidonun içindeymiş gibi zaman onun için akıp gidiyordu, birbirinin aynısı günler ve geceler, alçıya alınmış ve anesteziyle bastırılmış algılar. Doktorlara göre, tüm bunlar iyiye işaretti.

Bir süre sonra, yatağında oturmayı başarmış ve olan bitenleri öğrenmek istemişti. Kim, ne durumdaydı?

Öncelikle Fanny Ferreira'nın, karnını aşağıdan yukarı doğru

1. Gerçek zamanlı. (ç.n.)

gırtlağına kadar yaran kızın akıbetini öğrenmek istemişti. Kız buz gibi nehrin akıntısında yaptıkları ölümcül tangodan sağ kurtulamamıştı. Onu, Guernon'un birkaç kilometre uzağında, gizli tutulan bir yere ikiz kız kardeşiyle birlikte gömmüşlerdi. İki kötücül kız kardeş mezarlığa gömülmemişti...

Sonra, bu dehşet dolu soruşturmaya bir anda dahil olan Karim Abdouf'u, peşinden ayrılmayan polisi sormuştu. Olayın raporunu ivedilikle yazarak jandarmaların suratına fırlatan, ardından da istifa eden polis. "Ülkesine geri dönmüştü." Niémans bu konunun üstünde durmamıştı: Karim'in yurtsuz olduğunu biliyordu. Onunla görüşmeyi istememişti. Sonuçta, kötü hatıralar dışında paylaşacak bir şeyleri yoktu.

Normal insanların dünyasına dönmenin zamanı gelmişti. Hastane odasında, polis teşkilatının kodamanları ve Ulusal Jandarma'nın üst rütbelileri onu tebrik etmeye gelmişti. Madalyasını pijamasının üstüne takmışlardı, kendini mantar bir pano üstüne iğnelenmiş ölü bir kelebek gibi hissetmişti. Aynı duygu, aynı görüntü.

Ayrıca Sosyal Güvenlik Kurumu tarafından "birinci dereceden malul" olduğu bildirilmişti. Artık polislik mesleğini sahada icra edemeyecekti ve maluliyet ödeneği alacaktı. Niémans, Fanny'yle birlikte buz gibi soğuk sulara gömülmenin neredeyse daha iyi olabileceğini düşünmeye başlıyordu.

Ama Fransa yönetimi sizi asla yüzüstü bırakmaz: Sizi başka bir alana yönlendirir. Nekahet döneminden sonra, ona Cannes-Écluse Polis Okulu'nda öğretmenlik işi teklif etmişlerdi. Neden olmasın? Tecrübelerinden polis adaylarının yararlanabileceğini düşünmüştü.

Bununla birlikte, üç yıl süren öğretmenliğin ardından meslek anlayışının, tam ifade etmek gerekirse, görevin kriterleriyle uyuşmadığını ona göstermişlerdi. Onu yeniden göreve çağırmışlardı, ama suya sabuna dokunmayacaktı. Danışman, gözetmen, arabulucu, ne olursa olsun, yeter ki sahaya girmesin.

Fiziksel olarak tamamen iyileşmişti. Ruhsal açıdan ise: O başka bir hikâyeydi. Sırtında ıslak bir paltoyla yaşıyordu, genellikle "depresyon" olarak adlandırılan ağır yükle. Sürekli tekrarlayan semptomlar: midede taş gibi bir ağırlık, çırpınmalı titremeler, boğazında iki kat düğüm... Her an ağlamak istiyordu, karşı koyamadığı şiddetli ve sürekli bir uyku isteği vardı, sanki bu, içinde bulunduğu sağlıksız durumdan kaçmanın bir başka yoluydu.

İki yıl bu şekilde, yoksunluk ve bezginlik, küçük düşme ve kayıtsızlık arasında geçti, ta ki eski arkadaşları –hiyerarşinin üst basamaklarına tırmanmayı başarmış olanlar– onu hatırlayana kadar.

"Proje şu" demişlerdi ona özetle, "Fransa'nın dört köşesinde çılgınca işlenen cinayetler gitgide artıyor, jandarma işin içinden çıkmakta zorlanıyor. Parisli polisleri tüm Heksagon'a[2] yollayacak bir Merkez Ofis kurulacak." Tecrübeli polisler dosya bazında jandarmayla birlikte çalışacaklardı.

– Çok iyi. Kaç kişi var?

– Şimdilik, sadece sen. Bu daha ziyade, resmi bir projenin deneme safhası.

Beni şaşırtıyorsun. Polisleri jandarmanın yardımına yollama fikri, en hafif tabirle bir hakaretti. Kimse bu fikre inanmıyor, fikrin hangi bakanlığın çatısı altında filizlendiğini bile hatırlamıyordu.

Böyle ölü doğmuş bir proje için, bir hayaletten daha iyi bir aday olabilir miydi? Sorun Niémans'ın bu şaka gibi fikri ciddiye almasıydı. Bir yardımcı talebinde bile bulunmuştu.

– Hey, depoyu doldurdunuz mu?

Ivana, Volvo'nun camına doğru eğilmişti, kolları salata, tahıl kapları, madensularıyla –bir benzin istasyonunun kaprisli bir vegana sunabildiği her şeyle– doluydu.

Niémans kafasını salladı ve görevini yapmak için arabadan dışarı çıktı. Arabanın deposunu doldururken, şu an içinde bulunduğu gerçeğe geri döndü: Sonbaharın ilk günlerinde bir Alman otoyolu, bir Rothko[3] tablosu gibi kızıl bir öğleden sonrası. Tatsız bir durum değildi, ama çok da hoş değildi.

Kasaya kadar yürüdü. Neşeli olması gerekirdi: Ulusal jandarma teşkilatının titiz bir çalışmanın ardından yolladığı evraklar, istatistik bilgiler, dosyalardan sonra, nihayet yeniden sahadaydı.

Tuhaf olan tek şey, onları Almanya'ya, Schwarzwald'ın, yani Kara Orman'ın en meşhur bölgesine Freiburg im Breisgau'ya yollamış olmalarıydı. Sabah günün ilk ışıklarıyla yola çıkmışlar ve saat 10'da Colmar'a ulaşmışlardı –Niémans asla hız sınırlamalarına riayet etmezdi, bu prensip meselesiydi.

Ağır ceza mahkemesi cumhuriyet savcısı ona, Alsace'ta, Trushelm Ormanı'nda işlenmiş cinayetle ilgilendiklerini söylemiş ve açıklamalarda bulunmuştu, ama kurban, şüpheliler, tanıklar, kısacası

2. Coğrafi biçimi altıgeni andırdığından Fransa için kullanılan bir deyim. (ç.n.)

3. Mark Rothko, Rus Yahudi kökenli Amerikalı ressam (1903-1970). (ç.n.)

herkes Alman'dı. Haut-Rein Bölge Jandarması Fransa kısmıyla ilgileniyordu, onlar Almanya kısmından sorumlu olacaklardı.

LKA'yla, yani Baden-Württemberg Bölgesi Landeskriminalamt'la[4] işbirliği halinde Töton bölgesinde çalışabilmeleri için Avrupa polisleri arasındaki anlaşmalarla ilgili uzun bir sunum izlemişti.

Niémans hiçbir şey anlamamıştı, ama endişe duymuyordu. Bu anlaşılması güç söyleve katlanırken, Ivana'nın Alsace jandarmasından dosyayı aldığını ve en ufak ayrıntısına kadar inceledikten sonra ona mükemmel bir brifing vereceğini biliyordu.

Parayı öderken camdan dışarı baktı: Bir tankın içindeki cephanelermiş gibi aldığı erzakı yolcu koltuğuna yayarken arabanın içinde kıpırdanıp duruyordu.

Ivana Bogdanović.

İkilinin iki numarası.

Hiçlikten döndükten sonra başına gelen en iyi şeydi.

4. Ulusal Kriminal Dairesi. (ç.n.)

2

Öncelikle onun görünüşünü seviyordu.

Karanlıkta kahverengi ile gri arası bir tona bürünen ve ışıkta ise açık kırmızı ile açık kahverengi bir renk alan, her koşulda giydiği süet ceket. Yıpranmış jean pantolonu, eskimiş botları, kızıl saçları. Tüm bunlarda birbiriyle uyumlu ve içten bir zarafet vardı. Hem ölü yaprakların melankolisini hem de kanla dolu damarların canlılığını çağrıştıran bir şeyler.

Çok uzun boylu değildi, ama çok inceydi. Hatta "sıska" olduğu bile söylenebilirdi, ama kemik yapısı ve özellikle de belirgin kasları cılız nitelemesi yapmayı olanaksız kılıyordu. Derisi yüzülmüş kediyi andıran siluetiyle daha ziyade hayatta kalmayı başarmış bir güç timsaliydi. Bir felaket olmuştu, tamam, ama bu felaketten geriye ender rastlanan bir sertlik kalmıştı.

Kemik, kas ve öfkeden oluşan bir sertlik.

Kızıllara mahsus çok beyaz teniyle, Niémans'a, tek bir fildişinden yontulmuş, bir ucu çok keskin, diğer ucu ele mükemmel bir şekilde oturan Eskimo bıçaklarını hatırlatıyordu. Niémans Ivana sevgililerinin kollarında uslu duruyor muydu, bilmiyordu, ama gündüz ne denli sert ve soğuk olursa olsun geceleri onun daha sıcak ve yumuşak olduğundan emindi.

Ivana, onun Cannes-Écluse Ulusal Polis Koleji'ndeki derslerini takip etmişti. İlk yoklamada, Niémans onun adını yanlış telaffuz etmişti.

Ivana, adının telaffuzunu düzeltmiş ve hemen eklemişti:

"Ama bana canınız nasıl isterse öyle hitap edin."

Bu bir tevazu göstergesi değil, tam tersine kibirli bir cevaptı: Bu tarz iniş çıkışlardan uzaktı, sınıftaki herkesten, her şeyden üstündü.

Aylar boyunca, onun çarpıcı ve sert güzelliğini tüm ayrıntılarıyla inceleme imkânı bulmuştu, çıkık elmacıkkemiklerini, resim fırçası gibi ince kaşlarını. Ve onu büyüleyen ve sebebini bilmese de, ona İbiza'daki gün doğumunu, hippi şenliklerini, asit kullandıktan sonra yapılan meditasyonları hatırlatan şu kızıllık... Genellikle bu tür şeylerden tiksiniyordu ama bunlar Ivana'yla ilgili olduğunda hoşuna gidiyordu.

Aslında, tüm bu keşif süreci tamamen palavraydı. Niémans kendini kandırmaya çalışıyordu. Hayranlık duyan adamı oynasa da Ivana'yı uzun zamandır tanıyordu ve onun hangi konuda yetenekli olduğunu biliyordu. İkisi de geçmişteki ilk karşılaşmalarını unutmak ve yeniden en baştan başlamak istiyordu.

– Ya benim kahvem? diye sordu Niémans, kontak anahtarını çevirirken.

Kız, bardaklıktaki içeceği işaret etti.

– Sağlıklı değil. Size bitki çayı aldım.

Niémans homurdanarak hareket etti. Ivana koltuğuna iyice gömüldü ve elindeki plastik çatalla kinoa salatasına saldırıya geçti. Kaplaması ceviz ağacı olan ön konsola ayaklarını uzatınca, Niémans az kalsın bağıracaktı ama vazgeçti.

Herhangi birinin Volvo'sunda bu tür bir saygısızlık yapmasına asla müsamaha göstermezdi, ama Ivana... Niémans da koltuğuna gömüldü ve gazı köklemeden önce direksiyonunu iyice kavradı. Kendini iyi hissediyordu. 32 yaşında hâlâ tırnaklarını kemiren bu kız çocuğuyla kendini mutlu ve dinç hissediyordu. Onun yanında olmasını, onun çekici bir kadının kokusundan ziyade çocuk kremlerinin kokusuna çok daha yakın bir tür pirinç patlağı kokusunu taşıyan parfümünü seviyordu.

Teğmen Ivana Bogdanović'i yardımcı olarak seçtiğinde kimse buna bir anlam verememişti. Genç kadının nitelikleri kuşkusuz tartışılmazdı, ama... sonuçta bir kadındı. Oysa Niémans'ın eski bir maço, neredeyse bir kadın düşmanı olduğu, tam anlamıyla erkek üstünlüğüne inandığı biliniyordu. Onun gözünde, bir polis erkek olmalıydı, bu kadar basitti.

Bu şekilde tanınmış olmak Niémans'ı eğlendiriyordu. Tamamen gerçek dışıydı: Kadınlarla çok daha karmaşık bir ilişkisi vardı. Hiç evlenmemişti, ama bunun sebebi ne kadınları hor görmesi ne de onlara karşı ilgisizliğiydi. Daha ziyade, korkuyla karışık bir saygıydı kaynağı...

Ama Ivana konusunda, sebebi uzakta aramanın gereği yoktu. Polislik mesleğinde, uzun zaman önce yolu, uzaktan da olsa Niémans'la kesişmişti. Cannes-Écluse'deyken aldığı sonuçlar tartışma götürmezdi ve okuldan mezun olduktan sonraki yıllarda mesleğinde elde ettiği başarılar da ortadaydı. İyi bir tesadüf olmuştu, Niémans ondan başkasını seçemezdi.

– Bu çıkıştan mı sapayım? diye sordu Niémans, Freiburg levhasını görünce.

– Evet, buradan, dedi Ivana, aç bir kuş gibi yolcu koltuğunda yemlenirken.

Niémans hızlandı.

– Güzel, hadi bakalım, şu olay ne?

3

– Amerikan dergisi *Forbes*'a göre Geyersberg ailesi, Almanya'nın en zengin yirminci ailesiymiş, on milyar dolardan fazla servetleri varmış. Baden-Württemberg bölgesinin soylu ailesi, otomobil mühendisliği sektöründe büyük bir servet yapmış. VG Grup bütün Alman otomobil üreticilerinin vazgeçilmez iş ortağı.

– Ölen kim?

İnanılmazdı ama, Niémans soruşturma dosyasına bakacak zaman bulamamıştı.

– Jürgen, kız kardeşi Laura'yla birlikte grubun başlıca vârisi. 34 yaşında, cesedi geçen pazar günü, Alsace'ta, Trusheim Ormanı'nda bulunmuş.

– Neden Alsace'ta?

Sincap yemeğini çoktan bitirmişti. Boş salata kutusunu benzin istasyonunun torbasına tıkıp iPad'ini çıkardı.

– Geyersbergler, yılda bir veya iki kez, bölgelerinde yaşayan aristokratların ve başlıca iş ortaklarının kaymak tabakasını sürek avına davet ediyorlar. Cumartesi günü herkes aileye ait av köşkünde yemek yiyor. Av için hazırlanıyorlar, av köşkünde geceliyorlar, sonra pazar sabahı av boruları çalarak Ren Nehri'ni geçiyorlar.

– İyi de, neden Alsace?

– Çünkü 1950 yılından beri Almanya'da sürek avı yasak.

Ayakları hâlâ ön konsola dayalı Ivana, iPad'inde gezinmeye devam ediyordu.

– Av sırasında iki Fransız misafir ormanda kaybolmuş ve kontun cesediyle karşılaşmışlar. Kafası birkaç metre ötedeymiş.

Niémans arabayı sürmeye devam ederken, bir anlığına resme baktı. Pek iç açıcı değildi: çamurun içinde yeşilimsi bir hal almış bir ceset, bir fırın ağzı gibi açık, kararmış bir gırtlak, yukarıdan aşağıya uzanan bir yarayla ikiye ayrılmış bir gövde...

– Otopsi raporuna göre, diye devam etti Ivana, katil kurbanın bağırsaklarını almış.

Bir başka resim: Yapraklardan oluşan bir örtü üzerine bırakılmış kafa.

– Ağzında ne var?

– Meşe palamudu. Katilin özenli bir dokunuşu.

Bu ayrıntı ona bir anısını hatırlattı ama susmayı tercih etti. Hemen bu konuyu açmayı hiç istemiyordu, özellikle de Ivana gibi bir yardımcının yanında.

– Başka yara var mı?

– İki yara daha var, evet, ama oldukça tuhaf. Katil, kurbanını iğdiş etmiş, sonra sanki üreme organlarını oradan çıkarmak istemiş gibi anüsün çevresinde bir kesik oluşturmuş.

– Organları bulmuşlar mı?

– Hayır. Şüphesiz, savaş ganimeti. Buradan yapılmış bir tecavüz de göz ardı edilmiyor ama hiç sperm kalıntısına rastlanmamış. Ayrıca bu delik, normal boyutlardaki bir erkeklik organı için çok geniş. Eğer bir tecavüz söz konusuysa, bizim katilin bir boğanınki kadar büyük aleti olmalı ya da cop kullandı.

Ivana ciddilikten uzak, neredeyse umursamaz bir ses tonuyla konuşmayı sürdürüyordu. Ölümle alay ediyordu.

– Adamı en son ne zaman görmüşler?

– Cumartesi günü öğle saatlerinde. Öğleden sonra kaybolmuş ve pazar sabahı bir meşe ağacının dibinde bulunana kadar onu gören kimse olmamış.

– İki Fransız şüpheli mi?

– Hayır. İkisinin de Strasburg'da elektronik devreler üreten fabrikaları var.

– Jandarmanın soruşturması ne durumda?

– Hiç ilerleme kaydedememişler. Cinayet mahallinden alınan örneklerden bir sonuç alamamışlar: Hiç parmak izi yok, herhangi bir insan dokusu yok...

– Ayak izi bile mi?

– Yok. Katil iki ya da üç metre yarıçapındaki bir alanı özenle temizlemiş. Onun haricinde her şey buharlaşmış gibi. Adli tabibe göre, Jürgen pazar sabahının ilk ışıklarında öldürülmüş. Sonra yağmur yağmış, ağaçlardan yapraklar dökülmüş... Belki de katil, cinayet mahallinden ayrılmak için rüzgârın çıkmasını bekledi ya da ağaçlara tırmanarak yaprakların dökülmesini sağladı...

Niémans kasıldığını hissetti. Bu saldırı, modern dünyadan çok doğaya yakın olan bu cani konusunda daha şimdiden anlaşılması güç bir merak uyandırıyordu. Her halükârda, bu onun ilk sezgileriyle uyumluydu: meşe palamudu, anal bölgede kesikler. *Çiftlik...*

– Jandarma bütün aristokratları sorgulamış mı?

– Pazar günlerinin tamamını aristokratlarla geçirmişler. Kimse bir şey görmemiş, kimse bir şey duymamış: Avcıların hepsi avlarına odaklanmış haldeymiş. Yine de bir geyiğin izini süren yaklaşık elli adamdan ve yüz kadar köpekten söz ediyoruz...

Ivana'nın bu tepkisiz tavırlarını iyi bildiğinden Niémans av ortamında yapılan bu soruşturmadan şüphe duyuyordu. Ama şu an polemik yapmanın sırası değildi: Şimdi insanı hayranlık içinde bırakan bir ormandan geçiyorlardı. Son derece arı bir gökyüzü altında yeşil alevlerden oluşan muhteşem bir yangın.

– Olaya objektif açıdan yaklaşırsak, katil Geyersberglerin davetlilerinden biri olabilir mi?

– Bu durumda, katil Trusheim Ormanı'na ulaşmak için Ren Nehri'ni gece karanlığında geçti, sonra ertesi sabah grupla birlikte Fransa'ya hareket etmek için yeniden Almanya'ya döndü.

– Neden olmasın?

– Gerçekten de, neden olmasın. Ama çok karmaşık. Asıl soru şu: Gece yarısı kontun o ormanda ne işi vardı?

– Ona randevu vermiş olabilir mi?

– Son telefon görüşmesi cumartesi günü, saat 15.23'te.

– Kiminle konuşmuş?

– Kız kardeşiyle. Konuşma sadece birkaç saniye sürmüş.

– Davetlilerin telefon kayıtları, tüm bölgede yapılan telefon görüşmeleri?

– Bu iş hemen halledilmiş. Orman, sınırın iki tarafındaki Geyersberg ailesine ait bölgeler. Hafta sonu boyunca, telefon kullanmak yasakmış. Öyle görünüyor ki, sürek avı azami dikkat gerektiren bir av. Zaten, cep telefonları bu bölgede çalışmıyor.

– Neden?

– Geyersbergler sinyal bozucular yerleştirmiş: Ormanları saf kalmalı. Kelimenin tam manasıyla, korunmuş bir doğa.

Ivana şimdi de LKA'nın tutanaklarından söz ediyordu.

– Almanca biliyor musun?

– Lisede ikinci lisanımdı.

– Aynı okula gitmiş olamayız. Çünkü İngilizce benim ilk lisanımdı, ama bu yolculuk senin için hayal kırıklığı olmayacak. Bu cinayetin sebebi ne, elimizde ne var?

– Bu oldukça geniş bir yelpaze: para, kıskançlık, mesleki rekabet. Bir kez daha söylüyorum, ailenin serveti on milyar dolardan fazla. Anne ve babanın ölümünden sonra iki kardeş grubu demir yumrukla yönetiyorlar.

– Mirasçı kim?

– Şimdilik kimse bir şey bilmiyor, ama öncelik Laura'da, yani kız kardeşte, en büyük pay onun.

– Kaç yaşında?

– 32.

– Sorguya alınmış mı?

– Cumartesiyi pazara bağlayan gece için bir tanığı var. Şirketinde çalışan bir çocukla berabermiş. Ne olursa olsun, Jürgen ve Laura ayrılmaz bir ikiliymiş. Onunla en kısa zamanda görüşmemiz gerekiyor. Onun hakkındaki kararı biz vereceğiz.

– Başka kim var?

– Rakip gruplar, ailenin diğer üyeleri, hissedarlar... VG gerçek bir belirsizlik içinde, bu ölümden çıkarı olacak kişilerin sayısı hiç de az değil.

Ormanın derinliklerinde başı kesilmiş, bağırsakları ve üreme organları çalınmış bir kurban: Cinayet yöntemi sanayi alanındaki rekabetlerin ve finansal çıkarların ön planda olduğu bir dünyayla kesinlikle uyumlu değildi.

– Çok ilginç bir şey daha var, diye devam etti Ivana. Sevimli kont SM'ye[5] düşkün bir zatmış. Stuttgart'ta sık sık özel kulüplere gidiyormuş ve Freiburg'a bu konuda uzmanlaşmış profesyoneller getirtiyormuş.

– Kıçını kırbaçlatmaktan hoşlandığı için bu iş kellesini kaybetmesiyle sonlanmış olabilir. Sen de ben de bu ortamları biliyoruz. Suçun mastürbasyonu.

Niémans bu tarz küçümseyici bir ses tonu kullandığı için çoktan pişman olmuştu. Öncelikle, cinsellik konusunda her birey kendi anlayışına göre özgürdü. Ama özellikle, *gerçek* bir şiddet içermeyen bu şeyi küçümseme sebebi neydi? İnsanları cezbeden ve onlarda merak uyandırarak toplumları zehirleyen bu karışım her zaman olduğu gibi gerçek suç oranının lehine işliyordu.

– Seninle aynı fikirde değilim, diye karşı çıktı Ivana. Jürgen

5. Sadomazoşizm. (ç.n.)

yanlış bir adamla karşılaşmış olabilir. Üstelik bu gibi durumlarda insan çok daha güçsüzdür.

Böyle bir senaryoyu kurgulamak asıl sorunun cevabını vermiyordu: Cinayet neden ormanda işlendi? Sorunun ilk cevabıymış gibi, yol şimdi Kara Orman'a doğru çıkıyordu, belli bir uzaklıktan bakıldığında sanki bu parlak kürk siyaha dönüşüyordu.

Şu an için, öğleden sonranın parlak güneşi altında, bir bitki denizini çağrıştıran tepelerden, vadilerden ve sinüzoidal hatlardan oluşan bu sonsuz zincir yemyeşil görünüyordu. İçinde kaybolacakları yer işte burasıydı. Ereksiyon halindeki bir bitki örtüsünün altına gizlenmiş ve içinde bir caninin saklandığı, yollardan ve patikalardan oluşan devasa bir labirent.

– Başka bir şey var mı?

– Siyasi suikast, diye mırıldandı Ivana.

Niémans hemen, bunun iyi bir sebep olabileceğini düşündü.

– Jürgen siyasetle mi ilgileniyormuş?

– Hayır. Ama o, ailesindeki herkes gibi büyük bir avcıydı.

– Yani?

– Geyersbergler, sadece bu iş için ayrılmış binlerce hektarlık bir ormanın sahibi. Araziler satın almışlar, kararnameler çıkartmışlar, tarımı yasaklamışlar, tüm bunları da sadece daha büyük bir oyun sahasına sahip olmak için yapmışlar.

– Az önce sen bana avlanmak için Fransa'ya gelmek zorunda kaldıklarını söyledin.

– Sürek avı yasak ama Geyersbergler başka av türleriyle de ilgileniyorlar, tuzakla av, kobay avı...

– Ona "kopay" avı deniyor.

– Bu konu hakkında bilgim yok, dedi genç kadın, tiksinti ve kibir dolu bir ses tonuyla. Her halükârda, Jürgen bütün korkunçluğuyla, sadece kana olan susuzluğunu gidermeye çalışan bir avcı örneğiydi.

– Yani, av karşıtı aktivistler ya da öfkeli çiftçiler tarafından mı öldürüldü?

Genç kadın, art niyetli biri gibi gülümsedi. Niémans, boynunu kıvrık yakalarının içine iyice sokarak yaramaz bir çocuk gibi davrandığında Ivana'ya bayılıyordu.

– Av karşıtı aktivistler bölgede çok etkili.

– Bu yüzden onun kafasını kestiler...

– Bir örnek teşkil etmesi için, onun ölümünü, bir av hayvanının ölümü gibi sahnelemiş olmalılar.

Niémans aşina olduğu eski yöntemlere dönmeyi tercih etti:

– Ya kaçık katil meselesi? Kendi kişisel deliliği uğruna kurbanını tanımadan harekete geçen katil? Jürgen'le karşılaşmış olabilir...

– Jandarma hem Alsace hem de Baden-Württemberg tarafındaki bütün dosyaları taradı. Ne bu tür bir cinayet ne de firar etmiş bir kaçık var. Eğer bu psikopat bir katilse, ilk kez böyle bir cinayet işliyor. Ama bir ayrıntı bu varsayımı güçlendiriyor.

– Nedir?

– Dolunay. Milyarderin karnı deşilirken ay döngüsünün en son fazındaymış.

Her zamanki gibi. Kanlı, çılgınca, açıklanamaz... Bir ürperme hissetti, sonra bu ürperme titremelere dönüştü. Ölümden döndükten sonra sürekli olarak üşüyordu, sanki bedeni eski melekelerine hâlâ kavuşamamıştı.

– Aile, onlar ne diyor?

– Alman polisi henüz onları sorgulama cesareti gösteremedi. Bizi bu nedenle oraya gönderiyorlar: Klanı sorgulama konusunda daha rahat olacağız. Sağdaki ilk yola sapın.

– Tam olarak nereye gidiyoruz?

– Otopsiyi izlemiş doktoru görmeye.

– "İzlemiş" mi? Ne demek istiyorsun?

– Geyersbergler aile doktorlarının otopside bulunmasını istemişler.

– Bu saçmalık da neyin nesi?

– Özel önlem. Schengen kadavralar için de geçerli ve Geyersberglerin kolları uzun. Şimdi sola sapın.

Niémans direksiyonu sola kırdı ve kendini kaba çakıltaşlarıyla kaplı gölgelik bir patikada buldu. Kahverengi-yeşil ağaçların zirveleri birleşiyor ve sanki gökyüzüne ulaşmak için birbirlerine omuz veriyorlardı.

– Anlamıyorum. Hastaneye gitmiyor muyuz?

– Dümdüz devam edin.

4

Patika bir anda yön değiştirdi ve göl aşağıda belirdi. Güneşte parlayan ve kenarları simsiyah köknarların saçakları altında kaybolmuş devasa bir ayna.

– Titisee Gölü, dedi Ivana, yarattığı etkiyle övünen bir ses tonuyla.

Niémans son derece büyük gölün çevresindeki tepelerin yamaçlarına inşa edilmiş dağ evlerini görüyordu. Çok eski görünümlü, ama yepyeni ahşap evler zaman içinde değişikliğe uğramayan bir sıcaklık etkisi yaratıyordu. Çikolata ambalajları için mükemmel bir görüntü.

Gölün yüzeyi bir krom tabakasıyla kaplı gibiydi. Sanki bir zamanlar, içinde Luftwaffe'nin[6] bombalarının imal edildiği özel bir madenocağıydı.

Yol bir kez daha kıvrıldı ve göl gözden kayboldu. Yeniden kozalaklı ağaçlardan oluşan bir tünel... Niémans gerçekten nereye gittiklerini anlamıyordu.

– Philipp Schüller, diye açıkladı Ivana, bizim CNRS'le eşdeğer, Max-Planck Topluluğu'na bağlı bir merkezde başka bilim insanlarıyla birlikte yaşıyor. Bu araştırmacılar neredeyse özerk yaşıyorlar. Laboratuvarları güneş enerjisiyle besleniyor, kendi sebzelerini yetiştiriyorlar ve kendi sabunlarını yapıyorlar.

– Dâhiyane.

Ona ekolojiden ve onun savunucularından bahsedildiğinde Niémans alaycı bir ses tonu takınmaktan kendini alamıyordu. Ama yine de onların daha iyi bir gelecek için çalıştıklarını biliyordu.

6. Kuruluşu sırasında (1935) Göring tarafından Alman Hava Kuvvetleri'ne verilen ad. (ç.n.)

Tüm bunları doğrular gibi, artık manzarada modernliğe ilişkin en ufak bir işaret yoktu, ne bir elektrik direği ne de bir insan yerleşimi göze çarpıyordu. Doğa artık, buz gibi kayıtsızlığının en çarpıcı haliyle her yeri işgal ediyordu.

Patika, yabani asmalarla kaplı duvarların ardına gizlenmiş çiftlik binalarının bulunduğu küçük bir vadiye doğru inmeye başladı.

– Adresin doğru olduğuna emin misin? diye sordu Niémans, gitgide yön duygusunu kaybediyordu. Yoksa orada keçi peyniri mi üretiyorlar?

– Alay etme, Niémans. Oradaki insanlar geleceğe aitler.

– Bak, dedi Niémans, hatta yedi cücelerden biri bizi karşılamaya geliyor.

Adamın sakalı ve kocaman bir göbeği vardı, ama yaklaştıkça adamın cüce değil normal boyda biri olduğu anlaşılıyordu. Yuvarlak çerçeveli gözlükler takmıştı, elinde bir sopa taşıyordu, kırmızı suratında neşeli bir ifade vardı, aslında daha çok Pamuk Prenses ve Yedi Cüceler çizgi romanından çıkmış gibiydi, yarı Bilgin yarı Neşeli.

– Yavaşlayın, dedi Ivana. Bu Schüller olmalı. Geleceğimizi ona haber vermiştim.

Niémans uyarıyı dikkate aldı, çiftlik binalarını çevreleyen duvarın giriş kapısının önünde onları bekleyen ev sahibinin yakınında durdu.

– Üzgünüm, dedi adam, arabanın sürücü tarafındaki camına eğilerek, köyümüze araç almıyoruz.

Genel anlamda, hafif bir Alman ya da Alsace aksanıyla mükemmel bir Fransızca konuşuyordu.

– Burası korunaklı bir bölge, diye ekledi, sonra işaretparmağıyla, toprak bir tenis kortunu andıran kare biçimli yeri gösterdi: park alanı.

Niémans Volvo'sundan inerken, içerideki uzunlamasına yerleştirilmiş çiftlik evlerinin, köyü çevreleyen duvar ile çok sayıdaki ağaç türünün bir Japon bahçesi uyumunda olduğunu fark etti; renkler, yerleşim, denge, hepsi bir dinginlik duygusu oluşturacak şekilde tasarlanmıştı.

Tanışma faslı bittikten sonra, polisler Schüller'in peşinden çiftliğe girdi. Bütün işaretler yeşildi: Likenler, eğreltiotları, ısırganlar sundurmanın çevresinde bezemeler oluşturuyordu ve her adımda güçlü bir gübre kokusu gittikçe keskinleşiyordu. Geleceğin araştırmaları, ha? Matrak mı geçiyorsun?

Avluda, Niémans'ın kuşkuları daha da arttı: Kadınlar çinko leğenlerde elde çamaşır yıkıyor, erkekler el arabalarıyla gübre taşıyor, diğer erkekler ki hepsi sakallıydı, ahşap uzun bir masanın çevresine oturmuş, bezelye ayıklıyorlardı...

– Gördüklerinize aldanmayın, dedi Schüller, gülümseyerek. Araştırmacılarımız Avrupa'nın en iyileri arasındadır. Nobel Ödülü bile aldık!

– Tam olarak ne üzerinde çalışıyorsunuz? diye sordu Niémans, kuşkucu bir edayla.

– Biyoloji. Fizik. Genetik. Ekolojik sorunlara çözümler arıyoruz.

Ivana araya girdi:

– Ama siz, aynı zamanda Geyersberg ailesinin özel doktorusunuz?

– Aynı şey, öyle değil mi? diye cevapladı, alaycı bir ses tonuyla. Ama anlaşılan bu düşüncesinden hemen rahatsız olmuştu.

– Özür dilerim, diye devam etti, şakanın sırası değil. Zavallı Jürgen... Onun doğumunda bulundum, biliyor musunuz? Buradan, lütfen.

Schüller, kapısının üstünde bir çan ile ferforje bir leylek bulunan ana binaya yöneldi. Niémans, 1970'li yılların hippi topluluklarını andıran bu seçkin bilim insanlarından gözünü alamıyordu.

Doktor, taş seki üzerinde kauçuk çizmelerini çıkararak ağır bir kapıyı itti. İçeride, yan yana sıralanmış keçe patikler vardı.

– Ayakkabılarınızı çıkarmak sizi rahatsız eder mi? Buyurun, içeri geçin.

5

Başka bir yüzyıla ait bir odaya girdiler: küçük karo mozaik döşeli bir zemin, bir köprü kemeri kadar yüksek bir şömine, üzerleri bakır tencerelerle dolu raflar. Salonun tam ortasında büyük bir masa duruyordu, masanın üzerinde küçük ampulleri olan buzlu camdan abajurlar vardı. Yarı kapalı panjurlar, sarımsı kahverengi bir alacakaranlık içinde etrafa dinginlik veriyordu.

Keçe patiklerini giyen iki polis salona doğru ilerledi.

– Bira? Schnaps?

Schüller, içerinin dekoruyla uyuşmayan, buz makineli devasa bir buzdolabını açmıştı. Soğutucunun ışığı yaşlı adamın sakalına yansıyor ve sakalın esmer bir bira kupası gibi parlamasına sebep oluyordu.

– Bira iyi olur, dedi Niémans.

– Evet, diye cevapladı Ivana.

Sessizce masaya oturdular. İçeride mum ve nemli taş kokusu vardı: Gübre kokusundan daha iyi olduğu aşikârdı.

Biralarının kapaklarını açtılar ve sessizlik içinde birkaç saniye daha geçti. Biraz hayal gücüyle, bir Ortaçağ tavernasında oturdukları düşünülebilirdi.

– Tam olarak ne bilmek istiyorsunuz? diye sordu, sonunda Schüller. İki gün önce Fransız polisine raporumu verdim. Ayrıca Landespolizei'nin adamları tarafından da sorgulandım. İnanın bana bir Geyersberg'in öldürülmesi, burada çok fazla gürültü kopardı!

– Öncelikle, diye atıldı Niémans, bir ayrıntıyı açıklığa kavuşturmak istiyorum. Jürgen'in otopsisine neden katıldınız? Bunu yapmanızı sizden kim talep etti?

Schüller dilini şaklattı. Bir kolunu masanın üzerine koymuştu, birası diğer elindeydi, Yaşlı Bruegel'in bir tablosundan fırlamış gibiydi.

– Bunu benden Franz istedi.

– Kim?

– Ferdinand'ın erkek kardeşi, dedi Ivana.

Schüller onu onaylarcasına bira şişesini kızıl saçlı kadına doğru uzattı.

– Jürgen ile Laura'nın amcası benim kendi raporumu yazmamı istiyordu. Colmar savcısı da bu raporu resmi olarak dikkate almayı kabul etti.

– Franz Fransız adli tıbbına güvenmiyor muydu?

Schüller tek omzunu havaya kaldırdı.

– Bir tür kalıtımsal güvensizlik. Bir Geyersberg herkesten şüphe eder...

– Bu belgede, diye araya girdi Ivana, ölüm sebebini tam olarak belirleyecek herhangi bir kesin sonuca varılmadığını belirtiyorsunuz.

Schüller birasından yeni bir yudum aldı ve hafifçe yüzünü buruşturdu.

– Kesilmiş bir kafayla emin olmak imkânsız.

– Ama siz onun boğazının kesildiğini düşünüyorsunuz, değil mi?

– Kuşkusuz, evet, diye cevapladı doktor, bitkin bir ses tonuyla. Zavallı çocuk...

Sanki konuşurken otopsi kâbusunu yeniden yaşıyordu ya da Jürgen'in çektiği büyük acı gözünün önüne geliyordu.

– Bir şey kesin... diye devam etti. Katil onun kafasını bıçakla kesmiş. Modeli konusunda kesin bir şey söyleyemem ama bunun bir avcı bıçağı olduğuna iddiaya girerim. Boyundaki kesiğin kenarları tırtıklı. Ne bir testere ne de herhangi bir kesici alet söz konusu olamaz.

Ivana bir not defteri çıkardı ve son hızla not almaya başladı; zor koşullarda daha etkili yazabilmek amacıyla stenografi öğrenmişti.

– Katil kurbanın karnını yarmış ve iç organları çıkarmış. Sizce bunun sebebi ne?

Schüller ayağa kalktı ve buzdolabından yeni bir bira aldı.

Şişenin kapağını masanın köşesine yerleştirdi, avucuyla vurarak açtı ve yerine oturdu.

– Bir avcı refleksi. Vücut içindeki gazların dışarı çıkmasını sağlamak ve organların şişmesini önlemek için yapılır.

– Anüsteki kesik, bunun da avcılık yöntemleriyle bir ilgisi var mı?

– Elbette var. Bağırsaklar ve iç organlar karın bölgesinden dikey bir kesiyle dışarı alınır, ama üreme organlarına gelince, etin idrar ve dışkıyla kirlenme tehlikesini bertaraf etmek için kıçtan dışarı çıkarılır.

Genç Slav kadın, akıl hocasına öfke dolu bir bakış attı. En başından beri, Niémans bunu biliyordu ve hiç itiraz etmemişti.

– Bu durumda, katilin avcılık konusunda tecrübeli olduğunu söyleyebilir miyiz? diye devam etti Ivana, elinde kalemiyle.

– Bunun bir önemi yok: *pirsch.*

– Ne?

– Yakından avlanma, diye cevapladı Niémans.

Schüller gülümseyerek onu onayladı.

– Herkesin bildiği av, tüfekle yapılan avdır ve herkesin nefret ettiği av ise sürek avıdır. Ve ayrıca *pirsch* var... (Bir sırrı paylaşır gibi sesini alçalttı) Av sessizce ve yalnız olarak izlenir. Avına mümkün olduğunca yaklaşmak ve öldürmeye değer mi buna karar vermek gerekir.

– Anlamıyorum.

– Avlanan hayvanın türünün tüm özelliklerine sahip, "tam donanımlı bir erkek" olması gerekir. Söz konusu olan bir yaban domuzuysa uzun dişlerinin ya da bir geyikse uzun boynuzlarının olması yeterlidir. Önemli olan yaklaşmaktır. Hasmından sadece birkaç adım uzakta olan av asla karşı koyamaz...

– Bu durumda ne olur? Hayvanın kaçmasına izin mi verilir?

Schüller bir kahkaha patlattı.

– Sizin avcı olmadığınız çok belli! Çok katı kurallara uygun olarak yapılan tek bir atışla hayvan vurulur. Buna "temiz atış" denir.

– Ama Jürgen mermiyle öldürülmedi, diye belirtti Niémans.

– Evet. Adamınız pirsch'ten ilham almış, ama öldürmek için bir başka eski geleneğe başvurmuş, bıçağa.

– Jürgen von Geyersberg'in dişlerinin arasında bir meşe palamudu vardı, bunun "son lokma" geleneğiyle bir ilgisi var mı?

Schüller bu kez şişesini Niémans'a doğru yöneltti: Bu işi bilen biriyle konuşmaktan memnundu.

– Kesinlikle. Hayvan öldürüldükten sonra, ona son yemeği verilir. Meşe palamudu hayvanın ağzına sokulmadan önce genellikle onun kendi kanına batırılır. Hatta bazı avcılar hayvanın kanından da biraz içer...

– Peki, siz, diye, provokatif bir tonda sordu Ivana, bu tür şeyleri seven biri misiniz?

Schüller, kadın polisin bu saldırgan tutumundan alınmışa benzemiyordu. Göz ucuyla Niémans'a baktı, sanki "Bu kız çocuğunu neden getirdiniz?" der gibiydi.

– Hayır. O kadar sabırlı biri değilim. Ben daha çok avı köpeğimle izlemeyi tercih ederim. (Yeniden şişesini havaya kaldırdı.) Ben ayrıca bu alanda, yani köpek ırkları konusunda uzman sayılırım.

Ivana not defterine bir şeyler karaladı, sonra kafasını kaldırdı. *İstediği gibi konuşsun.*

– Raporunuza göre, diye devam etti, Ivana, katil sadece iç organları çıkarmakla yetinmemiş, başka organları da çalmış: bağırsaklar, yemek borusu, mide...

– Onları çalmadı, gömdü. Pirsch'in bir başka kuralı.

– Neden?

– Öncelikle bu organlar yenmez. Ama özellikle, burası murdar bir bölgedir. (Doktor komplocu bir ses tonuyla devam etti.) Hayvanın iç ısısının kaynağı burasıdır, burada hayvanın kirli kanı ve vahşi doğası bulunur...

– Ama şu an için, katilin onları gömdüğünden emin değiliz.

– Elbette eminiz.

– Nasıl bu kadar emin konuşuyorsunuz?

Schüller şaşkın bir ifade takındı.

– Ama... onlar cesetten biraz uzakta bulundu! Anlamıyorum, Fransız meslektaşlarınızla temasa geçmediniz mi?

Ivana ile Niémans birbirlerine baktı: Jandarma onlara pis bir oyun oynamıştı. Ya da gerçekten onlara söylemeyi unutmuşlardı.

"Fransız polisinin internet aksaklıkları"na takılmanın gereği yoktu, kadın polis hemen ekledi:

– Pirsch olayında, avın kafasını kesmek de var mı?

– Eğer bir ganimet almak isterseniz, evet. Buna "kelle alma" denir.

Niémans, Ivana'nın dudağının kenarındaki gülümsemeyi fark etti; işte ona uygun bir ifade.

– Katilin fizyoloji bilgisi var mı? diye sordu, Niémans. Kasap ya da bir cerrah olabilir mi?

– Bir avcı, tek başına bu bile yeterli. İşini bilen bir adam. Size başka bir örnek vereyim: İç organları çıkarmak için göğüs kemiğini kökünden kesmiş, tıpkı ormanda avını öldüren bir profesyonelin yaptığı gibi.

Polis Jürgen von Geyersberg'i düşünüyordu. Ayrıntıları bilmiyordu, ama bu mirasyedinin gençliğini ve aldığı eğitimi düşünebiliyordu. Önemli okullar, seçkin sporlar, şatafatlı tatiller... Hiçbir şey, kesinlikle hiçbir şey, onun bu şekilde, bir yabandomuzu gibi öldürülmesini haklı çıkaramazdı.

Katil onlara ne söylemeye çalışıyordu?

– Size teşekkür ediyorum profesör, şimdilik hepsi bu kadar.

– Şimdilik mi?

Niémans, saygıyla eğildi.

– Raporunuzu dikkatle okuyacağımızı ve sonrasında size başka sorular sorabileceğimizi belirtmek istedim.

– Ya benim bugünkü tanıklığım? Bir ifade tutanağı imzalamam gerekmiyor mu?

– Bugün, burada konuştuklarımız *off the record* olarak kalacak.

Ivana gazetecilere mahsus bu gülünç açıklama karşısında yüzünü buruşturdu, ama hiç kuşkusuz bu cümledeki gizli mesajı almıştı: Paris'ten 600 kilometre uzakta, Fransa sınırları dışında, boş yere kırtasiye işleriyle uğraşmayacaklardı.

Niémans, hiç iz bırakmadan sezgileriyle yol almaya karar vermişti. Schüller'in Almanca yazılmış raporunu okumayı göze alamıyordu. Buna karşılık, profesörü bir danışman olarak elinin altında tutmak istiyordu. O olağanüstü deneyimleri olan bir avcıydı.

Ya da o zaten buna kendini adamıştı: Katilleri bir pirsch avcısıydı.

6

– Bir dahaki sefere, eğer bildiğiniz bir şeyler varsa, diye sert bir ses tonuyla konuştu Ivana, araştırma merkezinin avlusunu geçerken, tanığı sorgulamadan önce bunları benimle paylaşmanız çok daha iyi olur.

– Sakin ol. Bu sadece bir sezgiydi.

– Benim ne demek istediğimi siz çok iyi anladınız. Aptal gibi görünmekten hazzetmem.

Ivana özellikle, savunmasız hayvanları öldürmenin sanat ve tarz olduğunu savunan iki maçonun arasında kaldığını düşünüyordu.

Ama yanılıyordu: Niémans ne bir uzmandı ne de fırsatçı bir avcı. Ateşli silahlar konusundaki deneyimi sayesinde temel birtakım kavramları biliyordu sadece.

– Jandarmayı aramamız lazım, dedi Niémans, ana kapıdan çıkarlarken.

– Bu bir işe yaramaz, bize ters davranıyorlar.

– Bundan çok daha kötüsünü yaptıklarını düşünüyorum: Bizi açıkça yanlış yönlendirdiler.

Volvo'ya yaklaşırlarken, güzel Slav cep telefonunu çıkardı. Saat 17.00 olmalıydı ve gökyüzü tuhaf bir kükürt rengine dönmüş, gün çoktan karanlığa bürünmeye başlamıştı.

– Umalım da Alman polisi bu olayda bizimle daha fazla işbirliği yapsın, dedi Ivana, arabanın içine süzülürken.

Fazla emin olma... Bu ilk soruşturma çok kötü koşullarda başlamıştı. Genç bir milyarder bir geyik gibi kurban edilmişti. Yabancı topraklarda yapılan bir soruşturma ve kuşkusuz işlerini bitirdiklerini düşünen jandarma. Almanlara gelince, onların iki Fransız'dan nasihat beklemedikleri aşikârdı...

Polis gözlerini kapattı. Ağaçların tepelerinde bir yerlerden, kuş sürülerinin, henüz göç etmemiş olanların, insanı rahatsız eden canhıraş şakımaları duyuluyordu.

Gözlerini açtığı anda, simsiyah küçük kuşlardan oluşan bir sürü çiftenin namlusundan çıkan saçmalar gibi gökyüzüne dağıldı.

Niémans bu anlık dalgınlığın ardından arabaya bindi.

– Ne yapıyorsun? diye sordu, direksiyonun arkasına yerleşirken.

– Her ihtimale karşı, jandarmaya yazıyorum. Bize dosyanın eksiksiz hali gerekiyor.

– Kibar ol.

– Her zaman. Beni tanıyorsunuz.

– Programın devamında ne var? diye sordu Niémans, hareket ederken.

– Artık daha ciddi şeylerle ilgilenmeye başlıyoruz, dedi Ivana, GPS uygulamasına bağlanırken. Laura von Geyersberg, Jürgen'in kız kardeşi. Villası buradan birkaç kilometre uzakta. Patikadan çıkınca sağa dönün.

Yeniden Titisee Gölü'nün önünden geçtiler. Sudan ayna bu kez bir kömür yatağını ya da bir mazot örtüsünü andıracak derecede kararmıştı. Dantevari yakıtları besleyebilecek tarzda soğuk ve kapkara bir madde.

Ivana penceresini açtı ve bir sigara yaktı. Anlaşma yapmışlardı: Camı açmak koşuluyla sigara içebilecekti. Deri koltuklarına sigara kokusu sinme ve ceviz ağacı kaplama ön konsolda yanık oluşma ihtimalini düşününce Niémans tedirgin oluyordu, ama bireysel bir kötü alışkanlığın sansürlenmesini de kabul etmiyordu. İyilik yapmak adına her şeyi yasaklamak isteyen toplumdan artık tiksiniyordu. İçten pazarlıklı, mide bulandırıcı, vicdanları rahatlatmak için başvurulan bu en berbat diktatörlüğe asla ortak olmayacaktı.

Araba sürerken, bir yandan da göz ucuyla güzel Slav'ı izliyordu; oksijen maskesiymiş gibi sigarasından nefesler çekiyordu. Matmazelin paradoksları. Bir tarafta, kendine çok iyi bakıyordu (vegandı, organik besleniyordu, yoga yapıyordu ve bunun gibi başka şeyler...) Diğer tarafta, gün boyunca kendine zarar vermeye devam ediyordu: Bir idam mahkûmu gibi sigara içiyordu, aşırı dozdan ölmekten ve alkol komasına girmekten kıl payı kurtulmuş olmasına rağmen uyuşturucuyu ve alkolü bırakmamıştı. Öte yandan, doğayla ve dünyanın geleceğiyle son derece ilgiliydi, ama kırsala hiç ayak basmamıştı ve sadece kendisini şehir ortamında, karbondioksit solurken iyi hissediyordu.

– Kontes kaç yaşında? diye sordu Niémans.

– 32. Jürgen'den iki yaş küçük. Anne babaları ölünce, VG Grup'un yönetimi iki kardeşe kalmış. Laura artık tek başına mücadele etmek zorunda kalacak.

– Anne ve baba neden ölmüş?

Ivana iPad'ini çıkarmıştı.

– Anne intihar etmiş, baba kanserden ölmüş, 2012 ve 2014.

– Grubun yönetimini bu çocuklardan başka üstlenecek kimse yok muymuş?

– Önceki kuşak üç erkek kardeşten oluşuyormuş, Ferdinand, Jürgen ile Laura'nın babası, Dieter, onun kardeşi, iki oğlu olmuş ama çok erken yaşta ölmüş ve Franz, onunla daha önce konuşuldu, hâlâ hayatta ama çocuğu yok.

– Yeğenini ortadan kaldırarak, ileri yaşta meşaleyi yeniden ele geçirmek istemiş olamaz mı?

– Bu konuda bir şey bilmiyorum. Onun cinayet saatinde nerede olduğunu sorgulamak lazım.

– Ya kuzenler, Dieter'in çocukları?

– Aynı durum. Ama grubun hissedarları Jürgen ile Laura'ya daima güvenmişler ve VG Grup'un elde ettiği sonuçlar hep çok başarılıymış. Başka bir Geyersberg'in Jürgen'in yerini almak istediğini düşünmemiz için herhangi bir sebep yok.

– İki kardeş arasında rekabet olabilir mi?

– Araştırmak lazım. Ama tam tersine, listedeki bir sonraki kişi o olabilir.

Yolun iki tarafında, köknar ağaçlarından oluşmuş iki duvar arasında en ufak bir boşluk yoktu. Görünürde ne bir elektrik direği ne de bir yol tabelası vardı. Uygarlık sanki orman tarafından yutulmuştu.

– Daha çok yolumuz var mı?

– Zaten Geyersberglerin topraklarındayız.

Bir anda Niémans'ın aklına, Kara Orman'da muhtemelen binlerce hektarlık bir araziye sahip bu ailenin ne denli büyük olduğu geldi. Derebeyliklerine ait bu topraklardan medeniyetin tüm izlerini silen onlardı. Daha iyi avlanmak, daha iyi soluk almak ve yaşamak için. Çevreyi kirletmeyen bir fanus içinde yaşayan hippi görünümlü bilim insanları topluluğundan sonra oyun alanlarını büyük bir kıskançlıkla koruyan aristokratların dünyasına giriyorlardı.

Polis düşüncelerine yoğunlaştı. Araba sürmek onun nöronlarını harekete geçiriyordu. Cinayet yöntemiyle ilgili ilk bilgiler içini kemiriyor ve aklına birbirine zıt düşünceler getiriyordu. Katilin bir pirsch avcısı olduğu söylenebilirdi ve onun gözünde bir insanı öldürmek, bir geyiği ya da yabandomuzunu öldürmek gibi son derece güzel bir şeydi. Bir tür sungu.

Ama bunun tersini de düşünmek mümkündü: Adam pirsch avından nefret ediyor, ondan tiksiniyordu. Bu yönteme sadece tiksintisini ya da intikam nedenini ifade etmek için başvurmuştu. Bir av kazası olabilir miydi?

– Yavaşlayın, diye birden bağırdı Ivana. Tam anlamıyla özel mülk denilen alana varmak üzereyiz.

Tam o anda, yolun üzerinde iki nöbetçi beliriverdi. Tuhaf olan ne bir ana kapı ne de bir uyarı levhasının olmasıydı: Bu asfalt yol Geyersberglere aitti ve sadece tek bir yere gidiyordu, kontesin şatosuna.

Gecikmeyle de olsa, Niémans etraflarını saran ağaçların çok dip dibe olduğunu ve sonuç olarak, bölgenin adına layık bir şekilde çevreyi kararttığını fark etti.

Ivana arabadan çıkıp paralı askerlerle Almanca konuştu. Niémans tamamen art niyetle, Ivana Hırvat asıllı olduğu için Almanca öğrenmesinin şüphesiz daha kolay olduğunu düşündü. Aptalca bir düşünceydi bu: Ivana kendi anadilini konuşmuyordu ve Almancanın Slav dilleriyle elbette hiçbir alakası yoktu.

Ivana yeniden arabaya bindi ve on dakika daha yol aldılar. Orman sanki sonsuz ve sınırsızdı. Ama bir anda, önlerinde uçsuz bucaksız bir açıklık belirdi, ekin çemberlerinin belirginliğiyle manzarayı kesintiye uğratan bir düzlük. Kusursuz bir döşemelik kadife gibi bu açıklık uzun çimenlerle kaplıydı. Yabancı bir uygarlık, kimsenin fikrini sormadan sanki bir anda gelip ormanın ortasına yerleşmişti.

O sırada, Niémans bu yapay açıklığın dip tarafında yer alan, Laura von Geyersberg'in malikânesini gördü.

Kesinlikle görkemli bir şato değildi, ama kuşkusuz 20. yüzyılın başlarında inşa edilmiş modern bir villaydı. Güneşin son ışıkları altında bir kristal gibi parlayan, camdan büyük bir dikdörtgen.

Polis, hakkında çok fazla bir şey bilmese de mimarlığı seviyordu. Yirmi yıl vadeli krediyle, Cachan'da artık kullanılmayan küçük bir fabrika binası satın almıştı, amacı mimar Mies van der

Rohe'nin[7] "serbest mekânlar" olarak adlandırdığı şekilde, bu tür bir alanı tek bir mekân olarak düzenlemekti.

Villanın birkaç metre uzağında, kötü durumda siyah renkli bir 4x4'ün durduğu, bir park alanı buldular. Niémans içgüdüsel olarak, aslında her şeyi satın alabilecekken, eski arabalar kullanmayı ve delik kazaklar giymeyi seven zenginlerin züppeliğini burada daha iyi anladı.

Volvo'dan çıkan Niémans villayı dikkatle inceledi. Birinci kattaki pencereler uzun beyaz perdelerle kapatılmıştı –kuşkusuz yatak odaları–, ama giriş katı tamamen camdı ve evin içi görünüyordu: hareli, parlak, havadar, her cam yüzey kahverengi ve pıhtılaşmış kandan bir çerçeveyi andıran pas rengi çelik bir strüktürle desteklenmişti.

En çarpıcı olan, evin ormanın derinliklerinden yükseliyor gibi gözükmesiydi. Köknarlar bütün boşluğu dolduruyordu ve camlardan yansıyan parıltılar çam ormanının yamaçlarına vuruyordu. Her şey birbirine karışıyor, iç içe geçiyor ve bütünleşiyordu. Burası bir konut değil, ormanın bir parçası, göz kamaştırıcı bir ortak yaşam alanıydı.

Niémans elinde olmadan hayranlık dolu bir ıslık çaldı.

– Henüz patroniçeyi görmediniz, dedi Ivana.

7. Mies van der Rohe (1886-1969): 1944 yılında ABD vatandaşlığına geçmiş Alman mimar. (ç.n.)

7

Ivana Niémans'ın kontesten hoşlanacağını biliyordu. Rivayete göre, adli polis şefi kadınlarla ilgilenmiyordu. Ama durum tam tersiydi: Niémans onların büyüsüne kapılıyordu; ama kadınlarla karşı karşıya olduğunda, yaşla birlikte gelmesi gereken rahatlığa asla kavuşamamıştı. Doğrusu Peder Niémans köşeye sıkışmıştı.

Tüm yaşlı maçolar gibi, kadınların karşısında donup kalıyordu, ama kadınların gücü onun gücünden çok farklıydı, onların karşısındayken solak dövüşçülerden, yandan yumruk almaktan korkan bir boksör gibiydi. İşte bu gücü anlamıyordu ve bu güçten korkuyordu, onun gözünde yenilgilerin ve acıların tek kaynağı buydu. Bu dezavantaj kontesin karşısında da ortadan kalkmayacaktı.

Ivana Laura von Geyersberg hakkında magazin basınında çıkmış çok sayıda yazı bulmuştu. Laura yardım gecelerinde, kimsenin bilmediği kumaşlardan uzun elbiseler giyiyordu. En ünlü modaevlerinin defilelerinde en önde oturuyordu. Simsiyah giyinmiş, kafasında binici şapkası, beyaz atının üstünde dimdik duran, sürek avındaki Laura...

İnsan, onun imparatorluğunu yönetmeye nasıl zaman bulduğunu düşünüyordu. Yine de bu konuda şüpheye mahal yoktu: Erkek kardeşinin yanında ve demir yumrukla, bu işi iyi yaptığı ortadaydı. Gazetelerde çıkan bütün yazılar bunun üstünde duruyordu: Alman otomobil mühendisliğinin lideri olan VG, Jürgen ve Laura von Geyersberg'in yönetimi altında sürekli gelişme kaydetmişti; bu gelişme hem hissedarlar hem de kuzenler ve akrabalar lehineydi. Bu açıdan bakıldığında, Jürgen'i ortadan kaldırmayı gerektirecek bir sebep yoktu. Bu altın yumurtlayan tavuğu kesmek demekti.

Cephe boyunca uzanan birkaç basamağı çıktılar. Ivana'nın mimarlık hakkında hiçbir bilgisi yoktu ama içgüdüsel olarak bu alandaki bir başarının hakkını teslim etmeyi biliyordu. Bu devasa akvaryum çok esaslıydı.

Niémans zili çaldı, refleks olarak gözlüklerini ve paltosunu düzeltti, sonra umursamaz bir tavırla bekledi. Ivana geride bekliyor, sürekli kıpırdanıyordu, sürekli hareket halindeydi. Korkuyordu. Kontes güzeldi –fotoğraflar bunu kanıtlıyordu–, zengindi ve pırıltılıydı. Genellikle, çoğu günler Ivana da sevimli ve çekici olabiliyordu, ama yine de onda olmayan her şey konteste vardı.

Kapıyı Laura von Geyersberg'in kendisi açtı.

Real life görüntüsü magazin dergilerinin kuşe sayfalarındaki görüntüsünü unutturuyordu. Kapının eşiğinde duran, gülümsemesiyle fotoğraflardaki kibirli kadına hiç benzemeyen muhteşem bir kadın. Niémans kadar uzun boyluydu, lüle lüle siyah gür saçları ve en şık giysileri –mağazalardaki marka elbiseler ya da günümüzdeki gibi slim fit bir jean, bir kazak ve babetler– giymeye uygun incecik bir bedeni vardı.

Tüm ayrıntıları görmek için göz açıp kapayıncaya kadar geçen süre yeterliydi, zaten kadınların karşı karşıya oldukları gücü değerlendirmek için daha fazla bir zamana ihtiyaçları yoktu. Uma Thurman tarzı çok uzun bir boynu, dolgun kaşları vardı ve hüzünlü ancak son derece parlak gözleri. Çok düzgün ve yumuşak hatlara sahip bir burun, çok belirgin olmasa da şehvetli dudaklar tabloyu tamamlıyordu. Yine de bu göz kamaştırıcı görüntüde bir tür sakınım da hissediliyordu, 80'li yıllara ait bu saç modelinin altında, sanki yüzü çekingeni oynamak istiyordu.

Makyajı yoktu, hiç mücevher takmamıştı, belli ki Laura formunda değildi. Yüz hatları yorgundu, gözlerinin çevresinde mor halkalar oluşmuştu: Bu zayıflıklar onun güzelliğini daha da pekiştiriyordu, tıpkı bir atletin bedeninin güç sarf ettiğinde en güzel şeklini alması gibi.

– İyi akşamlar, dedi, son derece ince bir bileğin ucundaki beyaz elini uzatırken. Ben Laura von Geyersberg.

– Amir Pierre Niémans, dedi, aynanın önünde daha önce birkaç kez tekrar etmiş gibi kendinden çok emin bir ses tonuyla. Ve Teğmen Ivana Bogdanović, benim ortağım.

Ivana neredeyse reverans yapar gibi eğildi. O anda, kendini bir eviyenin altından çıkan bir hamamböceği kadar değerli hissetti.

– Bu öğleden sonra size telefon eden bendim, dedi Ivana, duygusuz bir sesle, sanki hamamböceklerinin de var olma hakkını ispatlamak istiyordu.

Ivana gözlerini Laura'nın saçlarından alamıyordu: Kendi saçlarının hep süpürge püskülü gibi uzadığını düşünmesi onun için gerçek bir yürek acısıydı.

Laura ellerini jean pantolonunun ceplerine soktu ve bakışlarını iki polis üzerinde gezdirdi.

– Çok iyi anlamadım, dedi, yumuşak bir ses tonuyla. (Fransızcayı aksansız konuşuyordu.) Jandarma beni zaten sorguladı...

– Şimdi şöyle diyebiliriz... İlerleme kaydedilmediği için bizi destek olarak çağırdılar...

Laura geçmeleri için yana çekildi. Ana salon kesintisiz bir şekilde uzanan bir mekândı. Görünürde tek bir taşıyıcı unsur yoktu: ne bir duvar ne de bir kolon. Tüm mekân kına rengi bir ışık banyosu içindeydi.

İlk bakışta, salon boş gibi gözüküyordu, ama dikkatle bakınca birkaç eşya göze çarpıyordu: bir sandık, kuyruklu bir piyano, bir kanepe, bunların uzağında, tam ortada, ters duran devasa bir periskopu andıran bir şömine. Tüm bunların çevresinde, camlı yüzeylerin arasından kahverengi ve yeşil köknarlar dikkat çekiyordu...

– Cam Villa! dedi Laura. Büyük büyükbabam bir Bauhaus hayranıydı. 30'lu yıllarda özel olarak inşa ettirmiş. Burayı çok seviyorum.

– Hangi mimar?

– Ludwig Mies van der Rohe'nin bir öğrencisi. Bir aile dostu. 1950'li yıllara kadar Farnsworth Evi ile Crown Hall'u tasarlamış ustasından bile daha başarılı oldu...

Kadın bu adları, sıradan referanslarmış gibi sıralıyordu. Ivana mimarın adını bile zar zor anlamıştı.

Kontes, aşıboyası rengi bir kanepe ile oturma yeri deri bantlardan oluşan taburelerin bulunduğu "oturma köşesine" doğru yöneldi. Hepsi pelüş bir halının üzerine yerleştirilmişti.

– Jürgen de burada mı yaşıyordu? diye sordu Niémans, kadının peşi sıra yürürken.

Kontes arkasına döndü, elleri hâlâ ceplerindeydi, bu da ona gençlere özgü meraklı bir hava katıyordu.

– Hayır. Neden? Jürgen Freiburg'da bir villada oturuyordu.

Çenesiyle iki tabureyi işaret etti: Bu bir davet değil, daha ziyade bir emirdi. İki polis hiç itiraz etmeden oturdu.

– Ne öğrenmek istiyorsunuz? dedi Kontes, tam karşılarına, kanepenin ortasına otururken.

Sanki birden üşümüş gibi ellerini uyluklarının altına soktu ve omuzlarını dikleştirdi; tüm bunlar önceden hesaplanmış hareketlerdi.

Ivana, kadının, gözpınarları hep yaşla doluymuş gibi duran siyah gözlerine dikkatle bakıyordu. Gözlerinin karşısındakiyle arasına mesafe koyan ve başınızı döndüren ıslak bir derinliği vardı, hem noktasal bir belirginliği hem de ulaşılmaz bir mesafesi olan yıldızlarla dolu bir gökyüzü gibiydi.

Bu durumu doğrulamak için Niémans'a göz attı: Niémans Samanyolu'nda çoktan kaybolmuştu.

8

– Acınızı tazelediğimiz için özür dileriz... diye konuşmaya başladı Niémans, ondan beklenmeyen bir yumuşaklıkla.

İlk kez birlikte bir sorgulama yürütüyorlardı ve Ivana onun bu kadar temkinli davranmasını beklemiyordu. Yaşla birlikte yumuşamış mıydı? Yoksa bu güzel kontesin karşısında, tavadaki tereyağı gibi eriyor muydu?

Cevap olarak, Laura von Geyersberg eliyle, sanki "Sadede gelin, dostum..." der gibi bir hareket yaptı.

– Jürgen'i en son ne zaman gördünüz?

– Herkes gibi, cumartesi öğlen. Av köşkünde davetlilerimizle öğle yemeğindeydik. Ama bizim yanımızda fazla kalmadı. Bu tür şeylerden hoşlanmazdı.

– Ya sürek avı? diye araya girdi Ivana.

– Hayır, bunu ön plana çıkaran gazetelerin sosyete sütunları. Ben de sürek avına bayılmıyorum, ama bu, ticari ortaklarımızla ve bölgenin ileri gelenleriyle temas halinde olmamızı sağlayan bir gelenek...

Niémans yeniden söze girdi:

– Daha sonra Jürgen'den hiç haber alamadınız mı?

– Hayır.

– Ne telefon ne de bir mesaj, öyle mi?

Laura von Geyersberg hafifçe gülümsedi, bu daha ziyade soğuk ve otoriter bir gülümsemeydi:

– Bu soruyu neden soruyorsunuz? Cevabı biliyorsunuz, değil mi?

Kontes, polisin Jürgen'in telefon dökümlerine ulaştığını biliyordu.

– Evet. En son sizi aramış.

– Doğru. Saat 15'e doğru, cumartesi öğleden sonra.

– Size ne söyledi?

– Özel bir şey değil. Davetliler açısından her şeyin yolunda gidip gitmediğini öğrenmek istiyordu. Akşam yemeğinde av köşküne uğrayacağına söz verdi.

– Gelmeyince endişelenmediniz mi?

Laura ellerini uyluklarının altından çıkardı ve lotus yaprakları gibi iki yana açtı.

– Jürgen'in ortadan kaybolmak gibi bir alışkanlığı vardı... ama hiçbir zaman yirmi dört saatten fazla ortadan yok olmazdı. Ayrıca, onun ertesi sabah ava katılacağını biliyordum. Boş yere bu denli seçkin bir topluluğu yalnız bırakmazdı.

Ivana sağ bacağının titrediğini hissetti, sinirlendiğinin bir işaretiydi bu. Uzun zamandan beri, sefil banliyö hayatına karşı mücadele veriyordu. Bu, zaman içinde tüm benliğini kaplamış ve kangrene yol açmış –öfke, kin, utanç...– derin ve ağır bir yaraydı.

– Ama ertesi sabah gelmedi, diye neredeyse sadistçe bir ses tonuyla konuştu Ivana.

Laura gözlerini tavana dikti ve rüyalarındaki, arzularındaki bir paralel evrenle birleşiyormuş gibi dalgın bir tavırla konuşmaya başladı.

– Hâlâ her an ormanda ortaya çıkacağını düşünüyordum. (Sesini alçattı:) Jürgen sürprizleri severdi...

Niémans, bir anda iç karartıcı bir hal alan bu duruma son vermek ve özellikle de Ivana'nın daha fazla saldırganlaşmasını önlemek istercesine konuşmanın kontrolünü yeniden ele aldı:

– Peki, özel yaşamı? Biriyle görüşüyor muydu?

Laura sigara paketine uzanıp misafirlerine tuttu. Niémans almadı. Ivana hem bu davranışın hem de böyle bir evin içinde sigara içilebileceği olgusunun yarattığı şaşkınlıkla, sigara ikramını kabul etti.

İki kadın acele etmeden sigaralarını yaktı, birdenbire suç ortağı olmuşlardı. Ivana bir anda, kadın hakkındaki yargısını yeniden gözden geçirdi: Kontes o kadar da kibirli biri değildi ve o, Ivana kadını doğrudan çöp kutusuna atmakla haksızlık yapmıştı.

Kontes yeniden yerine oturdu ve birkaç saniye tütünün tadını çıkardı. Bir anda oda, ikonalar gibi parlayan mobilyaları ve tütsü işlevi gören sigara dumanı kıvrımlarıyla bir Ermeni kilisesine benzemişti.

– Onun egzotik... eğilimlerinden bahsetmek gerekiyor, dedi sonunda Laura. Ama Jürgen sadomazo kulüplere çok sık gittiği için kafası kesilmedi...

– Yine de orada, hiç beklenmedik kötü bir deneyim yaşamış olabilir.

– Hayır. Sanılanın tam tersine, orası tamamen zararsız bir ortamdır.

Niémans onu onaylama gereği hissetmedi.

– Siz de o tarz yerlere sık gider misiniz?

– Ne?

– SM ortamları.

Laura gülümsedi, bu açıkça eğlendiğini gösteren gerçek bir gülümsemeydi. Dakikalar geçtikçe bu olağanüstü güzellikteki kadın dostça ilişki kuruyor ve olduğu gibi davranıyordu, artık ulaşılmaz değildi, ama nedense statüsüne ve eğitimine tamamen ters bir şekilde son derece insancıl ve sıcaktı. Doğruyu söylemek gerekirse... sıcak tavırları her dakika artıyordu.

– Bölgeden olmadığınız anlaşılıyor, diye karşılık verdi.

– Neden?

– Çünkü... uzun zamandan beri kimse benimle bu kadar açık konuşmadı.

Niémans özür mahiyetinde hafifçe öne doğru eğildi: Ama otururken bunu yapmak kolay değildi.

– Benim beceriksizliğim, özür dilerim.

– Sorun yok. Hayır, bu tür kulüplere sık gitmem. Benim çok daha sıradan... alışılmış zevklerim var. Erkek kardeşim bana "küçük burjuva" muamelesi yapardı.

Ivana yeniden söze girdi, sigara içmek onu rahatlatmış gibiydi:

– Jürgen'in düşmanı var mıydı?

Laura von Geyersberg ayağa kalktı ve kanepenin etrafında birkaç adım attı. Tam arkasında, geri planda, iğne yapraklı ağaçlar karanlığı dolduruyordu.

– Ailemiz on milyar dolarlık bir servete sahip. Bu da kıskançlığa, rekabete ve her türden saldırgan davranışlara neden olabilir...

Niémans ile Ivana birbirlerine baktılar: Oturma yeri deri bantlardan oluşan taburelerinin üstünde kendilerini aptal gibi hissediyorlardı.

Ivana çareyi, oturduğu yerden kalkmakta buldu ve sordu:

– Daha önce hiç tehdit aldınız mı?

– Tam tersine, herkes bize karşı hep güler yüzlüydü. Babam "Böyle dostlarımız oldukça hiç düşmana ihtiyacımız yok" derdi.

– Kendinizi tehlikede hissediyor muydunuz?

– Hissetmeli miydim?

Niémans da, Garnier Operası'ndaki gerçek bir balet gibi ayağa kalktı.

– Ne sizin ne de Jürgen'in çocuğu var, dedi. Sizin başınıza bir şey gelse, miras kime kalacak?

– Miras ailemizin diğer üyeleri arasında pay edilecek, özellikle de yakın kuzenler Udo ile Max arasında.

O anda, Ivana Laura'nın parfüm kokusunu fark etti; sade, doğal, hoş bir kokuydu, bir peri dokunuşu gibi yumuşak ve bitkisel bir şey.

– Sizin de ölmenizi istiyor olabilirler mi? diye kaba bir sesle sordu Ivana, sanki bu büyülü ortamı bozmak istiyordu.

Laura ona omzunun üstünden kaçamak bir bakış attı ve bütün doğallığıyla gülümsedi.

– Hayır. Onlar da en az bizim kadar zenginler ve kızlar ile avdan başka bir şey düşünmezler.

– Bu hafta sonu onlar da av partisine katıldılar mı?

– Elbette, ama, bir kez daha söylüyorum, onları unutabilirsiniz. Eğer 25 yaşında değilseniz ve küçük, güzel bir kıçınız yoksa, onlar son derece zararsızdır.

Ivana geri çekildi ve topu, şimdi tam kontesin karşısında duran Niémans'a attı.

– Avdan söz ediyorsunuz... dedi Niémans, pes sesiyle. Jürgen'in cesedinin bu şekilde sahnelenmesi hakkında ne düşünüyorsunuz?

Laura'nın bakışları bir anda değişti. Artık ne gülümseme ne de ironi söz konusuydu. Ama üzüntü de yoktu. Sadece çok daha yoğun, buz gibi soğuk bir öfke vardı.

– Pirsch'in çok iğrenç bir taklidi...

– Cesedin bu şekilde bırakılmasının bir sebebi olduğunu düşünüyor musunuz?

Laura Niémans'ın etrafından dolandı ve ön cephedeki büyük pencerelere doğru ilerledi. Şimdi sırtı onlara dönüktü.

– Bizim ava olan tutkumuz herkes tarafından bilinir. Bölgede bu etkinlik için çok fazla şey yaptık. Tüm bunlar tahrik sebebi yaratmış olabilir.

Niémans da cam duvarın yakınına giderek ona katıldı. Ivana geride kaldı. Üçlü bir anda ikiliye dönüşmüştü.

– Siz de pirsch, yani yakından avlanma yaptınız mı?

– Çocukken erkek kardeşimle birlikte çok avlandık. Ama şimdi, ava çıkmak için hiç zamanım yok... maalesef.

– Alsace dışında.

– Söylemek istediğim, Fransa'da birkaç sürek avı düzenledik ve ayrıca Almanya'daki bizim arazilerimizde de, ama bunlar daha ziyade yüksek sosyeteyle bir araya gelme etkinlikleriydi. Jürgen ile benim yeniyetmelik çağlarımızda yaşadığımız şeylerle bir alakası yoktu...

Sanki bu sözlerin bir yansıması olarak, Ivana koridorun girişini çevreleyen taş duvarın üstüne yerleştirilmiş silahlığı fark etti. Sonuçta, evin cam dışında malzemelerden inşa edilmiş bir bölümü olmalıydı.

Ivana balistik konusunda son derece cahildi, ama orada sergilenen tüfekler kendi kategorilerinde en iyileri olmalıydı. Hiç kuşkusuz paha biçilemez parçalardı. Altın parlaklığında ahşap dipçikler, son derece ince süslemeleri olan namlular ve kundaklar...

– Ya Jürgen, diye devam etti Niémans, hâlâ pirsch avı yapıyor muydu?

– Jürgen, evet, sanırım. Bu konuda çok ketumdu...

– Cumartesiyi pazara bağlayan gece neredeydiniz?

Görünürde herhangi bir sebep olmadan, Niémans birden ses tonunu değiştirmişti.

– Şey... burada.

– Yalnız mıydınız?

– Hayır. Ticaret müdürlerimin biriyle eve döndüm.

– En azından kim olduğunu biliyorsunuz, değil mi?

Sert olmaya karar verdiğinden gereksiz şekilde kaba davranıyordu.

– Her zamanki Fransız kibri... Rolünüzü mükemmel bir şekilde oynuyorsunuz, Amir Niémans. Ticaret müdürünün adını Alsace'lı meslektaşlarınıza sorabilirsiniz, ilk kontrol ettikleri şey bu oldu. Ben...

– Stefan Griebe, diye araya girdi Ivana, doğrudan Niémans'a hitap etmişti. Sayın kontesin tanığı teyit edildi.

– Tanık mı? diye yineledi Laura, kollarını göğsünde çaprazlarken. Çok ileri gittiğinizin farkında mısınız?

– Bu bir konuşma tarzı, dedi Niémans. Kendi adına ortamı yumuşatmaya çalışmıştı.

Ivana, kuyruklu piyanonun kapağının üstünde duran ve güneş ışınlarıyla çerçeveleri parlayan fotoğrafları fark etti. Yaklaştı ve bir oğlan çocuğu ile bir kızdan oluşan aile fotoğraflarını gördü, fotoğraflara bakıldığında değişim ortadaydı. Rasgele resimlerden birini aldı: Walt Disney'e yaraşır bir şatonun avlusunda ayakta duran, yaşları 12 ila 14 olan iki yeniyetme.

Laura'yı tanımak kolaydı. Onun yanındaki kızıl saçlı ve tombul oğlan çocuğu Jürgen olmalıydı. Dosyada gördüğü fotoğraflardaki adama benzemiyordu. Otuz yıl sonra, çocuk kendinden emin yüz hatlarına ve atletik vücuda sahip bir erkek olmuştu. Fotoğraftaki kızıl saçlı şişko çocukla hiç alakası yoktu.

O anda bir ayrıntı dikkatini çekti: Kalın kaputlarının içinde papalar gibi son derece ciddi duran iki çocuğun ellerinde kocaman av tüfekleri vardı. Abla ile kardeş mermilerle iç içe büyümüşlerdi.

Bir el uzanıp fotoğrafı aldı ve Ivana'nın görüş alanına doğru tuttu.

– İkiz gibiydik, dedi Laura, elindeki resme dikkatle bakarken. Aynı anda aynı şeyleri hissediyorduk. Bu... doğuştan gelen karakteristik bir şeydi.

Kontes –sonunda– heyecanlanmış gibiydi.

– Ya iş konusunda, diye sordu Ivana, iyi anlaşıyor muydunuz?

Laura'nın yüzü gerginleşti.

– Size az önce, ikimizin tek bir insan olduğunu söyledim! dedi, bu aptalca sorular ve bu soruları soranlar karşısında yaşadığı öfke patlamasıyla..

Eliyle yüzünü sıvazladı.

– Özür dilerim... Jürgen'i kaybedince, ben de bütün yaşama nedenimi kaybettim...

O anda, mavi bir ışık halesi ve araba gürültüleri bu acıklı sahnenin yarıda kalmasına neden oldu. Laura hemen geniş camlı pencereye doğru ilerledi. Avluda, üzerinde "POLIZEI" yazan mavi beyaz renkli bir sürü araba çakılları gıcırdatıyordu.

– Alman meslektaşlarınız, dedi Laura, gözyaşlarını kurularken. Anlaşılan gelişiniz gözden kaçmamış.

9

Gece ormanda kök salmaya başlıyordu. Ve geceyle birlikte soğuk da... Kahrolası nemle birlikte insanın içine işleyen acımasız soğuk.

Montunun önünü kapatırken, Ivana kendine güvenen, hiçbir şey fark etmemiş gibi duran Niémans'a göz ucuyla baktı. Alabros kesimi gri saçları ve son savaştan kalma ilkokul öğretmeni gözlükleriyle, alfa erkeği Alman alter egosuna doğru sakin bir şekilde ilerliyordu, kavgaya hazırdı.

Tüm dikkatini yeni gelenlere verdi ve manzarayı değerlendirdi: beşli küme halinde park etmiş BMW'ler, hafif mavimsi xenon farlar, LKA'nın, sıradan polisten ziyade askere benzeyen, altın rengi armalarla süslü siyah kıyafetleri içindeki adamları. Fena değil...

Müfrezenin başındaki adam diğerlerinden farklıydı. Orta boylu ve dar omuzlu bir adamdı: Üzerinde "LKA Baden-Württemberg" yazan anorağının içinde sıradan biri gibi duruyordu. Saçları hafifçe dökülmüştü, Niémans'ınki gibi yuvarlak gözlükleri vardı, keçisakalı ona Profesör Tournesol[8] havası veriyordu. O kadar heyecan duyulacak biri değildi.

Bununla birlikte, hafif bir ürperme hissetti.

Dikkatle bakınca, asil bir alın, insanın içine işleyen bakışlar, keçisakalıyla daha ziyade bir şövalyeyi andıran enerjik bir surat. Çakılların üzerinde dimdik duran adam, diğer polisler arasında bir çekim noktasıydı. Şef oydu ve ufak cüssesine rağmen gerçek gücün onda olduğu anlaşılıyordu.

Ivana aynı anda iki gerçeğin ayırdına vardı. Adam hoşuna gitmişti ama büyük olasılıkla canlarını çok sıkacağı aşikârdı.

8. *Tenten* çizgi romanındaki karakter. (ç.n.)

– Polizeioberkommissar[9] Fabian Kleinert, Baden-Württemberg Landeskriminalamt'tan, dedi, kartını Niémans'a uzatırken. Sizin cinayet büronun eşdeğeri.

Kleinert de Fransızca konuşuyordu. Sanki Voltaire'in dili Baden-Württemberg'deki bütün okulların müfredatına alınmıştı.

Niémans karta hiç bakmadan cebine tıktı.

– Amir Pierre Niémans, Teğmen Ivana Bogdanović. OCCS'ye bağlıyız, kan dondurucu cinayetlerin faillerini bulmak için kurulmuş bir Merkez Ofis. Hiçbir şeyin eşdeğeri değil.

– Nasıl yani? diye sordu Kleinert, kaşlarını çatarak.

– OCCS zorlu davalarda polise ya da jandarmaya yardımcı olmak için kuruldu.

– Bizim yardıma ihtiyacımız yok.

– Bizim deneyimlerimiz Jürgen von Geyersberg'in ölümünün aydınlatılmasına katkı sağlayabilir.

– Hangi deneyim?

Ivana şefinin kırıcı bir laf sokmasından korktu, ama Niémans gülümsüyordu. Sanki kendini sinirlenmemeye hazırlamıştı ve bu gibi durumlar onun homurdanmasından çok daha kötüydü.

– Cinayet deneyimi, diye sakin bir şekilde cevap verdi. Paris'te, Fransa'nın herhangi bir yerinden çok daha fazla insan yaşar. Bu da daha fazla kaçık ve bunun sonucunda da daha fazla çılgın katil demektir. O adamlar otuz yıl boyunca benim hayatımın içindeydi.

Alman polis kararsızlık içinde kafasını salladı.

– Colmar savcısı tüm bunları bana zaten açıkladı.

Sonra, sanki kızgınlığının gerçek sebebini hatırladı:

– Buraya geldiğinizi bize ne zaman söylemeyi düşünüyordunuz?

– Bize biraz zaman tanıyın, geleli çok olmadı.

– Ama daha önce Philipp Schüller'i sorguladınız ve şimdi de Kontes Laura von Geyersberg'i sorguluyorsunuz...

– Haberler çabuk yayılıyor.

Kleinert Ivana'ya kısa bir bakış attı ve yeniden Niémans'a döndü.

– Burada, benim topraklarımdasınız. Amirlerimiz, adını bile bilmediğim bir Avrupa antlaşmasına göre anlaşmaya vardılar, ama yine de her şey benim emrim altında yapılacak.

– Kesinlikle olmaz. Bizi buraya yolladılar...

Kleinert anısızın bir tür bezginlik ifadesi olan bir hareketle onu susturdu.

9. Başkomiser. (ç.n.)

– Her halükârda, çok geç geldiniz. Suçlu yakalandı.

– Nasıl? diye, şaşkınlıkla sordu Ivana. Kimse bize bir şey söylemedi!

– Alsace'lı meslektaşlarınızın henüz haberi yok.

– Kim?

– Thomas Krauss, av karşıtı bir aktivist.

– Fransız mı?

– Alman. Offenburg'da gözaltında. Bu sabah itiraf etti.

Ivana bu isme rastlamıştı: "Siyasi saldırılar" kategorisindeki en ateşli şüphelilerden biriydi.

– Onu sorgulayabilir miyiz? diye sordu Niémans.

– Yarın. Bu akşam, Freiburg'daki Kriminalpolizeidirektion'a[10] nakledilecek. Suçlu iadeyle ilgili gerekli işlemler tamamlandıktan sonra onu birlikte sorgulayacağız.

– Gerekçesini söyledi mi? diye sordu Ivana.

– Jürgen von Geyersberg cinayetinin insancıl bir eylem olduğunu ve eğer serbest kalırsa onun mezarına işeyeceğini söyledi. Bu size gerekçe gibi geliyor mu?

Niémans Ivana'ya şöyle bir baktı. Gülümsemesi "Görüyorsun, tatlım, soruşturmaya iyi başlamak için daima bir yanlış suçlu gerekir" der gibiydi. Ivana da aynı görüşteydi: O da bu şekilde düşündüğünü ifade etmiş olmasına karşın, avlanmayı seviyor diye Jürgen'in kafasını kesmeleri son derece ihtimal dışıydı. Krauss kendine kurban süsü vermek isteyen bir fanatikten başka bir şey değildi.

– Bu arada, kontese karşı anlayışlı olacağınıza inanıyorum, diye devam etti Kleinert, tumturaklı bir ses tonuyla. Kesin bir sonuca ulaşmadan haberi ona vermek gereksiz... Savcı onu arayacaktır.

Polisler kabul etti. Alman kontesi korumak istiyordu ve bunun sebebi sadece onun milyarlarca avroluk bir servete sahip olması değildi.

Bu tavır onun insani yanını gösteriyordu ama hemen ekledi:

– Yarın sorgularınızın ayrıntılı bir dökümünü istiyorum.

Niémans kelimenin tam anlamıyla kireç gibi bembeyaz oldu: En ufak bir rapor yazmak bile onun benzinin atması için yeterliydi. Bunu kabul ettiğinde, Ivana bütün kırtasiye işlerinin üstüne kalacağını biliyordu.

– Fransa'ya döndüğümüzde hepsini size ileteceğiz ve...

10. Kriminal polis müdürlüğü. (ç.n.)

– Hayır. Alman topraklarında yapılan tüm sorguların benim bölümüm tarafından değerlendirilmesi gerekiyor. Kural böyle.

Kleinert, kolunun altında bir dosyayla yaklaşan adamlarından birine işaret etti. Dosya elden ele geçti ve sonunda Niémans'a kadar ulaştı.

– Araştırmalarımızın önemli bölümlerini çevirttik. Ayrıca onları Colmar'daki meslektaşlarınıza da yolladık.

Niémans ağzını açıp tek kelime etmedi.

– Teşekkürler komiser, deme ihtiyacı hissetti Ivana.

– Bu gece nerede kalacağınızı biliyor musunuz? diye Niémans'a sordu, sanki Ivana'yı duymamıştı.

– Başımızın çaresine bakacağız.

Polis onlara veda etmeden arkasını döndü ve arabasına doğru yürüdü. Ona hemen kapıyı açtılar. Askeri düzen içinde hareket eden, Alman tarzı gerçek bir süvari birliğiydi.

Tam BMW'ye binerken Kleinert başını çevirip Ivana'ya doğru baktı, çok kısa bir an, kaçamak bir bakış. Sonra kuyunun içinde yok olup giden bir çakıltaşı gözden kayboldu.

– Senden hoşlandı, diye sırıttı Niémans.

– Beni bir saniyeliğine bile dikkate almadı.

– Demek bu derece körmüş.

Ivana kızardığını hissetti. Bu konuda çok çalışmıştı ama elinden bir şey gelmiyordu: En ufak bir iltifatta, kıpkırmızı kesiliyordu.

– Evet, bizim güvenlik güçlerimizle ilk temasınız, ne düşünüyorsunuz?

Arkalarına döndüler. Laura tam önlerinde duruyordu, üzerinde omuzlarına kadar düşmüş kaşmir bir kazak vardı. Onun arkasında, Cam Villa'nın tüm ışıkları yanmıştı: Havalanmaya hazır bir uzay gemisine benziyordu.

Ivana bir kez daha kontesi hayranlıkla inceledi: İşte sürekli kızarmayan bir kadın...

– Oldukça katı, diye yarım ağız cevap verdi Niémans.

– Burada, bu standart modeldir. İtfaiyeciler 1933 yılında neden Reichstag'ın[11] yanmasına izin verdiler, biliyor musunuz?

– Hayır.

– Çünkü levhalarda "Çimlere basmak yasaktır" yazıyordu.

– Çok hoş, dedi polis, coşkusuz bir sesle.

– Alman mizah anlayışı. Odalarınızı hazırlattım.

11. Alman Parlamento Binası. (ç.n.)

İki polis şaşkınlıklarını gizlemeyi başaramadı.

– Bu ailemizin bir geleneğidir, konukseverlik. Kuzenlerimi de akşam yemeğine davet ettim. Evlerine gitmenize gerek kalmadan onları burada sorgulayabilirsiniz.

Laura yeniden büyük evine girerken, Niémans ile Ivana sessizce aynı şeyi sorguluyorlardı: Konukseverlik mi yoksa tuzak mı?

10

Ivana şimdiye kadar hiç bu kadar geniş bir oda görmemişti, yaklaşık elli metrekare olmalıydı ve tamamen cam iki duvarı vardı. Kadın polis ayaklarının altında uzanan parka bakmak için ilerledi; odalar birinci kattaydı. Büyük beyaz perdeleri açtı ve tüm mekân yarısaydam çağlayanlar gibi boşluğa akıyormuş izlenimine kapıldı.

Perdeleri kapatıp geri döndü. Oda sadece büyük değildi, aynı zamanda olağanüstü güzeldi. Duvarlar lambri kaplıydı ve bir dağ evine benziyordu. Kısa ayakları olan, tik ağacından yapılmış, sade, en ufak bir süslemesi olmayan, bal renkli küçük sandıklar göz alıcıydı. Bu odanın içinde Noel kokusuyla dingin bir hava vardı.

Aklına ilk gelen düşünce ayakkabılarını çıkarmak ve parkenin geniş lataları üstünde çıplak ayakla yürümek oldu. Bu temasın yumuşaklığıyla gözleri zevkle kapandı. Kaliteli malzemenin güzelliğinin ve lüksün verdiği mutluluğun tadını çıkarıyordu.

Bu geçici esriklikten kurtuldu ve burada bir menfaat çatışması olup olmadığını düşünerek çantasını açtı: Tam soruşturmanın ortasında bir tanığın evinde kalabilirler miydi? Kontes, şu ya da bu şekilde, onları tavlamayı deneyecek miydi?

Telefonu çaldı. Ekrana göz attı ve onu beklediğini anladı.

– Alo?

Cevap yok.

– Alo?

Sessizlik.

Yeniden ekranda beliren resme, onu çok seven, kâbuslarının sebebi, düşüncelerine musallat olan genç adama bir kez daha baktı. En ufak bir şey yazmaya teşebbüs etmeden telefonu kapattı.

Aslında, bu sessizliği hak ediyordu. Günlerini ve gecelerini huzursuz eden bu telefon aramalarını hak ediyordu.

Kendini sırtüstü, enlemesine yatağa bıraktı, kollarını göğsünde çaprazladı. Kahretsin, burada ne halt ediyordu? Yeniden gözlerini kapattı ve hayatında hep yapıyormuş gibi, doğru yolda olup olmadığını kendine sordu. Hiçbir zaman ilerlediği yoldan sapmamıştı: Geçmişinden mümkün olduğunca uzaklaşmak, onu bir erik çekirdeği gibi dünyaya fırlatmış kara delikten kaçmak.

Arabalar gibi, Ivana da hibrit kökenliydi. Hırvat bir baba ile Fransız bir anneden, Essonne Bölgesi'nde, Grigny'deki hukuksuzluğun diz boyu olduğu bir sosyal konutlar topluluğu La Grande Borne'da doğmuştu.

Ama küçük Ivana için asıl tehlike evindeydi.

Babası, büyük olasılıkla kendisinin uydurduğu sözüm ona bir Hırvat atasözünü tekrarlayıp dururdu: "Vazgeçmektense boyun eğmek daha iyidir!" Ivana hayatında bir kez bile vazgeçtiğini ya da boyun eğdiğini bilmiyordu, ama her zaman onu dayak yerken ve sendelerken görmüşlerdi. Annesi iyi bir insan değildi. Onu dünyaya getiren anne babasıyla ilgili anıları inişli çıkışlıydı, tıpkı onların birbirlerine karşı davranışları gibi: Birbirlerine bağırıp çağırıyorlar, sarhoş olana kadar içiyorlar ve Ivana'nın hayatını tek başına yaşamasına müsaade ederek kavgayla geceyi sonlandırıyorlardı.

Altı yaşındayken, Ivana beslenir, giyinir ve okula giderken kendi başının çaresine bakardı. Tam olarak *Küçük Ev*[12] sayılmazdı, ama evde yapamayan ya da daha ziyade evsiz de yapamayan ilk kız değildi. 1991 yılında, babası ülkesine dönmeye karar vermişti: "Hırvatistan özgür!" Ata toprağının ona daha fazla şans tanıyacağına inanıyordu. Ama haberleri iyi takip etmemişti, çünkü yapılan bağımsızlık referandumu beş yıl sürecek bir savaşı tetiklemişti. Vukovar'da onları bekleyen top atışları ve pusuda bekleyen "sniper"lardı.

Arabayla yola çıkmışlardı, bir Panda, Ivana hâlâ hatırlıyordu. Bütün saflığıyla bu yolculuktan –sürpriz tatilden– memnundu. Ama yolda beklenmedik bir şey oldu. Sınırdan geçtikten sonra (babasının hâlâ Yugoslavya pasaportu vardı), son hızla giderlerken zaten çoktan sarhoş olmuş babası öfkeye kapılmış, annesine vurmuş ve arabanın kontrolünü kaybetmişti.

12. Orijinal adı *"Little House on the Prairie"* olan ve 1974-1983 yılları arasında oynamış ABD yapımı bir TV dizisi. (ç.n.)

Ivana kendine geldiğinde, arabanın iki tekerleği bir çukurun içindeydi ve arabanın içi boştu. Arabanın yola açılan kapısından dışarı çıkmak zorunda kalmış ve korkunç manzarayla karşılaşmıştı: Babası, ayakları çamurun içinde, krikoyla yarım kalan işini bitiriyordu.

Ivana yolda koşmaya başlamıştı, peşine takılan babası sevgili kızını da öldürmeye karar vermişti. Katil tam onu yakalayacağı sırada savaş kızın hayatını kurtarmıştı. Kızının kafasını parçalamak için kolunu havaya kaldırdığı sırada JNA[13] uçaklarının açtığı yaylım ateş babasını ikiye bölmüştü. Ivana donup kalmış, makineli tüfek seslerinden sağırlaşmış, asfaltı kaplayan alevlerden hiçbir şey göremez olmuştu, yolun iki tarafından gayzer gibi fışkıran Hırvatistan'ın kara toprağıydı bu.

Sonrasının bir önemi yoktu. Mavi Bereliler, onun güven altında ülkesine dönmesini sağlamışlardı. Orada hastaneye yatırılmıştı. Konuşma yetisini kaybetmiş, bir yıl boyunca konuşamamıştı. Yavaş yavaş sesine yeniden kavuşmuş ve neredeyse normal bir çocukluk yaşamıştı. Yurtlar, bakıcı aileler, okullar, Ivana tüm bunları yaparken hep dalgındı, sadece ölmeye ve kendine zarar vermeye odaklanmıştı. Anoreksi, kendini kesme, intihar girişimleri, gereken her şeyi yapmıştı. Dibe vurmuş, sonra bu durumdan kendini kurtarması gerekmişti, ama başka bir yol seçmişti: Biraz daha düşünmüş, sonra uyuşturucu ve şiddet konusunda kendini geliştirmişti.

O dönemde bir melek ortaya çıkıp onu kurtarmıştı.

Meleğinin ilginç bir suratı vardı: kırk yaşlarındaydı, alabros saç kesimiyle, yuvarlak gözlükleriyle bir askeri okul öğretmenine benziyordu.

Onunla üç kez karşılaşmıştı.

İlk karşılaşmaları, bir gece vakti, Aulnay-sous-Bois'daki bir otoparkta Ivana, torbacısının üzerine bir şarjör boşaltırken olmuştu; on beş yaşındaydı. İkincisi, gündüz vaktiydi, Cannes-Écluse Polis Okulu'ndan diploma aldığı gündü. Kampüste, atanacağı yerin tercihini yaptığı sırada polis şapkasını akıl hocasının başına koymuş ve yan yana fotoğraf çektirmişlerdi. Bu cep telefonundaki en değerli selfiydi. Üçüncü kez, yağmur altında karşılaşmışlardı, Niémans onu, üç yıldan beri görev yaptığı Versailles Polis Merkezi'nin çıkışında bekliyordu.

13. Yugoslavya Halk Ordusu. (ç.n.)

– Benimle çalışmak ister misin?

Kahveleri önlerinde oturmuşlardı ve Niémans ona bu imkânsız projeyi açıklamıştı: Tüm ülke çapında görev yapacak ve istisnai cinayetlerde polise ve jandarmaya yardımcı olacak bağımsız bir ulusal birim. Niémans'ın "istisnai" ile neyi kastettiğini sormaktan kaçınmıştı. Guernon olayını duymuştu. Niémans ölümden dönmüştü. Diğer polis, genç bir Arap'tı, paçasını kurtarmıştı, ama Alpler'deki o üniversite şehrinin laneti hakkında açıklamada bulunmayı reddetmişti. Kısacası, sıra dışı cinayetler konusunda, Niémans herkesten daha tecrübeliydi.

Ivana bir saniye bile tereddüt etmemişti. Cannes-Écluse'den sonra, Paris'in en hareketli polis merkezlerinden biri olan Louis-Blanc'a atamasının yapılmasını istemişti. Ama sadece sıradan uyuşturucu aramalarına katılmış ve can sıkıcı evrak işleriyle ilgilenmişti. Böylece onu "verdiği iyi hizmetler göz önünde bulundurularak" Versailles'a yollamışlardı. Teğmenliğe terfi etmiş ve tam bir küçük memur olmuştu. Az bir süre sonra Paris Caddesi'nde bir stüdyo kiralamıştı. Netflix'deki dizisini izledikten sonra köpeğini dolaştırmaya çıkarıyor ve şatonun karşısında sabah kahvesini içiyordu...

Yatağında doğrulup yüzünü ovuşturdu. Kararı doğruydu: Evet, doğru yoldaydı. Bir kez daha, Niémans değersiz yaşamından çıkış şansı tanıyarak onun hayatını kurtarmıştı. Birlikte kötülüğün içine dalacaklar, katilleri bulacaklar ve adaleti sağlayacaklardı.

Kızıl kafasının içinde, yaşadığı mutsuzlukların onu belki de bu özel göreve yönlendirdiğini düşünüyordu: Katillerin peşinden koşmak, onların beyinlerinin içine nüfuz etmek ve onlara yaptıkları eylemleri itiraf ettirmek. Her seferinde, ona engel çıkaran kişinin babası olduğunu anlamak için Freud olmaya gerek yoktu. Ondan kurtulmak için her şeyi yapmıştı.

Ivana duşa girmeye karar verdi. Yeni bir hayranlık. Banyo ahşap görünümlü yer karolarıyla kaplıydı, ama mobilyalar ile geniş lavabo tezgâhı siyah renkli tik ağacındandı ve duvarların hastane beyazlığıyla tam bir kontrast yaratıyordu.

Muslukların kübik başlıkları karşısında bir anlığına duraksadı: Her ayrıntısı bu derece düşünülmüş, dizayn edilmiş ve süslenmiş bir yerle karşılaşmamıştı. Her öğenin arkasında, günlük yaşamı sanatsal düzeye çıkarmış bir sanatçı ruhu hissediliyordu.

Gözlerine yaş doldu ve bu abartılı duygusallıktan kurtulmak için suyun sıcaklığını en üst seviye getirerek kendisini duşun altına attı. Daima Japon usulü yıkanırdı, 42 derece, aksi takdirde hiçbir işe yaramazdı ve banyodan kancaya aslı bir süt domuzu gibi pespembe çıkardı.

Birkaç dakika sonra, içerisi buharla kaplı aynaları ve su damlacıklarıyla bir hamama dönüşmüştü. Tam önündeki aynanın buğusunu sildi ve lavabo aynasında yüzünü inceledi.

Bir anda paniğe kapıldı.

Kontesin karşısında büsbütün komik duruma düşmemek için üzerine ne giyecekti?

11

Külotu ve sutyeniyle dolanırken, ilk olarak aklına yanında "gerekirse" diye siyah sade bir elbise getirdiğini hatırladı ve ikinci olarak da, saat 21'de başlayacak yemeğe kadar bir saat zamanı olduğunu fark etti.

Bir kazakla jogging pantolonu giydi, sonra Kleinert'in verdiği dosyaya gömüldü. Olayın ana hatlarını biliyordu ve daha ziyade, ayrı bir şömiz içine koyduğu Jürgen von Geyersberg'in hayatına odaklandı.

1984 doğumlu Jürgen bir Alman küçük aristokratına uygun, mükemmel bir eğitim görmüştü: Basel yakınlarındaki bir İsviçre okulunda yatılı okumuştu, Almanya'nın en tanınmış üniversitelerinin birinde, Universität Konstanz'da "Politik und Verwaltungswissensschaft"[14] öğrenimi görmüş ve Fransa'da HEC'te işletme okumuştu. Son olarak da, kendi alanında en önemli kuruluşlardan biri olan Yüksek İşletme Enstitüsü'ne (IESE, Navarra Üniversitesi İşletme Okulu) devam etmiş ve burada mastır yapmıştı.

Görünen o ki, Jürgen iş hayatına atılmak için acele etmemişti, ama babasının 2014 yılında erken yaşta ölmesi, onu Fransız edebiyatı ve antik Yunan felsefesiyle ilgilenen kız kardeşiyle birlikte VG Grup'un yönetimini ele almaya mecbur kılmıştı.

Ivana iki kardeşin grubu başarıyla yönetmesi hakkında daha önce birçok makale okumuştu, dosyada yer alan çok daha ayrıntılı Fransızca makaleler onun ilgisini çekmişti: İki kardeşin yönetimi oldukça katıydı, babaları Ferdinand da personeline karşı yu-

14. Siyaset ve kamu yönetimi. (ç.n.)

muşak değildi. İki vâris, birkaç sene içinde hem şirket bünyesinde hem de dışarıda hatırı sayılır miktarda düşman edinmeyi başarmıştı. Ama Niémans'ın söylediği gibi, bu vahşi cinayetin arkasında yanlarında çalışan bir personelin ya da bir rakip şirketin patronunun olduğunu düşünmek neredeyse imkânsızdı.

Ivana ailenin tarihine geçti. Yeni bir şömiz çıkardı. İçinde, Kleinert'in özellikle dikkat çektiği *Point de vue* dergisinde yayımlanmış ve hanedanın hikâyesini anlatan bir yazı vardı.

Geyersberglerin soyu Karolenjlere, yani Fransa Krallığı'na kimliklerini kazandıran bir döneme kadar uzanıyordu. Ivana bütün yüzyılları peş peşe okudu, Ortaçağ'dan Rönesans'a, Otuz Yıl Savaşları'ndan Aydınlanma çağına geçti: Geyersbergler hep vardı. Sonradan, 19. yüzyılda Baden-Württemberg Eyaleti'ne katılan Büyük Basel Düklüğü'nün kuruluşunda önemli rol oynamışlardı.

Ivana Jürgen'in babası Ferdinand'a odaklanmak için atalarıyla fazla ilgilenmedi. Kolay değildi, çünkü hepsi Almancaydı, ama sonunda telefonundaki sözlükten yararlanarak makaleleri okuyabildi.

İkinci Dünya Savaşı'ndan sonra doğan Ferdinand von Geyersberg sanayinin öncülerinden biri olarak, 1960'lı yıllarda Doğu Almanya sanayiinin gelişmesine katkıda bulunmuştu. Ferdinand 1980'li yıllar boyunca, fabrikalarında uyguladığı acımasız yönetimle VG Grup'u kalkındırarak babasının izinden gitmiş ve birçok elektronik ürünün patentine sahip olması nedeniyle birçok otomobil üreticisini, özellikle de Baden-Württemberg'in en değerli markası olan Porsche'yi, kendisine bağımlı kılmıştı.

Ferdinand halk arasındaki imajına aldırmıyordu. Ağzı sıkı, hatta kapalı kutu bir adamdı, tam eski tarz Alman'dı: Soğuk, sert, ağırbaşlıydı, ancak bir yerini yaktığında gülüyordu ve hep eldiven takıyordu. Karısının ölümünden iki yıl sonra, 2014 yılında geçirdiği bir inme neticesinde, 68 yaşında ölmüştü.

Karısı hakkında tek bir yazı yoktu. Daha doğrusu, neredeyse yoktu: Ölümünden birkaç yıl sonra, bir İsviçre dergisi onun anısına uzunca bir makale yayımlamıştı. Sabine de Werle, Svabyalı (eskinin Büyük Baden Düklüğü'ne komşu bir bölge) asil bir ailede dünyaya gelmişti, hukuk öğrenimi görmüş ama hiç avukatlık yapmamıştı. 24 yaşında Ferdinand'la evlenmişti, tek bir tutkusu vardı: Binicilik. Tüm hayatı bu spor dalının etrafında şekillenmişti. Sabine sporcu, dinamik, sağlıklı bir kadındı, elli kadar atın olduğu bir harayı yönetiyordu.

Tüm bunlar sebebiyle, çocuklarını yetiştirecek, kocasıyla ilgilenecek zamanı gerçekten yoktu, zaten işiyle çok meşguldü. Çevresindeki hiç kimseyi önemsemiyordu. O yüksek bir sınıfta dünyaya gelmişti, alt sınıflardaki insanlarla ve özellikle de yaşamak için çalışmak zorunda olan "zavallılar"la ilgilenmiyordu.

Bu, tamamen bir vitrindi. Aslında Sabine'in, ailesinin özenle gizlediği ruhsal rahatsızlıkları vardı. 2012 yılında, çağdaş sanat eserleriyle ilgili bir müzayedeye katılmak için Manhattan'a gitmişti. Beşinci Cadde'deki St. Regis Oteli'ne yerleşmiş, on birinci kattaki süitlerden birini seçmişti. Her odayı dolaşmış, ana salonun pencerelerini açtırtmış, kat görevlisine teşekkür etmişti. Yalnız kalınca da kendini boşluğa bırakmıştı.

Böyle bir anne babayla, Jürgen ile Laura'nın çocukluk dönemleri nasıl geçmişti? "İkizler" diye düşünmüştü Ivana. Bu büyük sevgi yoksunluğunda, onların birbirlerine ne denli destek olduklarını hayal edebiliyordu. Ortalarda olmayan anne ve baba, kayıtsız dadılar, lüks içinde bir hayat ve ortak bir tutku: av. İki çocuk, diplomalı aptallara dönüşmüşler, magazin basınının ilgi odağı haline gelmişler ve seçkin birer nişancı olmuşlardı, kalpleri bir tüfeğin sürgü mekanizması gibi soğuktu.

Dosyada yetişkin Jürgen'in oldukça fazla fotoğrafı vardı. Yıllar içinde, solgun ve kızıl bir güzelliği olan bir atlete dönüşmüştü. Ama yüzünde cansız duru bir ifade, tasasız ve anlaşılmaz bir şeyler vardı, kadınlara çekici gelen de bu olmalıydı. Kuşkusuz, saçının özel görüntüsünü –kızıllık– değiştirmeyi başarmıştı, Ivana'nın asla başaramadığı şey de buydu.

Diğer fotoğrafları eline aldı: Jürgen Saint-Tropez'de yatında, Ibiza'da parlak bir smokin içinde... Genç vâris hayatın tadını çıkarmayı biliyordu. Asil bir soydan gelen, zengin, teknoloji imparatorluğunu kız kardeşinin yardımıyla yöneten, kulüplerdeki ve lüks otellerdeki eğlenceleri küçümseyen yakışıklı bir adam. Gerçek bir modern zamanlar kahramanı. Milyarlar kazanmakla ya da top modelleri becermekle meşgul değilse, kan akıtmak için ormana gidiyordu.

Tüm bunlar da, bir kez daha bir vitrinden başka bir şey değildi. Jürgen'in mutlu olmak için her şeyi vardı, ama onun asıl sevdiği şey mutsuz olmaktı. Aşkı ve ışığı çekiyordu, ama onu heyecanlandıran karanlık ve acıydı. Kleinert ve yardımcıları, onun çok sık gittiği Stuttgart'taki çok özel kulüplerin patronlarını ve kelimenin tam anlamıyla ona hükmeden "sahibeleri" zaten sorgulamıştı. Bu konuda bir kafa karışıklığına yer yoktu: Jürgen "itaatkâr" olarak adlandırılan kişiydi. Kırbaçlanmayı, yakılmayı ve daha birçok işkenceyi seviyordu (otopsi raporunda "kabuk bağlamış" birçok yaraya rastlandığı belirtilmişti). Ayrıca hakarete uğramaktan, aşağılanmaktan, boyunduruk altına girmekten hoşlanıyordu.

Big Boss köle ruhluydu.

Niémans'ın düşündüğünün tersine, Jürgen her türlü riski göze alarak flört ediyordu ve pekâlâ yaratıcı hayal gücü olan bir "dominant"la karşılaşmış olabilirdi. Ama tüm bu aficionado'ların tanıklığı Niémans'ı doğrulamıştı. Bu dosyayı kapatabilirler ve sadomazoların sıradan seks için söylediği gibi "Vanilya Seks Dünyası"na dönebilirlerdi.

Son şömiz, Almanca, Fransızca, İngilizce kaleme alınmış cinayetle ilgili makaleler bakımından zengin, yüzlerce yazı, blog ve tweet içeren bir basın incelemesiydi... Yine de fazla ilginç değildi. Bir sürü yazı, varsayım, teori, yazarların hepsinin tek bir ortak noktası vardı: Hiçbir şey bilmiyorlardı ve alakasız şeyler anlatıyorlardı.

Cep telefonu çaldı. Çağrı değil, alarmdı. Buruşmuş elbisesini giyecek ve yüzüne hafif bir makyaj yapacak zamanı olması için alarmı 20.45'e ayarlamıştı. Banyoya gitti, rekabet edebilmek için elinden gelen her şeyi yaptı, sonra bilgisayarı kapatmak, fotoğrafları ve kâğıtları toplamak için odaya döndü. Klasik bir "Katil Kim" oyunu diye düşündü: bir av köşkü, saygın davetliler, cep telefonu ve araba yok (bu av partisinin bir başka özelliği: herkes arabasını Geyersberg Malikânesi'nin girişine, yani av alanından on kilometreden daha uzağa park etmek zorundaydı) ve kuşkusuz bu seçkin topluluğun arasında bir katil.

Haydi, kızım, diye söylendi, avucuyla elbisesini düzleştirmeye çalışırken, etkilenmen söz konusu değil. Avrupa'nın en büyük servetlerinden birinin üç vârisiyle akşam yemeği yiyeceğini düşünmemeye çalışarak odanın kapısını açtı.

12

Niémans eski tarz bir televizyon dizisinde olduğunu düşünebilirdi.

Kontesin birkaç anlama çekilebilecek karşılamasından ve gece yatıya kalmaları için yaptığı anlamsız davetin ardından şimdi bir Agatha Christie romanındaymış gibi şöminenin başında aperitiflerini içiyorlardı.

Kadehlerdeki şampanyadan kabarcıklar çıkarken, az çok süslenip püslenmiş olan Niémans ile Ivana kaskatı bir halde ayakta dikiliyorlardı. Ivana gece kıyafeti olarak kabul edilebilecek şifon bir elbise giymişti. Çoraplarında delik yoktu, en azından bu kabul edilebilir bir şeydi. Niémans'a gelince, o ceket ve kravatta karar kılmıştı, ama koltuk altına yerleştirdiği 45'liğinden vazgeçmemişti. Giysileri Ivana'nın elbisesinden daha iyi durumdaydı, ama onun da suratı kırış kırıştı; boş olan iki saatini şekerleme yaparak değerlendirmişti. Niémans, cinayet büronun haşin, sert ve ne yapacağı önceden kestirilemez amiri ilk fırsatta uykuya dalabiliyor ve ayakkabılarını bağlamak için eğilmekte güçlük çekiyordu.

Şimdi, ceketinin içinde, kravatı tarafından boğazlanmış halde, elinde kadehiyle şakıyan küçük bir kuş gibi sıradan, önemsiz şeylerden konuşuyor, gevezelik yapıyordu:

– Fransızcayı mükemmel konuşuyorsunuz. Nerede öğrendiniz?

– Biyografimi okumanız gerekirdi, amirim, diye cevap verdi kontes. Öğrenimimin bir bölümünü Paris'te Sorbonne'da tamamladım.

– Ben sizin çok daha önemli okullarda okuduğunuzu düşünmüştüm.

– Benim düşünceme göre, Sorbonne bütün okullardan çok daha değerlidir. Orada felsefe ve Fransız edebiyatı okudum.

Niémans gömlek yakasının boynunu tahriş ettiğini hissederken başıyla onu onayladı.

– Benim kastettiğim... bir ticaret ve işletme okuluydu.

– Ticaret ve işletme okumadım, dedi, kadehinin kenarından daha keskin bir gülümsemeyle. Eğer bir Geyersberg'seniz bu zaten doğal olarak sizin kanınızda vardır.

– İşin başına geçtiniz mi?

– Hiç bırakmadım ki.

Görüntü olarak kontes herkesi ezip geçiyordu. Bir zentai[15] kostümü gibi tüm vücudunu saran siyah giysisi bembeyaz sırtını açıkta bırakıyor ve benlerle kaplı omuzlarını gözler önüne seriyordu.

Niémans asalete ve onun rol yapma yeteneğine kadeh kaldırma isteği duydu. Erkek kardeşinin katledildiği bir dönemde, Malefiz gibi giyinmiş ve on iki santimlik topuklu ayakkabılarının üstünde dengede duran Laura Geyersberg hâlâ ev sahibesi rolünü oynayabiliyordu.

Niémans gözleriyle, yanlarından ayrılmış ve başka bir şeyle ilgilenmek ister gibi odadaki her eşyayı inceleyen Ivana'yı aradı. Vergi mükellefi bir zenginin mallarına değer biçen bir vergi müfettişine benziyordu.

– Kleinert size haberi verdi mi? diye sordu Laura, şakacı bir ses tonuyla. Erkek kardeşimin katilini tutuklamışlar.

– Bunu size kim söyledi?

– "Burada benim haberim olmadan yaprak bile kımıldamaz."

– General Pinochet'den alıntı yapmak sizi rahatsız etmiyor mu?

– Siz de aynı kanıdasınız, diye muzipçe gülümsedi.

– Hangi manada?

– Hiç kuşkusuz, bütün zenginlerin salak ve bütün Almanların faşist olduğunu düşünüyorsunuz. İşte bu nedenle de beni katlanılmaz buluyorsunuz.

Niémans kendini zorlamadan bir kahkaha patlattı.

– Thomas Krauss, onun katil olduğuna inanıyor musunuz?

– Bir an bile düşünmedim. Ailemizin eski bir düşmanı olabilir, ama onu bir katil olarak hayal edemiyorum.

– Bununla birlikte, itiraf etti.

– İtirafların hiçbir anlamı yoktur.

– Doğru. Ama neden suçu üstlensin?

– Provokasyon için, bir ideal uğruna kendi feda etmek için.

15. Zenşin (beden) ve taitsu (saran, yapışan) kelimelerinin bileşiminden oluşan Japonca sözcük. (ç.n.)

Krauss'un tek bir yaşama nedeni var, avcılara olan öfkesi. Ne yazık ki, o hiçbir şey anlamadı.

Niémans elinde olmadan kontesin kollarına baktı: Teninin duruluğu, göz alıcılığı neredeyse inanılmazdı. Bu ten, mermer ile pelür kâğıdı, sertlik ile saydamlık arasında, birbirine tezat özelliklere sahipti.

Bu büyüleyici etkiden kurtulmak için gözlerini kaçırdı ama bu kez köprücükkemiklerinin altında çok hafifçe belirgin mavimsi bir damar ağıyla karşılaştı; damarlar donmuş bir nehrin yüzeyindeki dağınık otlar gibi yayılıyordu, Niémans bu tür klişe düşüncelere kapıldığı için kendine kızdı.

– Onun anlamadığı şey ne? diye sordu, yeniden konuya odaklanmaya çalışıyordu.

– Doğayı koruduğunu sanıyor ama aslında av, popülasyonu azaltarak doğayı korur. Bu duygusallığın olmadığı kör bir mekanizmadır.

Niémans bu tür argümanları ezbere biliyordu.

– Aynı kanıdayım ama bunu yapmanın bir yöntemi var.

Kontes ona dostça göz kırptı.

– Aşkta olduğu gibi.

Niémans bu hareketi nasıl anlaması gerektiğini bilemedi. Başka bir ağızda, başka bir durumda bunu, fingirdek bir kadının kışkırtıcı bir hareketi olarak algılayabilirdi, ama bu akşam?

O anda, Laura'nın sanki bir şeyler dikkatini çekti. Gözleriyle onu izledi ve Ivana'nın her zamanki vergi müfettişi edasıyla, Niémans'ın birkaç saat önce fark ettiği silahlığı yakından incelediğini gördü.

– Ateşli silahlar ilginizi çekiyor mu? diye sordu Ivana, yanlarına gelerek.

– Hiç çekmiyor.

Ivana ne sevimli olmak ne de en ufak bir saygı göstermek için çaba sarf ediyordu. Slav kadın da silahlardan nefret ediyordu ve Niémans bunun sebebini biliyordu.

Buna karşılık kendisi, her çağa ait her türden silaha tutkundu. Onun gözünde, silahlar insanın yaratıcı faaliyetinin çok özel bir ifadesine tekabül ediyordu. Ve eğer bu faaliyetin sonunda, uzun lafın kısası, ölüm varsa, anlaşılması karmaşık da olsa pekâlâ onların güzelliğini daha da artırıyordu.

– Bakabilir miyim? diye sordu, elini sürgü kolu olan dürbünlü bir karabinaya doğru uzatırken.

– Elbette, buyurun, diye alçak sesle cevapladı kontes, kenara çekilerek.

Niémans silahı aldı ve Laura'nın meraklı bakışları altında elinde tarttı. Bir anda, aralarında üstü kapalı bir suç ortaklığı oluştu. Bıkkın bir yüz ifadesiyle, Ivana geri çekildi ve demirbaş listesi çıkarma işine döndü.

Polis kabzanın ve baskülün çeliğine işlenmiş süslemelere hayranlıkla bakıyordu: meşe yaprağı frizleri, av sahneleri... Tüfeği omzuna dayayıp ormana doğru nişan almamak için kendini zor tuttu.

– Marka göremiyorum.

– Tüfeklerimizin her biri tek ve benzersizdir, Ferlach'da tasarlanıp üretilmiştir.

Dünyanın en iyi silah fabrikalarından birkaçı bu Avusturya şehrindeydi. Niémans kendini daha fazla tutamadı, tüfeği doğrulttu, dipçiği omuz boşluğuna yerleştirdi ve gözünü dürbüne yapıştırdı.

– Kaç metre mesafeye ayarladınız?

– Yüz metre.

– Pirsch'te olduğu gibi.

Namluyu çoktan aşağı indirmişti. Laura ona sert bir ifadeyle bakıyordu.

– Beni tuzağa düşürmeye çabalamayın, Niémans. Artık bu av türünü yapmadığımı size söyledim. Üstelik uzun zamandan beri bu tüfeği kullanmıyorum.

Niémans özenle tüfeği yerine yerleştirdi.

– Öyleyse sizin favoriniz hangisi?

Kontes başka bir silahı, sadece birkaç yüz gram ağırlığı varmış gibi havaya kaldırarak silahlıktan aldı.

– Sürek avı için, bu.

Her zamanki gibi bu da muhteşemdi, ama bu parlak küçük şey gerçekten kendini kanıtlamıştı, bu silah sıklıkla kullanılırdı.

– Bu tek atımlık bir tüfek değil mi?

– Babamın bir sözü vardır: "Eğer bir mermi yeterli gelmezse sen öldün demektir. Ve eğer hâlâ yaşıyorsan, hayatınızın değeri yok demektir."

– Sempatik biriymiş.

Kontes tüfeği ona uzattı.

– Çok.

Niémans sürgü kolunu çekti ve mekanizmanın sessizliği onu şaşırttı. Bir kez daha, büyük bir ustalık harikası.

– Kaç kalibre?

– 270 Winchester.

– Ne tür kartuş?

– Onları atölyemde yapıyorum.

Niémans kafasını kaldırdı.

– Yumuşak uçlu mermi, diye devam etti. Önceden içine, avlayacağım av hayvanlarına göre bizzat erittiğim bakır alaşımıyla kapladığım kurşunu yerleştiriyorum. Her şeyin hız-mesafe-malzeme-direnç denklemine bağlı olduğunu siz de benim kadar biliyorsunuz.

Niémans bu meseleleri ezbere biliyordu: Kurşun uç çarpmanın etkisiyle biçimini kaybediyor ve bir mantar gibi oluyordu, bu da enerjinin dokuların içinde yayılmasına neden oluyor ve ölüme yol açıyordu. Ama merminin önce ete girmesi gerekiyordu ve bu yüzden de daha sonra parçalanmaya hazır bakır bir zarfla kaplanıyordu.

– Bu tür şeyler çok nadir olarak bir kadınla konuşulur.

– Kadınlar artık göründükleri gibi değiller, dedi, üzülmüş gibi yaparak.

Kontes tüfeği Niémans'ın elinden alıp dikkatle yerine koydu.

– Her şey yitip gidiyor, diye ekledi, cehalet bile.

– Peki, bu tüfek? diye sordu Niémans, silahlığın en üstüne yerleştirilmiş, dürbünü de aynı malzemeden yapılmış gibi duran antrasit rengi bir karabinayı işaret ediyordu, sanki tamamı siyah mermerden tek parça olarak yontulmuştu.

– O tüfek, diye cevapladı, bir adım geri çekilerek, biz ona dokunmuyoruz. O babamın tüfeğiydi. Çok büyük bir nişancıydı, bir geyiği iki yüz metreden gözünden vurabilirdi.

Niémans bir hayranlık belirtisi olarak kafasını salladı, elbette o daha iyisini yapabilirdi. Ama övünmenin sırası değildi.

Çakıltaşlarının üstünde lastik gıcırtıları duyuldu.

– Kuzenlerim geldi, dedi Laura başını çevirerek. Masaya geçme vakti.[16]

Kelime oyunu oynamayı göze almıştı ve kontes her şeyi bilinçli bir şekilde ifade edecek kadar iyi Fransızca konuşuyordu. Niémans'a yeniden yaramaz bir ifadeyle göz kırptı.

Polis kapıyı açmak için kocaman salonu boydan boya kat eden kontesi gözleriyle takip etti. Bu kadınla nasıl dans edeceğini bilmiyordu.

16. Fransızcadaki ifade hem masaya geçmek, hem de baklayı ağzından çıkarmak anlamına geliyor. (ç.n.)

Odasında bitkin bir halde olmalı, antidepresanlar yutmalıydı, ama burada gece elbisesinin içindeydi, tüfeklerin sürgü kollarını çekiyor, onunla şakalaşıyor, en ufak bir üzüntü ifadesi göstermeden ev sahibesi rolünü oynuyordu.

Niémans bu davetin sadece bir aldatmaca olduğunu hissediyordu. Onları misafir ediyormuş, ailesini tanıtmak istiyormuş, geleneklerini onlara anlatmaya çalışıyormuş gibi görünüyordu, ama bunun tam tersi olduğundan emindi: Onlardan gerçek sebebi saklıyordu.

Aklına gelen bir başka düşünce midesine kramp girmesine sebep oldu. Onun gibi bir kadın, erkek kardeşinin katilini bulma konusunda polislere güvenmezdi. Katili bulma ve hesabını görme işini bizzat o yapacaktı.

Evet, onları evine uyumaları için değil, onları uyutmak için davet etmişti.

Artık zamana karşı bir yarış başlamıştı.

Jürgen'in katilini bulacak ilk kişi, onun kalbine bir kurşun sıkacaktı.

Temiz bir kurşun.

Pirsch'te olduğu gibi.

13

Max von Geyersberg otuzlu yaşlardaydı, dar bir yüzü ve kepçe kulakları vardı. Çukurlaşmış yüzündeki koyu renkli gözleri şaşkın bir ifadeye sahipti, ağzı kemirilecek bir kemiği andıran suratını bir çizgi gibi ikiye ayırıyordu. Yüzünün solgunluğu siyah saçlarıyla daha belirgin hale geliyordu, sanki boyandıktan sonra kafasına yapıştırılmıştı.

Udo daha gençti –belki 25 yaşında– ve çok daha yakışıklıydı. Saçları hiç tarak yüzü görmemiş gibi dağınıktı, küçük bir kedi suratını andıran yüzünün üstünde çıkıntılı bir alnı vardı. Bu çocuk bütün kızları cezbediyor olmalıydı. Niémans biraz kıskançlığa kapıldı ve görüntüde kusurlar aramaya koyuldu: çok cansız bir ağız, bütün dişetlerini sergileyen asabi bir gülüş ve ona yoksunluk çeken bir müptela havası veren sinsi ve donuk bir yüz ifadesi.

Yarım saatten beri onları dinliyordu, elbette Fransızca konuşuyorlardı ve Niémans bu iki vâriste kontesteki özelliklerin hiçbirinin olmadığı sonucuna vardı: Kökenlerini yansıtan hiçbir özellik yoktu ve kendilerini tek başlarına var etmeyi başarmaları imkânsızdı. Kontes taşıdığı kanın gücüyle onu etkilerken, iki kuzen zayıftı, kanları çekilmişti ve atalarının ününü hayal etmekten başka bir şey yapamayan iki tipti.

Niémans'ın şaşkınlığı davetlilerden çok, akşam yemeği yenilen salonla ilgiliydi: Ne cam duvarları ne de modern bir dizaynı vardı. Kırmızı kadife kaplı duvarlarında içi doldurulmuş onlarca hayvan kafası –meşhur "katliamlar"– duruyordu. Şöminenin alevleri acımasız sert çeneler gibi takırdıyordu ve çatal bıçak tıkırtıları ona en berbat zindanlardaki zincir seslerini çağrıştırıyordu. Merhaba ortam...

Ama masanın üzerindeki mumların zayıf ışığı altında, en kötü şiddete maruz kalmış bu milyarder aileye çok yakın olmaktan, bu "kuş yuvası"nda bulunmaktan mutluydu, büyük keyif alıyordu. Cinayet sebebinin burada, bu vârisler arasında olduğuna her zamankinden daha fazla inanıyordu, hikâyelerinin bir yerinde ya da hayatlarının kör noktasında gizliydi.

Konuşma üzüntülü bir şekilde başlamıştı –Alman aksanıyla Jürgen hakkında yapılan ateşli bir övgü konuşması– ve nezaket kurallarına uygun bir şekilde devam etmişti. Artık yemeğin ortasındaydılar ve Trollinger, yakut kırmızısı şarap, etkisini göstermeye başlıyor, sesler daha yüksek çıkıyor, espriler ortamı ısıtıyordu.

– Bunu yapan adamı bulduğumuzda, dedi Udo, onunla ilgileneceğiz.

Niémans anlamamış gibi yaptı:

– Yani?

Udo kadehindeki şarabı bitirdi sonra lütufta bulunur gibi herkese şarap servisi yaptı.

– Ailemizi hedef alan bir pisliğe hesap sormayacağımızı mı düşünüyorsunuz?

– Anlaşılan sizin kafanız karışmış Udo. Asırlardan beri adalet mahkemelerin işi. Kan davası gütme yasalar tarafından cezalandırılır.

Udo sırıttı. Gözlerinin üstüne düşen siyah perçemlerinin arasından, bakışlarıyla etki yaratmaya çalışıyor ama sadece tek bir şeyi ispatlıyordu: Centilmen erkek eşiği aşılmıştı.

– Zaman akıp gider ama toprak hep aynı kalır, dedi, sanki yüzyılın cümlesini söylemişti. Burada kendi evimizdeyiz. Hayvanları avlıyoruz, insanları da avlayabiliriz...

Laura elini kuzeninin kolunun üstüne koydu.

– Udo şaka yapıyor Amir Niémans. Burada kimse kendini kanunların üstünde görmez. Biraz horoz almaz mıydınız? Sizden, yani Fransa'dan gelen şarapta pişirildi.

Niémans yavaşça kafasını salladı. Akşam yemeği mükemmeldi. Parlak kırmızı renkte sosisler, hafif ateşte pişirilmiş, münster sosunda bekletilmiş spätzle[17] ile servis edilen horoz. Öncelikle hiçbir şey çok hafif değildi. Bununla birlikte, hepsi hoş kokusu ve altın rengi yansımaları olan küçük bulutlar gibi yenilip yutuluyordu.

17. Bir tür taze Alman makarnası. (ç.n.)

Polis, teklifi geri çevirmedi, horozdan aldı. Görünürde hizmetçi yoktu, samimi bir ortamdaydılar. Kuşkusuz, yanında oturan ve tabağına hiç dokunmamış olan Ivana'nın hoş görülmesini sağlamak için yemeklerden büyük keyif aldığını göstermeyi görev bilmişti.

Bayan Vegan, konuyu değiştirerek onları açmazdan çıkardı:

– Anlamadığım bir şey var, dedi, ağzına gizlice bir parça çavdar ekmeği atarken (beslenmesi gerekiyordu). Sürek avı için sınırı geçmek zorundasınız...

– Ee, yani? diye gülümseyerek sordu Max, kardeşinden çok daha sakindi.

– Neden *Schleppjagd* yapmıyorsunuz?

Niémans şaşkınlıkla ona baktı: Böyle bir kelimeyi nereden bulmuştu?

– Bu bizim Landtag'a[18] önerdiğimiz bir seçenekti, diye açıkladı Laura. Canlı bir av yerine hayvanların kokusuna bulanmış sahte bir avı avlamak.

Udo bir kahkaha patlattı, Max içeri göçmüş gözleriyle Ivana'ya bakmakla yetindi.

– Öyleyse bir şişme bebekle aşk yapmaya çalışın, dedi, yumuşak bir ses tonuyla. Landtag'taki budalaların bize önerdiği bu.

– Sizin orada söz sahibi olduğunuzu sanıyordum, diye araya girdi Niémans.

– Elbette öyle, ama avam tabaka çoğunlukta. Bu onlardan beklenen bir şey.

Polis istem dışı olarak onu onayladı. Max erkek kardeşinden daha tehlikeliydi, kesinlikle aptaldı ama yalın ve netti.

Udo kadehini birden, müthiş bir sıcaklıkla yanan ve alevleri fırıl fırıl dönen şömineye doğru kaldırdı.

– Av, kan demektir!

İki kuzen sırıttı. Şarabın etkisiyle ve mumların sıcaklığıyla ısınmış yüzlerine makyaj yapılmış gibiydi, suratlarındaki şiddet ifadesi Ortaçağ'ın grotesk tablolarındaki yüzleri çağrıştırıyordu. Özellikle, Jürgen'in ölümünü unutmuş gibiydiler ya da bu kayıp, temel dayanağı şarap ve kan olan bu pagan şöleninin yapılmasına vesile olmuştu.

– Sizi tahrik eden şey bu mu? diye sordu Ivana.

Udo koltuğunda geriye doğru çekildi, çenesi köprücükkemiklerinin arasında, hem arkasına yaslanmış hem de dirseklerini kol-

18. Almanya'da eyalet meclisi. (ç.n.)

çaklara dayamıştı, her an geğirecekmiş gibi duran bir sarhoşa benziyordu.

– Sizinle bu konuda tartışmayacağım, iyilik timsali küçükhanım, ama bir şeyi iyi anlamanız gerekiyor: Avcının da hayvanın da damarlarında aynı kan dolaşıyor. Onları ısıtan kan, bunun adı da...

– Siyah kan, diyerek araya girdi Niémans, evet, biliyorum.

Avcılık âleminde, bu karanlık tabuya sıklıkla gönderme yapılırdı, bu avcıyı avını izlemeye, tetiğe basmaya ve aynı zamanda da ölüm riskini göze almaya iten katıksız bir vahşilikti...

– Benim mesleğimde, diye ekledi polis, buna "öldürme içgüdüsü" denir.

Laura Niémans'a bir eklemede bulundu, sanki ağız dalaşına girmekten çekinmiyordu:

– Ne de olsa, polisler de birer avcıdır, değil mi?

Niémans, Trollinger'den aldığı yudumun tadını çıkarmak için bir süre bekledi; ipin ucunu kaçırmadan rahat davranacak kadar içmişti.

– Sizin çok övündüğünüz av ile bizim her gün yaptığımız av arasında fark var. Katillerle eşit silahlarla mücadele ediyoruz. Ve hatta eşit olmayan silahlarla. Av, çoğunlukla biz oluyoruz.

– Ama siz hayattasınız, diye cevapladı Laura. Erkek kardeşimin böyle bir şansı olmadı.

Bu masanın çevresinde toplanmalarına sebep olan dramatik durumu onlara hatırlatmış gibi herkes sustu. Bir dakikadan uzun bir süre, şömineden gelen çıtırtılar ve mumların fitillerinin cızırtısından başka bir ses duyulmadı.

Niémans, iki geri zekâlıya cinayet anında nerede olduklarına tanıklık edecek birilerinin olup olmadığını sormanın vakti geldiğini düşündü.

Ama cevap olarak iki kardeş sadece sırıttı ve çaktırmadan birbirlerine baktı.

– Komik olan nedir? diye sordu Niémans.

Max sandalyesinde doğruldu ve kafasını bir bowling kukası gibi kaldırdı.

– Diyelim ki hafta sonu kurallarına pek riayet etmedik.

– Yani?

– Geleneklerin gerektirdiği gibi erkenden yatmak yerine odalarımıza genç bedenler davet ettik.

Niémans tutanaklarda böyle bir tanıklığa rastlamıştı, şimdi hatırlıyordu.

– Telefon numaraları sizde var mı? diye sordu.

– Elbette. Ayrıca size tarifelerini de verebilirim.

Niémans kafasını kaldırdı ve Geyersberglerin duvara asılı aile armasını gördü: Altın bir zemin üzerinde, birbirine çapraz-lanmış iki geyik boynuzu. Bütün bunlar bunun için mi, diye düşündü. Savaşlarla geçen yüzyıllar, siyasi mücadeleler, toplumsal kavgalar, titizlikle savunulmuş ayrıcalıklar ormanda bir geyiğin peşine düşmeden önce odalarına fahişeler çağıran iki soytarı büyütmek içindi. Darwin evrimi hayal kırıklıkları konusunda cimrilik etmemişti.

Kontes ortadan kaybolmuştu. Niémans tüm bunları düşünürken Laura yeniden belirdi, elinde çok hoş mavi çiçeklerle süslü, Gzhel porseleninden yayvan bir tepsiyle yemek salonuna giriyordu.

Gür saçlı, kınının içine giren bir bıçak gibi elbisesinin içine girmiş bu kadının, fırın eldivenli elleriyle büyükanne tabağını masanın üstüne koyarkenki görüntüsü Niémans'ı duygulandırdı. Bu tezatlığın içinde, gözlerinin dolmasına neden olan bir insani yıkım görüyordu.

– Ev yapımı strudel! diye bağırdı, o esnada Max herkese yeniden şarap servisi yapıyordu.

Eğer bu bir cenaze nöbetiyse, kadının gerçekten tuhaf bir hali vardı... Niémans zarif bir kazanın dibinde kayıyordu: Her yeri ısıtan, anormal derecede keyif veren bir kazanda kendini kontese daha yakın hissediyordu.

Ama o anda, Udo burun üstü düşüverdi. Max onu tutmak için yeterince hızlı davranmamıştı. Yakışıklı vâris tabağının içine düştü, güzel saçları spätzle'ye ve münster sosuna bulanmıştı.

Max ve Laura gülmeye çalıştılar, ama manzara içler acısıydı. Niémans, Laura'nın gülmeyen ve çok büyük bir horgörüyle bu zavallı küçük aptalı seyreden Ivana'ya gözucuyla baktığını fark etti.

Laura'nın yüzü değişti: Bedeni kasıldı, gözlerinde bir tiksinti ifadesi belirdi. Bir anda polis, bu ifadede bir aristokratın halka, toplumun aşağı tabakalarına, onlara değer katacak ne bir atası ne de arması olan normal insanlara karşı duyduğu tiksintiyi suçüstü yakaladı.

14

– Bu akşam için yeterince aptallık yapıldı... Uykun var mı?

– Hayır.

Niémans ile Ivana Cam Villa'nın ön basamaklarında ayakta duruyorlardı. İyi kötü, Udo'yu Max'ın arabasına kadar taşımışlardı. Soğuk gecede, vedalaşmalar oldukça kısa sürmüştü. Kuzenlerin arabası karanlığın içinde kaybolmuş ve kontes tek kelime etmeden kendi dairesine dönmüştü.

– O halde VG Grup'u eşele, diye emretti Niémans. Yıllık raporlar, yönetim kademesi, hissedarlar. Cinayet sebebinin mali olduğunu düşünmüyorum, ama mümkün olduğunca hızlı bir şekilde bu ihtimali elememiz gerekiyor. Ayrıca iki kardeş gerçekten iyi anlaşıyorlar mıymış öğrenmeye çalış... Laura'nın sözüne güvenmek zorunda değiliz.

– Laura... Daha şimdiden adıyla hitap etmeye mi başladınız?

– Dalga geçme.

Çakmak sesi, alevin ışığıyla aydınlanan yüzler. Yanan tütün kokusu yaprakların ve reçinenin rayihasına karışmıştı. Arkalarında, saydam evin lambaları birer birer sönüyordu.

Niémans, her şey kâbusa dönüşmeden önce, büyükannesi ile büyükbabasının yanında, kırsalda geçirdiği çocukluğunun akşamlarını, mutlu günlerini hatırlatan bu anın tadını çıkarıyordu.

– Ya siz, siz ne üstünde çalışacaksınız?

– Pirsch.

Ivana yüzünü buruşturdu.

– Ben her halükârda rakamlarla eziyet çekmeyi yeğlerim.

Giriş katı sadece birkaç ışıkla dolaylı olarak aydınlatılan Cam Ev'e döndüler.

– Avcılarla konuşurken uysal ol, diye yine de uyarıda bulundu, Niémans.

– Siz de pek o kadar kibar değilsiniz.

– Şu ya da bu şekilde, bu cinayet pirsch'le alakalı, diye lafı değiştirdi. Günlerce burada kalacağız. Yanımda dar görüşlü bir dişi militanın bulunmasına katlanamam.

– Çünkü siz de avlanmayı seviyorsunuz, değil mi?

– Sorun orada değil. Soruşturmamızın tahmini görüşlerle bozulmaması gerekiyor.

– Tahmini mi?

– Adamın ormanda yaşayan doğal yırtıcılar tarafından öldürülmediğini anlayacak kadar zekisin. Yani, katil işi kendi yapmak zorunda.

– Fauna ve floranın düzeni hakkında sonu gelmeyen basmakalıp sözleri çıkarmamı mı istiyorsunuz? Ama şunu unutmayın: Gerçek çevreciler avcılardır.

– Bu doğru. Ormanı tehdit eden en büyük tehlike, aşırı kalabalıklaşmadır.

Evi çevreleyen terasta, ahşap döşemenin içine yerleştirilmiş göze çarpmayan lambalarla aydınlatılan basamakların en tepesinde ayakta duruyorlardı. Bu düşüncesinin yardımcısı üstündeki etkisini değerlendirdi. Şifon elbisesi içinde Ivana, bu akşam bir hediye paketi kadar şıktı ama onda konteste olmayan bir şeyler vardı. Duygusal, birbiriyle bağdaşmayan bir şeyler, herhangi bir erkeği titretecek göze çarpan bir güzellik.

– Beni kızdıran bu değil, diye mırıldandı.

Ne zaman açık renkli gözleriyle ona baksa, Niémans büyük bir heyecana kapılıyordu. Mavi, yeşil, altın sarısı, tamam olarak rengini söylemek imkânsızdı, gözbebeklerinin durgun bir suyu andıran rengi ona çocukluğunun akiklerini çağrıştırıyordu.

– Beni kızdıran, diye yineledi, bu salakların hayvanları öldürmekten aldığı zevk.

– Zevk öldürme eyleminde değil, onların izini sürmede. Ve ayrıca teknik hünerde.

– Süper hüner, savunmasız hayvanları öldürmek.

– Seninle tartışmaktan vazgeçiyorum. Ama anlaşılan senin hedefinde hiçbir zaman bir karaca olmamış.

– Bir ne?

Niémans gülümseyerek kafasını salladı.

– Bu konuda hiçbir şey bilmiyorsun. Haydi, yatma vakti geldi.

Bunu söyler söylemez de, yanlamasına bir hareketle camlı kapıyı açtı.

– Katilin düşündüğü de bu, diye mırıldandı Ivana, izmaritini gecenin içine doğru fırlatırken.

– Ne?

– Jürgen'i öldürürken, dünyanın dengesini yeniden sağladı.

Ivana haklıydı: Katil, avcıların da söylediği gibi evrenin uyumunu tehdit eden bir unsuru "kesip çıkarmıştı." Ama tam olarak hangi evrendi? Ve Jürgen herhangi bir düzeni rahatsız edecek ne yapmıştı?

– Sende sürek avına katılan davetlilerin listesi var mı? diye sertçe sordu Niémans.

– Size vermiştim.

– Hepsi sorgulandı mı?

– Elbette, cesedin bulunmasının ertesi günü.

– Kaç kişi?

– Kırk kadar. Herkes av köşkünden ayrılmadığına yemin ediyor. Teyit etmek imkânsız. Cep telefonu kullanmanın yasak olduğunu hatırlatırım.

Niémans evin içine girdi.

– Bir iki saat çalış ve sonra biraz uyu. Yarın senin ahbabını sorgulayacağız.

– Hangi ahbap?

– Thomas Krauss, çevreci militan, davası uğruna kendini feda eden adam.

15

“Ormanda ilerlerken düşünmek, tahlil yapmak, öngörmek söz konusu değildir. Sadece gözlemlersin. Yalnızsındır, yavaş hareket edersin, ağaçların arasında yitip gidersin. Yüzde 100 ana odaklanırsın. Çıkabilecek tek gürültü, avının çıkaracağı gürültüdür... Önemli olan tek şey budur.”

“Bütün pirsch avcıları bunu bilir: Yürürsünüz, ararsınız ama çoktan hedefinize kilitlenmişsinizdir. Bir tür titreşim, bir elektrik akımı sizi ona bağlar...”

Niémans yatağına uzanmış, bilgisayarını dizlerinin üstüne koymuştu, YouTube’da Alman pirsch avcılarının tanıklıklarını izliyordu. Hepsinin üzerinde loden kumaşından giysiler vardı. Kamuflaj kıyafetleri söz konusu olduğunda, birçok ekol bulunuyordu. Ama Almanya’da, loden, esnek ve sessiz kumaş çok revaçtaydı.

“Zaman ve mekân kavramı yitirilir. Gerçekten uzaklaşılır. Ormanın içinde yüzülür. Bu bir transtır...”

Ivana’nın karşısında, Niémans şeytanın avukatlığını yapmıştı, ama aslında o da avdan zevk almayı anlamıyordu. Bütün bir geceyi size günbatımında hareketsiz yatan büyük bir geyiğin güzelliğini anlatmakla geçiren ve geyiğe ateş etmekten başka bir davranışta bulunmayan, büyükbabası gibi avcılar ona Mozart’ın *Requiem*’ini dinledikten sonra gözyaşlarına boğulan, partisyonun keyfini çıkarmaktan başka bir şey yapması gerekmeyen bir müzik tutkununu çağrıştırıyordu.

Polis klavyesine tıkladı ve pirsch teknikleriyle ilgili yeni bir konuya geçti: kamuflaj, rüzgârdan faydalanma, izleri inceleme, hayvanın davranışlarını etkileyen Ay’ı dikkate alma... Bu tür şeyler Niémans’ın ilgisini çekiyordu. Bunlar anlayabildiği ve hayranlık duyduğu gerçek tekniklerdi, o bir polisti ve zamanını bütün avlardan daha tehlikeli avların izini sürmekle geçiriyordu.

Bu bilgiler onun bu cinayetle ilgili düşüncelerini daha da pekiştiriyordu: Jürgen'i öldüren adam av karşıtı bir militan değildi, tam tersine büyük bir avcıydı. Bu nedenle, vârisi kendi bölgesine, ormana çekmeye ve onu ansızın yakalamaya muvaffak olmuştu. İşte bu nedenle, hiçbir iz bırakmamayı başarmıştı. Ancak doğayla bu denli bütünleşebilen bir katil bu şekilde ortadan kaybolabilirdi. Ayrıca, Jürgen'in dişleri arasına sıkıştırılan meşe palamudunun bir saygı göstergesi olduğundan da emindi.

Bu düşüncelerin yaptığı çağrışımla, Niémans "onurlandırmalar" ilgili bir arama yaptı. Avcı tarafından avının üzerine bırakılan çeşitli şeyler. Son lokması ya da "kırdığı bir dal parçası." Kırıldıktan sonra, öldürülen hayvanın kollarına onu onurlandırmak için bırakılan bir dal demeti. Yönüne, bedenin üzerindeki yerine ya da kırılma biçimine göre, bu dal farklı anlamlara gelebilirdi. Jürgen vakasında, kırılmış bir daldan eser yoktu, ama rüzgâr onu sürüklemiş ya da oradan bir hayvan geçmiş olabilirdi.

Olay yeri fotoğraflarını bir pirsch avcısına göstermek gerekiyordu: Belki de cesedin pozisyonu ya da yerleştirilme biçimi tam olarak incelenmemişti.

O sırada, polis dışarıdan gelen boğuk bir gürültü duydu. Hemen ardından, çok daha boğuk bir başka çıtırtı duyuldu. Yataktan indi, silahını aldı, pencereye doğru yaklaştı ve aşağıda ne olduğunu görmek için gözlerini kıstı. Bir an için birilerinin Cam Villa'ya girmeye çalıştığını düşündü.

Aşağıyı görmenin imkânı yoktu ve pencereyi açma mekanizmasını bulamıyordu. Ceketini ve ayakkabılarını giydi, odadan çıktı ve mümkün olduğunca az gürültü çıkarmaya çalışarak merdivene yöneldi.

Salonu boydan boya geçti ve camlı kapıyı açtı. Soğuk bir anda yüzüne çarptı –ısı birkaç derece daha düşmüştü– uzun çimenlere ve onları çevreleyen kara duvarlara dikkatle baktı. Hiçbir şey yoktu. Ne bir gölge ne de bir hareket.

Niémans rahatladı. Gece muhteşemdi (ağaçlara nüfuz etmiş kırağı, ladinlerin iğneyaprakları üzerindeki çiy ayırt ediliyordu) ve belli belirsiz bir dalgalanma vardı: Yerden bir metre yüksekte, bir pus örtüsü yatay olarak yer değiştiriyordu.

Polis nemli havayı ciğerlerine doldurdu, tüm bu güzelliği bir anda sindirmek ister gibiydi. Reçinenin ve birbirine sürtünen yaprakların kokusu soluğunu tıkıyor ve doğrudan beynine nüfuz ediyordu. Bir anda kendini sarhoş gibi hissetti. Evi çevreleyen terasın üstünde sanki sallanıyordu, Sig Sauer'in kabzasındaki parmaklarını gevşettiği sırada onu gördü.

Laura von Geyersberg sağ tarafta, köknarlar boyunca yürüyordu, bir jean pantolon ile koyu renkli bir manto giymişti, onu ısıtacak birini arıyormuş gibi omuzlarını kıstırmıştı. Siyah saçları, koyu renkli bir dokumanın üzerinde gezinen parlak bir fırça gibi çam ağaçlarını yalıyordu.

Niémans silahını beline yerleştirdi ve yürümeye başladı. Tam o esnada, Laura von Geyersberg karanlık iki ağacın arasında gözden kayboldu. Niémans koşmaya başladı.

16

Laura'nın kaybolduğu ağaçların arasındaki boşluğa ulaşması sadece bir dakika sürdü. Kırmızı topraktan bir patika, donmuş uzun bir parmak gibi karanlığın içinde bir yönü işaret ediyordu.

Niémans gürültü çıkarmamak için yavaşladı. Ay ışığının altında, soğuğun da etkisiyle manzara her an kırılmaya hazır bir cama benziyordu. Hem kırılgandı hem de insanın gırtlağını kesebilirdi.

Kontesten hiç iz yoktu.

Sesiz olmaya çalışarak adımlarını yeniden hızlandırdı, ama tam tersine ağır gövdesi toprağı titretiyormuş gibi hissediyordu. Sağ olasın Trollinger...

Ama Laura neredeydi?

Niémans çam ağaçlarının dallarından sakınmaya çalışıyor, gözlerine çiy damlaları doluyordu. Sanki bir ormanda yürümüyor, bir masalın, bir efsanenin içinde yol alıyordu. "Schwarzwald": İşte kafasının içinde yankılanan kelime buydu. Kara Orman, ruhun en karanlık bölümünün uykuya çekildiği, kör noktalarla ve gizli yerlerle dolu bir alan, ruhların ve büyülerin bölgesi...

O esnada kadını fark etti.

Kalın dallarla örtülü sapa bir patikada yürüyordu. Niémans da hemen kara renkli ağaçların arasındaki bu patikaya yöneldi. Bir kez daha, tüm manzara ona cam gibi göründü. Gökyüzü donmuş bir gölü andırıyordu, köknarlar sivri uçları havaya dönük dikitleri çağrıştırıyordu. Ay ışığının neden olduğu gelgit gibi, pus yükseliyordu. Kendisi de yürürken gizemli bir biçimde sisle bütünleşen gümüş rengi çamurlar sıçratıyordu, bunu şimdi fark etmişti.

Kontes, kollarını omuzlarının çevresine sarmış bir halde hızlı hızlı yürüyordu. Mantosunun etekleri en alt dallara takılıyor, ardında damlacıklardan ve yere düşen iğneyapraklardan bir iz bırakıyordu.

Niémans iki büklüm halde, mümkün olduğunca az gürültü çıkarmaya çalışıyordu, nem onun müttefikiydi: Islak otlar, ölü yapraklar sessizce boyun eğiyor, ağırlaşmış eğreltiotları kadife perdeler gibi açılıyordu. Yürüdükçe etrafını çevreleyen periler âlemine daha fazla girdiğini hissediyordu. Bir mandala gibi yuvarlak olan ay sedef rengindeydi. Kırağıyla kaplı ağaçların üzerleri tebeşirle çizilmiş gibiydi.

Niémans sağ tarafında boğuk bir ses duyduğunda Laura'yla arasındaki mesafe iki yüz metreye kadar inmişti. Refleks olarak başını çevirdi ve ona doğru gelen siyah kütleyi gördü: kuvvetiyle sis katmanlarını yırttığından kesik kesik bir hızla geliyormuş gibi gözüken, koyu renkli, kasları çok belirgin bir kütle.

Daha ne olduğunu anlamadan, Niémans içten ve dıştan, sözle anlatılması imkânsız bir korkuya kapıldığını hissetti. Mantıklı hiçbir şey düşünemeyecek kadar onu donduran bir sürüngen korkusu. Bir saniye sonra, sağlıklı düşünemeyen beyni durumu kavrıyordu: Ağzı açık, salyaları akan kocaman bir köpek onlara doğru dörtnala koşarak geliyordu.

Polisin tabancasını kılıfından çıkaracak zamanı ancak oldu, bunu da düşünmeden yapmıştı. Bir metre daha ve köpek onun üzerindeydi. Namludan çıkan alev, Cehennem'den fırlayan Kerberos[19] gibi onu aydınlattı. Bir çekiç hızıyla gelen, en az elli kilo ağırlığındaki köpek Niémans'ın üzerine yıkılmıştı, ön bacakları açık bir şekilde düşmeden önce fışkıran kan Niémans'ın yüzüne sıçramıştı. Polis soluk almasını zorlaştıran hayvanın sıcaklığı altında ezildi.

Refleks olarak, Niémans kusmak için kafasını yana çevirdi ve ona doğru koşan kontesi gördü. Sonrasında, dumanı tüten asitli bir gayzer ezilmiş otların üzerine fışkırdı. Birkaç saat önce bayılarak mideye indirdiği, şarapta pişirilmiş horoz, münster soslu spätzle ve diğer tüm bokluklar yakıcı bir fıskiye gibi püskürdü.

Niémans köpeğin altında, tiksintinin de ötesinde farklı bir duyguya kapılıyordu. Bir mezbahada bir karkastı, kandan, deriden ve kıldan oluşan bir kefenin altında derisi yüzülmüş bir et kütlesiydi. Yarım döndü, kurtulmak için üzerindeki kara kütleyi kaldırma gücünü kendinde buldu. Dizleri yerde iki büklümdü ve başını ellerinin arasına aldı.

19. Kerberos, Yunan mitolojisinde Hades'in yönettiği ölülerin bulunduğu yer altının kapısında bekçilik yapan üç başlı köpek. Kuyruğu bir yılan olan ve sırtında sayısız yılanbaşı bulunan, ısırıkları zehirli bu köpek Herakles'in 12 görevi arasında yer alır. Kerberos Yunanca "çukur iblisi" demektir. (ç.n.)

– İyi misiniz?

Reçine kokuları altındaki bu açıklık alanın üstünde ışık yılında süzülüyordu. Meyankökünün sivri dallarını bedeninde hissederken Alsace'ta, en berbat anısının en dibindeydi. Yeniden kusacaktı...

– İyi misiniz?

Kafasını kaldırdı ve ceketinin yeniyle yüzünü sıvazladı. Kontes önünde dikiliyordu, korkmuş bir hali vardı. Herhangi bir zamanda, Laura von Geyersberg'le bir macera yaşama kararsızlığı hissetse, davanın o anda kesinlikle kapanacağı düşünülebilirdi.

Derisini kazımak ister gibi iyice bastırarak yeniden yüzünü sildi.

– Ne oldu?

Niémans zorlukla doğruldu, hâlâ yerde oturuyordu, hareketsiz köpekten uzaklaştı. İtin her an yeniden üzerine saldırma ihtimaline karşı silahını hâlâ ona doğrultuyordu. Ama hayır: Tek bir mermi, hayvanın beyniyle birlikte kafasının yarısını uçurmuştu.

– Bana cevap verecek misiniz?

Sonunda, kontesi dikkate aldı.

– Bu köpek sizin mi?

Kendi sesini tanıyamadı. Sanki gırtlağına bir sopa baskı yapıyordu. Ayağa kalkmasına yardım etmek için Laura elini uzattı, ama Niémans görmezden geldi. Küçük düşmüştü, nefes nefeseydi, kalbi bedenin içinde herhangi bir yerde atıyordu, ayaklarının üstünde doğrulmayı başardı. Anında başı döndü ve kandan yapış yapış olmuş tabancasını beline yerleştirmeye çabalarken dengesini bulmaya çalıştı.

O esnada, açıklık alanı çevreleyen sık ağaçların arasında, yaklaşık elli metre uzakta bir siluet fark etti.

– Orada!

İşaretparmağını doğrultacak gücü bulmuştu. Laura da bakışlarını aynı yöne çevirdi.

– Ne?

Gölge çoktan gözden kaybolmuştu. Bununla birlikte, emindi, ağaç rengi bir kıyafet giymişti, kafasında bir kasket ile göz hizasına kadar gelen ve burnunun üstüne yerleştirilmiş sert bir koniyle gerilmiş bezden tuhaf bir maske vardı.

– Ne gördünüz? diye sordu Laura.

Cevap vermemeyi tercih etti. Gölgenin peşinden gitmeye niyetlendi, ama hali yoktu: Bacakları zorlukla onu taşıyordu, elleri istem dışı bir şekilde titriyordu.

Ayaklarının dibinde yatan köpeğin yanına dönmeyi yeğledi. Kısa tüyleri ve kaslı bir bedeni olan bir bekçi köpeği. Kabarık kaslarıyla aşırı gergin kapkara bir deri ve savaşa hazır bir beden.

Zorlanarak da olsa, hayvanı yakından incelemek için çömeldi. Irkı hakkında en ufak bir bilgisi yoktu. Bedeni kısa tüylere sahip herhangi bir teriyeye ait olabilirdi ama ağzının şekli oldukça özeldi. Bir örs gibi kareydi, bir füze gibi parlaktı, hem ağır hem de saldırgan bir görüntüsü vardı, çok sayıdaki öldürücü dişlerini her an sergilemeye hazırdı.

– Bana cevap vermediniz, diye homurdandı Niémans, soluğu düzelmişti. Bu köpek sizin mi?

– Benim köpeğim yok.

– Av için bile mi? diye sordu, ayağa kalkarken.

– Avda kullandığım köpekler burada değil. Bu hayvanı hiç görmedim. Onu neden öldürdünüz?

– Size saldıracaktı.

Kontes cevap vermedi ve hayvanı bizzat incelemek için bir dizini yere koydu. Niémans onun bu tavrında öfkesini açığa vuran bir merhamet ve bir sevecenlik olduğunu fark etti. İnsanların itlere karşı, özellikle de bu hayvana, gırtlaklarını zevkle parçalayacak bu korkunç pisliğe karşı gösterdiği şefkati anlamıyordu.

– Bu saatte dışarıda ne işiniz var? diye, kimlik görmek isteyen bir polisin ses tonuyla sordu.

Kontes ayağa kalktı, yeniden doğal haline kavuşmuştu.

– Sakinleşmeye çalışıyorum Niémans. Hâlâ kendi evimdeyim.

– Tamam, dedi Niémans, bir yandan da yüzünü silmeye devam ediyordu (derisinin bütün gözeneklerini dolduran kan ve et kokusunu hâlâ duyuyordu). Ama gece yarısı nereye gidiyordunuz?

Laura omzunun üstünden bir bakış fırlattı.

– Bahçenin dip tarafındaki şapele. Jürgen orada gömülü. Düşünmek (sesini alçattı), onunla konuşmak istiyordum.

Niémans cep telefonunu çıkarıp Kleinert'in numarasını tuşladı. Silah sesini duyan Ivana'nın sabırsızlandığını biliyordu. Elleri hâlâ titriyordu.

Laura göz ucuyla Niémans'a bakıyordu. Cehennem köpeğinden çok ondan korkmuş gibiydi.

17

– Siz ciddi misiniz?

Niémans köknarların arasında gördüğü silueti tarif etmişti.

– Saçmalıyormuş gibi bir halim mi var? diye kızgınlıkla cevap verdi. Sadece gözleri açıkta olan bir tür maske takıyordu. Maskenin altında, burnun üzerinde köşeli sert bir koruyucu vardı.

Kleinert kafasını sallıyordu. Kuşkusuz bu tanıklığın tek bir kelimesine bile inanmıyordu. Bir bowling topu parlak çıplak alnında, Cam Villa'nın güzel çimlerini işgal etmiş polis arabalarının tepe çakarlarının ışıkları yansıyordu.

Tüm manzara gerçek dışıydı. LED'lerin ışık huzmeleri, ağaç gövdeleri üstünde sedeflenerek sis tabakasının içine nüfuz ediyor, psikedelik bir alev halesi oluşturarak ağaçların ve yaprakların arasında bir geçit açıyordu.

Polizeioberkommissar hayvan leşinin üzerindeki örtüyü kaldırdı.

– Size saldıracağından emin misiniz?

– Ya o ölecekti ya da ben. Kontes için buradaydı, ama beni görünce gırtlağımı hedef aldı.

Yakaları kalkık siyah yağmurluğunun içinde, küçük keçisakalı ve önleri kısa, arkası uzun saçıyla Kleinert 17. yüzyıl komplocularına benziyordu.

– Peki, dedi, kuşkucu bir ses tonuyla, kontes nerede?

– Evine döndü. Bu olay onu gerçekten sarstı.

Alman hafifçe gülümsedi.

– Fransız polisinin yöntemlerine alışkın değil.

Diksiyonu mükemmeldi –olumsuzluk ifade eden her kelimeyi çok iyi vurguluyor ve konuşurken hiçbir heceyi yutmuyordu– ve bu da onu daha da sıkıcı yapıyordu.

Niémans bu provokasyonu duymazdan geldi.

– Kontes tehlike altında, diye üsteledi. Bu geceden itibaren evin çevresine adamlar yerleştirmek gerekiyor.

Polisin ses tonu muhatabını irkiltmişti.

– Bazı şeyleri aydınlığa kavuşturalım, Amir Niémans, burada emirleri ben veririm.

– Sorun yok. Ama hemfikiriz, değil mi? Kuşkusuz Jürgen'den sonra, şimdi hedefte Laura var.

Kleinert yeniden kafasını salladı.

– Adamlarıma göre, bahçenin çevresinde ne lastik izi ne de ayak izi var. (Alman polis, olay yeri girilmez şeridinin arkasında duran siyah kıyafetli adamları işaret etti.) Ve malikâne bekçileri de hiçbir şey görmemiş, hiçbir şey duymamış.

Niémans Kleinert'in gösterdiği adamlara baktı, birbirlerinin kulağına fısıldayan iriyarı adamlar.

– Bu adamlar bir şey biliyor.

– Hayır, dedi Kleinert, kesin bir ses tonuyla.

– Yine de bazı yorumlarda bulunuyorlarmış gibi bir halleri var.

– Onlar bu ülkenin çocukları. Hâlâ eski efsanelere inanıyorlar.

– Yani?

– Siyah bir köpekle dolaşan maskeli bir adam. Yeterince çok şey söylediniz, dostum. Ülkenin bu köşesindeki efsanelerin yarısı bu tür bir kişilikten söz eder... İlginç olan şey, yetişkin yaşta bile, bu tarz zırvalıklara hâlâ burada inanılıyor olması.

Niémans, bu naif inanışları elinin tersiyle iterek, Kleinert gibi bunların üstesinden gelmeyi isterdi. Ama sınırı geçtiği andan itibaren orman ve gölgeleri tarafından rehin alınmıştı. Hem sonra, çamların iğneyaprakları arasında bu maskeyi görmüştü.

Bu konuyu sonlandırmak ister gibi, otların üzerinde yatan köpeğe bir göz attı. Ağır ve tıkız, granit bir heykel gibiydi. Ölüm nedeniyle dudakları aralanmıştı, tarihöncesi çağların hayvanlarınınki gibi iri dişleri görünüyordu.

– Onu Schüller'e göstermek gerekiyor, dedi Ivana, yeniden oyuna katılmıştı.

Onun varlığı Niémans'ı kurtarmaya yeterli oldu: Ivana geldiği andan itibaren rahatlamıştı, kendini güçlü ve canlı hissediyordu. Ivana'yla her şey yolundaydı.

– Geyersberglerin doktoru mu? diye sordu Kleinert. Neden?

– Bize av köpekleri konusunda uzman olduğunu söyledi.

– Bunun bir av köpeği olduğunu gösteren hiçbir şey yok.

– Bu cinsi biliyor musunuz?

– Hayır. (Kleinert gülümseme ihtiyacı duydu.) Aslında bu konuda hiçbir şey bilmiyorum.

– Biz de bilmiyoruz, diye gülümsedi Ivana.

İkisinin arasında bir anda oluşan bu suç ortaklığı Niémans'ı kızdırdı, kıskanç erkeği oynamaktan daha acil işleri vardı.

– Yaptığımız ilk gözlemlere göre, diye devam etti Ivana, ne tasması ne de dövmesi var. Ayırt edici hiçbir işaret yok. Cinsini belirlemekle başlamamız gerekiyor.

– Adamlarıma onu Max-Planck'tan alıp buraya getirmelerini söyleyeceğim, diye razı oldu Kleinert.

Hafifçe eğilerek Ivana'yı selamladı ve arkasını dönüp uzaklaştı.

Birkaç metre ilerlemişti ki omzunun üstünden Niémans'a seslendi:

– Yarın her ikinizi de Freiburg Karakolu'na bekliyorum.

– İfadem için mi?

– Hayır. Krauss'u sorgulamak için.

Bunu tamamen unutmuştu. Kontese yapılan bu saldırıyla, Krauss'un itiraflarının artık gerçekten hiçbir önemi yoktu. Ama Kleinert haklıydı: Bir sonrakine geçmeden her ipucunun ve kanıtın incelenmesi ve şu ya da bu şekilde kapatılması gerekiyordu.

– Ne düşünüyorsunuz? diye sordu Ivana, yalnız kaldıklarında.

– Jürgen pirsch avı yapıyordu ve avın kurallarına göre öldürüldü. Laura sürek avı yapıyor ve onun üzerine bir Bask köpeği salındı.

– Yani?

– Katil, her seferinde kurbanının en sık kullandığı av tekniğini seçerek Geyersbergleri öldürmeye karar verdi.

– Neden?

– Bunu söylemek için çok erken. Ama ben bunun bir intikam olduğu kanısındayım.

– Bir av kazası olamaz mı?

– Ya da başka bir şey. Her halükârda, eğer katil intikam alıyorsa, bunu farklı av tekniklerine göre yapmak istiyor.

Şimdi, bütün ışıkları yeniden yanmış olan eve doğru yürüyorlardı. Mavi renge bürünmüş çimlerin üstünde havada duruyormuş gibiydi.

– Olayın bu yönünü araştırmak gerekiyor: Geyersberglerin av teknikleriyle bağlantılı bir şey. Katilin bir sürek avının öncesinde vurduğunu unutmamak gerekiyor, kuşkusuz ava katılanların cesedi av seremonisi sırasında bulmalarını amaçlıyordu...

Gecenin soğuğuyla kendini iyi hissediyordu. Duyularını yeniden kazanıyordu, zihni açılmıştı, derin bir yaşama arzusu duyuyordu. Öleceğini düşünmüş, bocalamıştı, ama her şey sona ermişti.

– Bu gece internette çalışmaya başla, diye emretti. Yerel gazeteler, av konusunda uzmanlaşmış web siteleri... Yarın polis arşivlerini tarayacağız. Belki Geyersberglerin bulaştığı farklı bir olay söz konusu olabilir. Ayrıca bölgede, deli olarak nam salmış ya da kontrol altında tutulamayan bir avcı var mı, araştırmak gerekiyor.

Villaya ulaşmalarına birkaç metre kalmıştı ki, Niémans içine doğmuş gibi kafasını kaldırdı. Kontes birinci katta, geniş pencerenin önünde ayakta durmuş onlara bakıyordu. Duruş pozisyonu ormandakiyle aynıydı, sadece üzerine bir şal almıştı.

Polis yeniden ürpermemek için çaba gösterdi ve soğuğun içindeki bu ürpertiyle hiçbir ilgisi yoktu.

– Grubun mali durumuyla ilgili bir ilerleme kaydedebildin mi?

– İlginç bir şey yok, yarın bunu konuşuruz. Ya siz, pirsch konusunda bir şeyler bulabildiniz mi?

– Aynı durum.

Basamakları çıktılar ama Niémans camlı kapıyı açmaya muvaffak olamadı, yoksunluk çeken bir alkolik gibi titriyordu.

– Niémans... diye mırıldandı Ivana.

Polis boş yere çabalamayı bıraktı ve genç Slav kadın elini çerçevenin pervazdan kurtulmasını sağlayan mekanizmanın içine yerleştirdi, sadece çekmekle yetindi.

– Köpeklerle sorununuz ne?

Niémans küfredecekti ki, son anda kendini tuttu. Onun bu aşırı tedirginliği kimsenin gözünden kaçmamıştı.

– Bir gün sana anlatırım... Acelesi yok.

Genç kadın kafasını salladı ve tek kelime etmeden içeri girdi. Niémans salonu kat ederken ve üst kata çıkan merdivende gözden kaybolurken Ivana'ya baktı.

Yeniden tek başına kaldı, yeniden buz kesmişti, köpeğin pıhtılaşmış ve kurumuş deniz tuzu gibi yüzünü geren kanını hissediyordu. O da salona girdi ve camlı kapıyı kilitledi.

Merdiveni çıktığında, artık orada değildi ve o anı yaşamıyordu. Büyükannesi ile büyükbabasının ev bozuntusunda, birinci kattaki küçük yatak odasındaydı, henüz on iki yaşındaydı.

Yandaki yatakta yatan ağabeyi, "*ü*" leri titizlikle uzatarak, tedirgin edici tiz bir sesle fısıldayarak onu korkutuyordu:

"Meyanköküüüüü... Meyanköküüüüü... Duyuyor musun? Geliyor! Meyanköküüüüü... Meyanköküüüüü... Seni öldürecek!"

18

Sabah 07.30.

Önceki akşam, Niémans kontesin yanında cilveleşirken, Ivana kimseye çaktırmadan birinci kata çıkmış ve arabanın anahtarlarını aşırmak için polisin odasına girmişti.

Şimdi aziz ve kutsal Volvo'yla Bad Krozingen yönüne doğru yol alıyordu. Yaptığı hesaplara göre, akşam adını öğrendiği kadını sorgulamak için yaklaşık iki saat vakti vardı. Davetliler bir yandan likörlerini yudumlarken bir yandan da şu ya da bu tüfeğin hünerleri üstünde gevezelik ederken, Ivana mutfağa gitmişti. Bakır tencereleriyle birlikte aynı kalıpta eritilmiş intibaı uyandıran yaşlı bir aşçıyla karşılaşmıştı.

"Jürgen ile Laura'yı gerçekten kim büyüttü?" Kötü bir Almancayla yaptığı sohbette araya sıkıştırdığı soru buydu. Cevap, en ufak bir tereddüt olmaksızın gelmişti: Loretta Kaufman, Bavyera kökenli mürebbiye, katılığıyla ün salmış, sporcu ve çok dil bilen kadın kesik namlulu bir tüfek kadar esnek, bir zımba kadar sevimliydi. Anaokulundan başlayıp üniversiteye gidene kadar çocukların eğitimiyle ilgilenmişti.

Bu sabah konuşmak istediği kişi oydu. Aşçı diyalekte yakın bir dille, dadının bu civarda yaşadığını ve şimdi Geyersberg krallığına 20 kilometre uzaklıkta bulunan, Bad Krozingen'in en önemli termal merkezinde çalıştığını açıklamıştı.

Ivana gri yolu takip ediyor ve manzarayı hayranlıkla seyrediyordu. Hiç bu kadar sık ağaçlı, bu kadar kahverengi bir orman görmemişti. Bir cangıl değildi, hayır, ama hazır ola geçmiş milyonlarca kozalaklı ağaçtan oluşan doğrusal bir biyotoptu. Kendisini, özsuyla doyma noktasına ulaşmış ve ırmaklarla damarlanmış kocaman kara bir kütleyi kesen bir bıçak gibi hissediyordu...

Bir saat önce, tuhaf bir ruh haliyle uyanmış ve akvaryumu andıran bu büyük evde kendisine kahve hazırlamak istememişti. Elinde ayakkabıları, sadece salonu geçmiş ve şefin Volvo'suyla tüymüştü.

Şimdi, sürekli olarak beynini kemiren düşünceleri bir düzene sokmaya çalışıyordu. Ne köpeğin saldırısını ne geri zekâlı iki kuzenle yenilen grotesk akşam yemeğini düşünüyordu. Gözünün önünde sadece tek bir görüntü vardı: Ellerinde boylarıyla orantısız tüfekler bulunan, bir midyenin iki kabuğu gibi birbirlerine lehimlenmiş gibi duran gri paltolu iki çocuğun fotoğrafı.

Sınıf bilinci, hafta sonu hayvanları öldürmekten başka yapacak daha iyi bir şey bulamayan bu iki muhallebi çocuğuna karşı onda hemen bir tiksinti oluşmasına sebep olmuştu. Ne var ki, fotoğraftaki çocukların yüzünden yaşama sevinci okunmuyordu. Ivana daha fazlasını öğrenmek istiyordu.

Bad Krozingen yakınlarında, Juventas Kaplıcaları'nı gösteren bir levha vardı. Sağa sapmak ve gerçek anlamıyla şehirden uzaklaşmak gerekiyordu. Daha iyi, termal şehirler her zaman onun canını sıkmıştı. Tersine dönmüş gerçek bir dünya: Yaşam toprağın altında, suyla tedavi olmaya çalışan tüm bu insanlarla ölüm yukarıdaydı.

Birkaç patates tarlasını geçtikten sonra –artık manzara onu daha az etkiliyordu– prefabrike alçak binalardan (her bina tek katlı ya da en fazla iki katlıydı) oluşan küçük bir şehirle karşılaştı. Şehrin amacıyla ilgili en ufak bir karmaşa yoktu: oteller, klinikler, kaplıcalar... Her şey kaplıcalara ve orada banyo yapmak isteyenlere vakfedilmişti.

Ivana arabayı kaplıcanın park alanına bıraktı ve ön cephesinde, yalancı mermer üzerine oyulmuş "Juventas" yazısı bulunan binaya hayranlıkla baktı. Yapı büyük bir sigorta şirketinin merkez binasının boyutlarındaydı ve bir Mormon tapınağının soğukluğuna sahipti.

Ana girişe giden açık bir galeri boyunca yürürken vitrinlere göz attı. Farklı ülkelerden gelen suların tadımının yapıldığı su barları, mayo satan mağazalar, eczaneler... Juventas, sadece artroz ve romatizmadan mustarip kişilere yönelik bir ticaret merkezine benziyordu. Ayrıca, her kafenin önündeki terasta bulunan koltuk değneklerine ve tekerlekli sandalyelere dikkat ederek yürümek zorundaydı.

Devasa hol burada büyüklerin liginde oynandığını teyit ediyordu. Havuzlara açılan küçük kapılar ve pencereler burada uygulanan programın yoğunluğu hakkında bilgi veriyordu. Zanaatkâr işi değildi, endüstriyeldi.

İçerideki bunaltıcı havayı solurken açık havuzlara göz ucuyla bakarak –saate ve dışarıdaki sıcaklığa rağmen hepsi doluydu– gişelere yaklaştı.

Onu hayrete düşüren banyolardan dışarı taşan yaşama sevinciydi: Çok sayıda çocuk –kuşkusuz okullarıyla gelmişlerdi– ve yetişkin su fıskiyelerin altında olmaktan memnundu, coşkuyla ve neşeyle su çalkantıları içinde çırpınıyordu.

Ivana ilk gişedeki kadın görevliye yaklaştı ve Loretta Kaufman'ı görmek istediğini söyledi. Polis kimliğini göstermesi gerekmiyordu, zaten burada hiçbir değeri yoktu ve işleri karıştırmaktan başka bir faydası dokunmazdı.

– Ne içindi? diye sordu kadın, Almanca olarak.

– Kişisel, diye cevapladı Ivana, aynı dilde.

Kadın bilgisayarına baktı.

– Bu saatte tedavide.

– Onu göremez miyim?

– Mayonuz var mı?

19

“Koridorun sonunda, solda” demişlerdi. Onu hazırlamışlar, başına şeffaf bir bone takmışlardı, tek parça siyah mayonun içinde, omzunda havlusu, yer karolarına yapışan çıplak ayaklarıyla yürüyordu.

Gözleri kamaştıran bu galeride –bir tarafta yükselen ve geniş pencerelerden içeri giren güneş ve diğer tarafta fosforesan hale gelecek kadar ışığı yansıtan fayans duvar– dışarıdaki havuzlara bakmaktan kendini alamıyordu.

Yakından bakınca, her bir havuzun farklı bir özelliği vardı: Bazıları havuzun içine şenlik fişeği gibi düşen çok güçlü su demetleri fışkırtıyordu, bazılarında su çağlayanları ve fokurdayan jakuziler vardı, yuvarlak bir koridoru andıran bir başka havuzda çok güçlü bir akıntı bir panayır oyunundaki plastik ördekler gibi içindeki insanları son hızla sürüklüyordu.

Sonunda sağ tarafta bir yangın kapısı buldu ve kapıya vurmadan içeri girdi. İlk bakışta, mozaik kaplı duvarları ve yoğun buhar tabakasıyla, burası sıradan bir hamamdı. Daha yakından bakınca, duvar boyunca yerleştirilmiş ve ahşap paravanlarla birbirinden ayrılmış lahti andıran havuzları gördü.

Okaliptüs kokusu –spaların hep esrar koktuğunu düşünmüştü– o kadar güçlüydü ki burun delikleri karıncalanıyor ve boğazı yanıyordu. İlerlerken havuzlardaki hastaları görüyordu, başlarında kırmızı bonelerle mutlu foklar gibi hiç kımıldamıyorlardı.

Salonun sonunda, nihayet valkürü[20] buldu. Aynı siyah mayodan giymiş olan (ama içine iki ya da üç Ivana sığabilirdi) kadı-

20. İskandinav mitolojisinde Odin'in yardımcıları olan, miğfer ve mızrakla silahlanmış genç ve güzel bakirelere verilen ad. Gökten kanatlarıyla savaş alanına inip Einherjar denilen savaştaki cesur kahramanları Valhalla'ya götürürlerdi. (ç.n.)

nın bir dizi yerdeydi ve tabutların içindeki suya iri elmas parçalarını andıran saydam mineral tuzlar döküyordu. Ivana kabarcıklar içinde eriyen kükürdü, magnezyumu, oligoelementleri hayal etti ve bunun içinde çalkalanmanın hoş olabileceğini düşündü.

– Loretta Kaufman?

Kadın ayağa kalktı ve Ivana'nın karşısına dikildi, kolunun altında ahşap kovası duruyordu. Yetmişlerinde olmalıydı ve yaklaşık bir seksen boyundaydı. Yaşına rağmen, etkileyici atletik bir görünümü vardı. Gerçek bir Cermen güzelliği, çelik rengi gözbebekleri ve sert bir çene. Çıkıntılı göğsünün altında, karnı geçit vermeyecek kadar gergindi ve fıçı biçimindeki bu gövde, kazıklar üstündeki bir su deposu gibi ince ve uzun bacakların üzerine yerleştirilmişti.

– Benim, dedi Loretta, Fransızca. Gazeteci misiniz?

– Polis.

Eski mürebbiye şaşırmışa benzemiyordu: Jürgen'in ölümünden beri azımsanmayacak sayıda ziyaretçi kabul etmiş olmalıydı. Ivana birkaç kelimeyle kendini tanıttı. Bu iğrenç mayo ve kafasına yapışmış boneyle otoritesinin zirvesinde değildi. Nezaket ziyaretinde bulunan biri gibi davranmayı tercih etti.

Konuşurken Fräulein'ı dikkatle inceliyordu. Özellikle yüzüne hayran kalmıştı. Loretta'nın en ufak bir kırışığı yoktu; zamanın hafifçe dokunup geçtiği bir heykel. Belirgin mavi damarlarıyla solgun yüzü, ince yosunlarla yarılmış ve tuzla rengi açılmış kumsallardaki beyaz yassı çakılları andırıyordu.

– Bir saniye bekleyin, diye buyurdu kadın.

Kovasını yere bıraktı ve su dolu teknenin içinden solgun yeşil yaprakları olan bir dal demeti aldı. Salonun diğer ucuna gitti, sonra küvetlerin içindeki hastaların sağ ve sol omuzlarını kamçılamaya özen göstererek geri döndü. Böyle bir dadıyla Jürgen'in SM olması şaşırtıcı değildi, kazanan takım değiştirilmezdi.

– Tamam, bitti, dedi Loretta, elindeki çalı çırpı demetini teknenin içine atarken. Beni izleyin.

Başka bir kapının ardında, aydınlığıyla gözleri kamaştıran bir odaya açılan yeni bir koridor vardı. Işığın nereden geldiğini söylemek imkânsızdı ama her şey beyazdı: Buhara doymuş fayanslarıyla bir Rubik küp.

Loretta duvara bitişik bir bankı işaret etti, Ivana itiraz etmeden oturdu. Kendisini sıcak ellerin altında bir buz parçası gibi yavaşça erimeye bırakmaktan başka yapacak bir şey yoktu.

– Cildinize gomaj peeling yapın, diye emretti Loretta, ona yüzeyi pütürlü bir taş uzatırken.

– Hayır, teşekkür ederim.

– Hata ediyorsunuz. Güzellik yenilenmek, canlandırılmak ister. Cildinizi yenileyerek ona yardımcı olmak gerekir. Yılların bedeninizde örümcek ağları oluşturmasına izin vermeyin...

Gomaj uygulamayalı, hatta cildine nemlendirici krem sürmeyeli ne kadar zaman olmuştu? "Kendime özen göstereceğim" ya da "sigarayı bırakacağım" bunların hepsi listesindeydi ama bu kararlar bıktırıcı bir hal almış ve sürekli ertelenmişti.

İnsanların çoğu, aldıkları kararları uyguladıklarında "kusursuz" olacaklarını ya da "eşsiz" bir insana dönüşeceklerini düşünürdü, ama tam tersine verilen bu sözler hiçbir zaman tutulmaz, insanı derinden yaralardı. Herkes kendi hayallerinin kurbanıydı.

Loretta Ivana'nın yanına oturdu ve siyah renkli kıl kese bir eldiven aldı.

– Ne öğrenmek istiyorsunuz? diye sordu, baldırlarını ovuştururken. Bana ulaşan bütün gazetecileri başımdan def ettim, ama Fransız bir kadın polis, ne de olsa pek alışıldık bir şey değil...

Ivana buraya gelme amacıyla ilgili sadece birkaç cümle etti ve sözü, "sahte ikizler"in hikâyesini anlatmak için yalvarılmayı beklemeyen eski mürebbiyeye bıraktı.

20

– Geyersberglerin hizmetine girdiğimde Jürgen 4, Laura 2 yaşındaydı. Sırayla üniversiteye başladıklarında ben de işten ayrıldım. Görev tamamlanmıştı!

– Yaklaşık yirmi yıl onlarla birlikte yaşamışsınız. Ama Jürgen'in ölümü sizi allak bullak etmişe benzemiyor.

– Bu şekilde düşünmeyin. Ama bu onlara çok bağlı olduğum anlamına da gelmiyor.

– Değil miydiniz?

– Hayır. Dadılar polisler gibidir.

– Ne demek istiyorsunuz?

– Eğer siz işinize duyguyu katarsanız, bütün tarafsızlığınızı kaybedersiniz. Zayıf düşersiniz, kötü iş çıkarırsınız.

Bu kadın dadılık görevi ile gardiyanlık görevini birbirine karıştırmış gibiydi, ama iyi bir karışımdı.

– Burada işe başladığınızda, bu konuda bir deneyiminiz var mıydı?

– Yoktu. Yarış hayatının sonuna gelmiş üst düzey bir sporcuydum. Yüzme, kürek... Yaşıma göre oldukça fazla seyahat etmiştim. Fransızca, İtalyanca, İngilizce biliyordum. Ayrıca Baden-Würtemberg kadın voleybol takımını çalıştırıyordum. VG Grup takımın sponsoruydu. Ferdinand von Geyersberg'le bu şekilde tanıştım.

Ivana'nın aklına hafifmeşrep bir düşünce geldi, hayatın hafifmeşrep düşünceleri sevdiğini öğrenmek için çok bedel ödemişti.

– Siz onun...

– Metresi mi? Hayır. Ben onun tarzı değildim. Çok yaşlıydım.

Zamana kafa tutmuş bu güzel yüzü ve yalan söylemeyen bu vücudu görünce Ivana, Loretta'nın 40 yaşındayken gerçek bir bomba olduğunu düşündü.

Dadı onun bu düşüncelerini sanki gözlerinden okumuştu.

– Kontun grup bünyesindeki körpe ve diri bedenlere aşırı düşkünlüğü vardı. Özellikle de işçi kızlara.

Ivana bunun üstünde fazla durmadı, konu bu değildi.

– Bana çocuklara verdiğiniz eğitimden bahsedin.

– Yılın her günü, istisnasız onlarla birlikteydim. Gün içinde sadece birkaç saat antrenman yapmak için onunla anlaşmıştım. Kont şatonun bütün olanaklarını benim kullanımıma tahsis etmişti. O dönemde, bodrumda bir spor salonu, ayrıca dışarıda bir atletizm pisti ile bir tenis kortu vardı. Gölde kürek de çekebiliyordum. Benim için bulunmaz bir nimetti.

"Şato" bundan söz edildiğini ilk kez duyuyordu.

– Şimdi şatoda kim yaşıyor?

– Franz von Geyersberg. Tüm o spor alanlarını ve o altyapıları yok ettirmiş olmalı. (Hafifçe omuz silkti.) Yani hiç kuşkusuz.

– Neden "hiç kuşkusuz"?

– Tekerlekli sandalyede.

Ivana bu ayrıntıyı kafasının bir köşesine not etti, yine konuyla ilgisi yoktu.

– Jürgen ile Laura'nın eğitiminden yüzde yüz siz mi sorumluydunuz?

Kadın kıl eldiveni çıkardı ve kıvrımları arasında iri tuz taneleri barındırıyormuş gibi görünen beyaz bir havlu aldı.

– Yüzde yüz, kelime bu, diye cevapladı kadın, sol kolunu ovuştururken. Babaları için eğitim, tek önem verdiği şeye, VG Grup'a ulaşmak için zorunlu bir geçişti. Sevgi, şefkat gerçekten gereksiz şeylerdi.

– Ya anneleri?

– Onun da vakti yoktu.

– Bana onun çok faal, çok sportif bir kadın olduğu söylendi.

– Yalan.

– Anlamadım.

– Sabine depresifti. Binicilik yarışmalarıyla, maratonlarla, kayakla iniş müsabakalarıyla coşuyor, kendini avutuyordu, ama tüm bunlar onda sürekli olarak var olan iç sıkıntısından kurtulmak içindi. O çizgi filmlerdeki, düşmeden önce boşlukta koşan bir çakal gibiydi.

– New York'taki intiharından bahsetmek ister misiniz?

– O da yalan.

– Ne demek istiyorsunuz?

– Geyersbergler St. Regis'deki intihar efsanesini özenle devam ettirdiler. Bu Geyersberglere gerçekten çok daha fazla uyan bir şeydi.

– Gerçek ne?

– Sabine açlıktan öldü.

– Özür dilerim, anlayamadım.

– Beşinci Cadde'deki büyük dairelerinde kendini açlıktan ölüme mahkûm etti.

Manhattan'daki sarayında açlık grevi yapan bir kontes: Küçük proleter bakış açısıyla, bu da kulağa oldukça romantik geliyordu.

– Peki, ya çocukları? Onun bu kararından caymasını sağlamadı mı?

– Tam tersine. Bu çocuklar ona ne denli yeteneksiz olduğunu hatırlatıyordu. Atıyla engelleri aşmada ya da kürekleriyle suları yarmada kesinlikle iyiydi. Ama gece yataklarında çocuklarını öpme ya da ayakkabılarını bağlama konularına gelince, bunlar onu aşan şeylerdi.

Bu gibi durumlarda, para mutluluk getirmez ya da aristokratlar kalpsizdir gibi bazı eski klişelere başvurulurdu, Ivana'nın beğendiği türden klişeler.

– Bana Jürgen ile Laura'nın kişiliklerinden söz edin.

– Aralarında hiçbir fark yoktu. İkisi de tek ve aynı kişiydi.

Loretta havlusunu sol eline geçirdi ve sağ kolunu ovuşturmaya başladı. Ne tek bir tüy ne de kusur bulunan beyaz teni kaymaktaşı gibi parlıyordu. Bu ovarak temizleme işlemini her gün yapıyor olmalıydı, anlaşılan cildi yeniden tüy çıkaracak zamanı bulamıyordu.

Ivana tam tersine kendini gevşek ve hantal hissediyordu. Cildi sıkı değildi, cansızdı, gözenekleri bütün rüzgârlara açıktı.

– Aynı zevklere, aynı düşüncelere sahiplerdi, jestleri bile aynıydı. Benim için, bu bir kolaylıktı: Tek bir çocuk için iki kişilik ücret...

– Demek istediğiniz...

– Ne demek istediğimi çok iyi anladınız. Kötü bir durum karşısında Jürgen ile Laura hemen dayanışma içine girerler ve başkalarına karşı tek vücut olurlardı.

Ivana'nın aklına, Cam Villa'da piyanonun üstünde duran fotoğraf geldi.

– Fizik olarak birbirlerine benzemiyorlarmış...

– Gece ile gündüz gibi. Jürgen küçük, kızıl saçlı ve tombuldu. Okulda ona "Tannenzapfen", "Çam Kozalağı" lakabını takmışlardı. Kimileri ise ona "Lebkuchen", "Çavdar Çöreği" diyordu. Tipi anladınız... Laura, tamamen zıddıydı. Uzun boyluydu, zarifti ve çok güzeldi. Daha 12 yaşındayken, aynı duruşa ve aynı inanılmaz saçlara sahipti. Güzelliği hemen göze çarpmaya başlamıştı, Jürgen ise henüz buluğ çağından çıkamamıştı.

Ivana Laura hakkında daha fazla bilgi istedi, kadın meraklı.

– Kolej yıllarından itibaren mağrur, ulaşılmaz bir kızdı. Aslında, erkek kardeşine saygı göstermedikleri için diğerlerine kızıyordu. Kardeşiyle alay etmek, onunla alay etmek demekti. Onlara, özellikle de onun için deli olan oğlan çocuklarına bunu pahalıya ödetiyordu.

– Okul başarıları nasıldı?

– Jürgen biraz ağırkanlıydı, ama sıkı çalışıyordu. İkisi de mükemmel olmak zorundaydı. Çünkü Jürgen erkek çocuktu ve yasal vâristi. Çünkü Laura kız çocuktu ve bundan daha fazlası olduğunu ispatlamak zorundaydı.

– Okul dışında, başka etkinlikleri var mıydı?

Loretta güvercin kuğurdamasını andıran bir kahkaha attı.

– Binicilik, eskrim, müzik... Laura piyanoda hiç fena değildi, Jürgen keman çalmaya gayret ediyordu. Müzik odasına kapanıyorlar ve saatlerce çalışıyorlardı. Jürgen'in çıkardığı korkunç gıygıylar kahkahalarla gülmelerine neden olurdu.

Ivana şaşırmış gibiydi.

– Çok kolay gülerlerdi. Dünyanın geri kalanı hakkındaki düşüncelerini gülerek ifade ederlerdi. Ceza aldıklarında bile, hatta morgda babalarının cesedini görmek zorunda kaldıklarında ya da annelerinin kayıtsızlığı karşısında bile gülerlerdi. Aslında, birlikte olduklarında onlar mutlulardı.

Gururla tüfeklerini tutan iki çocuğun görüntüsü Ivana'nın gözünün önünden gitmiyordu.

– Peki, ya av?

– Av... diye düşünceli bir şekilde yineledi Loretta. Bu konuda kesinlikle mükemmellerdi, tartışmasız bir şekilde yetenekliydiler. Biri diğerinden üstün değildi. Neler yapabileceklerini göstermeleri için onlara tüfek vermek ve ormana bırakmak yeterliydi. Ormanı içlerinde hisseden olağanüstü nişancılardı. Her pazar, şatonun ormanında gerçek bir katliam yaparlardı.

Ivana, herhangi bir hayvanı kuşkusuz yüzlerce metre uzaktan vurabilen Çam Kozalağı ile ondan bir baş uzun küçük kız kardeşini gözünün önüne getirmeye çalışıyordu. Çocukların yaşadıkları sıkıntıların öcünü bu şekilde aldıkları sonucuna varmakta biraz aceleci davrandı, ama Loretta onun art niyetini sezmişti.

– Birçok insan, onların yalnızlıklarını, mutsuzluklarını bu şekilde dışa vurduklarını düşündü, ama bu doğru değildi. Dudaklarında gülümsemeyle ve vicdanları rahat bir şekilde ava giderlerdi. Hiçbir art niyet taşımadan, sağlıklı bir ruh haliyle öldürürlerdi. Kafalarına kazınan eğitimleriyle hiçbir ilgisi yoktu...

– Ne tür av yaparlardı?

– Hepsinden biraz.

– Pirsch?

– Hayır, pirsch avı yapmazlardı. Çok gençlerdi, çok sabırsızlardı.

– O dönemlerde, hiç av kazası oldu mu? Kimseyi yaralamadılar mı?

– Kesinlikle olmadı. Almanya'da güvenlik ciddiye alınır. Ve Geyersberglerde daha fazla ciddiye alınırdı. Yine de bir kez daha tekrarlayayım, iki kardeş olağanüstü nişancılardı. Ve 12 yaşından beri bu böyle.

Loretta sonunda cildini ovmakta kullandığı malzemeleri bırakmıştı. Yorgun düşmüş, derisi yüzülmüş, ter içinde kalmıştı, bankın kenarındaki kaba etleri, kendi haline bırakılmış iki sırık gibi uzattığı bacaklarıyla gevşiyordu, masmavi gözleriyle boşluğa ya da daha ziyade su birikintilerinin dibindeki anılarına bakıyordu.

– Sizi dinleyince, diye kışkırttı Ivana, hiç de mutsuz gibi bir halleri yokmuş.

– Ben yanlış ifade ettim. Çok mutsuzlardı. Her şeyden yoksunlardı ve öksüzler gibi büyüyorlardı.

– Manevi açıdan bakınca belki öyle, ama maddi açıdan...

– Anlamıyorsunuz. Babaları onları son derece yoksulluk içinde yetiştirdi. Eğitim, giysi, beslenme masraflarını ödüyordu, hepsi o kadar. Yeniyetmelik çağlarında bile ceplerinde tek kuruş yoktu. Yazları, birkaç fenik kazanmak için bahçedeki otları yolmak zorundaydılar. Kışları, şatonun teraslarındaki karları temizlemek zorundaydılar.

Fenik hakkında en ufak bir bilgisi yoktu. Hiç kuşkusuz avrodan önceki bir para birimiydi.

Loretta cep harçlığı konusunu açmıştı:

– Daha sonra, yaz tatillerinde VG şirketlerinde çalışmak zorunda kaldılar. Ama ofislerde değil, fabrikalarda. Haftalarca elektronik bileşenlerden oluşan devreler nedeniyle gözleri yandı, kaynak makinesinin ucundaki kalay ve kurşun alaşımını solumak zorunda kaldılar... Çok az da olsa bir maaş almıyorlardı ve babaları onlara sürekli aynı şeyi söyleyip duruyordu: "Siz stajdasınız. Para kazanmayacaksınız, nasıl para kazanıldığını öğreneceksiniz."

Ivana küçük Geyersberglere acımakta güçlük çekiyordu. Sevgisiz ve anne babasız büyümüşlerdi, bu kesindi, cep harçlıkları bile yoktu, ama tünelin ucunda bitmez tükenmez bir hazine ve ellerinde tüfek vardı.

– Az önce Ferdinand'ın mirasçısı olarak gördüğü için Jürgen'e ve kadın olduğu için de Laura'ya katı davrandığını söylediniz. Ama sonuçta, her ikisi de VG imparatorluğunun vârisiydiler, öyle değil mi?

– Hayır. Ferdinand çok netti, Jürgen grubu tek başına yönetmek zorundaydı.

– Kız kardeşinden daha mı başarılıydı?

– Hayır, aksine, daha başarılı olduğu söylenemezdi. Ama o erkekti, hepsi bu. Ancak Jürgen kız kardeşini bırakmadı. Aslında başka çaresi de yoktu. O olmadan dizginleri asla eline alamazdı. Bir kez daha söyleyeyim, ikisi tek kişiydi. Ve o ikisi Baden bölgesinin mutlak efendileriydi. Hiçbir şey, hiç kimse onları durduramazdı.

Ivana saatine baktı: Yoktu. Kaplıcaya girmeden önce ondan saatini çıkarmasını istemişlerdi. Saat kaçtı? Hiç olmadığı kadar su ve buhara doymuştu, kendini damla damla su akıtan bir sünger gibi hissediyordu.

Düşüncelerini toparlamaya ve konuşmayı başka bir yöne çekmeye çalıştı:

– Peki, bu son yıllarda, onlardan söz edildiğini duydunuz mu?

– Bu bölgedeki herkes, Geyersbergler hakkında söylenilen her şeyi, her zaman işitir.

– Mesela onlarla ilgili ne söyleniyor?

Loretta bankın üzerinde vücudunu geriye yasladı ve saçlarını elleriyle arkaya doğru yatırdı: Alnı dünyadaki en rezil korkunç botokslar kadar düz ve parlaktı. Tek bir kırışık, en ufak bir pütür yoktu, yıllar bu alnın üzerinden, bir kuyu suyunun kuyu bileziği üstünden akıp gitmesi gibi kayıp gitmişti.

– Çoğunlukla küçük Jürgen'in yaşantısı hakkında konuşulurdu.

– SM eğilimleri mi?

– Bu konu yüksek sesle dillendirilmezdi. Jürgen bunu gizlemezdi, insanların başkalarının uygunsuz davranışlarını keşfetmekten, yani Araf'ta yalnız olmadıklarını öğrenmekten ne kadar mutlu olduklarını biliyorsunuz...

Ivana için bu kötü eğilim, ormanı gizleyen ağaçtı. Çam Kozalağı'nın sırları vardı, bu sırlar çok tehlikeli olamayacak kadar aleni olan bu sapkınlığın ardına gizlenmişti.

– Başka tuhaf şeyler de fısıldanıyordu... diye devam etti Loretta, sanki muhatabına başka açıklamalar yapma gereği hissetmişti. Mesela Jürgen ile Laura'nın sevgililerini değiş tokuş ettikleri söyleniyordu...

Ivana'nın yüz ifadesi gören Loretta gülümsedi.

– Bilmiyor muydunuz? Jürgen biseksüeldi. VG hanedanıyla hiç uyuşmayan bir olgu daha. Ama yıl sonu bilançosu sebebiyle, onun her yaptığı şey görmezden geliniyordu. Ahlak anlayışını yumuşatan müzik değil, paraydı.

– Laura da biseksüel miydi?

– Hayır, sanmıyorum.

– Ama siz, bu sevgili değiştirme hikâyelerine inanıyorsunuz?

– Çocukluklarından beri, Jürgen ile Laura her şeyi paylaşırdı. Neden şimdi partnerlerini paylaşmasınlar?

– Bir aile kurmak, kendi kanatlarıyla uçmak istemiyorlar mıydı?

– Bana sorarsanız, onlar hâlâ anın tadını çıkarıyorlardı ve özellikle yeni durumlarının coşkusu içindeydiler. Üniversite mezunu gençlerin fotokopi çektiği bir çağda onlar Baden-Württemberg'in en büyük şirketlerinden birini yönetiyorlardı.

Laura ve Jürgen parayı, gücü, cinselliği paylaşıyorlardı... Kuşkusuz bu yeterli değildi. Ivana çok daha özel, çok daha ateşli, heyecanlı, çok daha tehlikeli bir şeyler olduğunu düşünüyordu.

– Hep birlikte mi avlanırlardı?

– Hayır. Birlikte avlanmalarının zamanı geçmişti. Fransa'da sürek avları, kendi arazilerinde kovalama avları organize etmek ve bir sürü tanıdık davet etmek zorundaydılar. Bana göre, tüm bunlar onları sıkıntıdan öldürüyor olmalıydı.

Ivana en önemli soruyu en sona saklamıştı:

– Size göre, Jürgen'i kim öldürmüş olabilir?

– Bunu nasıl bilmemi istersiniz? Jürgen'in düşmanları var mıydı bilmiyorum, ama VG Grup'un korkunç rakipleri vardı. Bu ölüm onlar için kuşkusuz beklenmedik bir kazanç oldu. Zaten bu açıdan bakılınca, henüz işin yarısı tamamlandı.

– Açıklayın.

– Katil, amacı ne olursa olsun, şimdi Laura'yı öldürmek zorunda. Kız kardeşinden de kurtulmayı düşünmeden Jürgen'i öldürmüş olması imkânsız.

Ivana otların arasında yatan siyah köpeği düşünüyordu. Gerçekten de bu hayvanı kontesin üzerine mi salmışlardı? Onun bu korkunç köpeğin sivri dişleri arasında ölmesi mi gerekiyordu?

Konuşmayı sonlandırmadan önce biraz daha kışkırtmaya karar verdi:

– Laura, bu işi yapan o olamaz mı?

Loretta kayın ağacı dallarından oluşan bir çalı çırpı demetini aldı ve omuzlarını vahşice kırbaçlamaya başladı, başkaları için iyi olan onun için de iyi olmalıydı.

– Sanırım meseleyi doğru bir şekilde ortaya koymadınız.

– Siz bana doğrusunu söyleyin.

– Eğer onu öldürmeye kalkışmazlarsa, kardeşinin ölümünden sonra hayatta kalması, işte bu bir mucize olacaktır.

21

– Ad, soyadı, adres.

Niémans son derece tatsız bir ruh hali içindeydi. Nefret etmekten başka bir şey yapmamış bir şüphelinin Kleinert'in ofisindeki sorgusuna katılıyordu ve Ivana'dan hiç haber yoktu. Sadece ortadan kaybolmuştu. Hem de onun arabasıyla!

Lakabı "İsveç tuğlası" olan ünlü Volvo 240 Break'i kimse tarafından bir "koleksiyon arabası" olarak kabul edilmeyecekti, ama o arabasını öyle görüyordu.

Ivana için bir saniye bile üzülmemişti. Öncelikle ona not bırakmıştı. Evden kaçan bir kızın bıraktığı kahrolası bir not. Ayrıca, kötü kalpli koca kurdun ormanında tek başına dolaşabilecek kadar büyük bir kızdı.

Ama arabası... Kibar ama kalın hatlarıyla, çubuklu radyatör ızgarasıyla, kare biçimindeki kıçıyla bir sabit fikir gibiydi. 20. yüzyılın sonuna kadar revaçta olmuş ve bugün de hâlâ bir çiftliğin arka avlusunda bulunan ve hayvan taşımada kullanılan son derece sağlam bir arabaydı. Onun arabası modelin üst versiyonuydu: 155 beygirgücündeydi, ön konsol ahşaptı ve deri kaplama koltuklarıyla son derece zarifti... Twingo ve Autolib'den[21] başka bir şey kullanmamış olan velet şimdi oyuncağının direksiyonundaydı.

Niémans karanlık düşüncelerden kurtuldu ve yeniden şimdiki ana döndü.

Thomas Krauss kimlik beyanında bulunmuştu, ama dinlememişti. Tek bir iyi haber vardı: Şüpheli Alsace kökenli olduğu için, sorgusunu Fransızca olarak yapabileceklerdi. Zaten söylediklerinin içi boştu, bir de çeviriyle zaman kaybetmeye gerek yoktu.

21. Paris'te kiralık bisiklet gibi elektrikli araba paylaşım servisine verilen ad. (ç.n.)

– Adım Pierre Niémans, diye o da kendini tanıttı. Fransız emniyet teşkilatında amirim. Ve bu da, Alman meslektaşım Fabian Kleinert, Baden-Württemberg Landeskriminalamt'ta Polizeioberkommissar.

Kleinert masasının arkasında, şüphelinin tam karşında yer alan şef –ya da büyükbaba– koltuğunu Niémans'a bırakmış ve masanın sağ tarafına yerleşmişti, sıradan bir zabıt kâtibi gibi bilgisayarına sorgu kaydı yapıyordu. Aralarındaki küçük bir kameranın kırmızı ışığı kendini ihbar etmiş katilin üstünde yanıp sönüyordu.

– Senin resmi itirafını almak için buradayız, diye devam etti Niémans.

Thomas Krauss karanlık gözlerle onlara bakıyordu, kelepçeli elleri dizlerinin üstündeydi. En azından tipinin, üstlendiği role uygun olduğu söylenebilirdi. Saçları kirpi gibiydi, tıraş olmamıştı, zayıflıktan kadidi çıkmıştı, yıpranmış yüz hatlarıyla 19. yüzyılın lanetli şairlerine benziyordu: 40 yaşından önce frengiden ya da aşırı apsent içmekten ölen değeri anlaşılmamış bir deha örneği.

Bir başka açıdan, bir hayvana ya da daha ziyade efsanelerdeki yaratıklara benziyordu, sert kıllı ve çatal ayaklı bir faunus. Kafasının üstünde iki boynuz gibi dimdik duran saçlarıyla modern dünyada yolunu kaybetmiş, Yunan mitolojisinin bir satiri.

Niémans fanatiklere karşı hep ikircikli bir his beslemişti: Onlardan korkmuyordu, onlara acıyordu. Paramparça olmalarına neden olan ve ölene kadar gözlerini kör eden asla geçekleşmeyecek bir düşe, bir takıntıya kendilerini kaptırmış akıl hastası kurbanlardı.

– Sen bize küçük hikâyeni anlatacaksın, diye devam etti Niémans, ifaden yazıya dökülecek, sen imzalayacaksın ve hepimiz evimize döneceğiz. Sen Colmar'da hâkimin karşısına çıkacaksın ve yirmi yıl delikte kalacaksın.

Niémans'ın sakin ses tonu şüpheliyi afallatmışa benziyordu. Kuşkusuz Niémans'ın istediği de buydu, bu ses tonu onu harekete geçirmek içindi, bir trajedi yaratmak içindi, aynı zamanda da onu korkutmak içindi. Ve işte, onun açıklamalarına kuşkuyla yaklaşan iki polisin karşısındaydı.

– Bunu yapan benim, diye mırıldandı.

– Ne? diye sordu Niémans, masanın üstüne eğilerek. Hiçbir şey duymadım.

– Bunu yapan benim. Onu öldürdüm.

Polis başını hafifçe sallayarak onu onayladı sonra Kleinert'e işaret etti. Festival başlıyordu. Dekor da son derece elverişliydi: Parıltısız, sıkışık, son derece düzenli, kolayca yıkanabilir malzemelerden oluşturulmuş bir ofis.

– Nasıl yaptın?

– Onu ormanda hiç beklemediği bir anda yakaladım.

– Dur biraz. Saat kaçtı?

Krauss boynunu yarım fermuarlı kazağının içinde dikleştirdi.

– Bilmiyorum. Saat 23 olmalı.

– O halde hava kararmıştı, değil mi?

– Saat 23'tü, diye yineledi Krauss, karşısında bir aptal varmış gibi.

– Yaya mıydı yoksa atlı mı?

– Yaya, diye homurdandı.

– Nasıl giyinmişti?

Cevap vermedi.

– Nasıl giyinmişti? diye, soruyu tekrarladı Niémans. Şehir kıyafeti? Sürek avı kılığı? Kamuflaj giysisi?

Şüpheli kafasını kaldırdı ve gözbebekleri pencereden içeri süzülen güneş ışığını yakaladı. İtiraflar için güzel bir gün.

– Sürek avı kıyafeti, diye ağzından kaçırdı.

– Ne renk?

– Kırmızı.

Krauss dudaklarını ısırdı, çok çabuk cevap vermişti. Aslında, hafta sonu sürek avı kıyafetinin ceketleri siyahtı.

– Demek kont, ormanın ortasında, sürek avı kılığıyla yaya olarak geziniyordu.

– Öyle.

– Yoksa atını mı kaybetmişti?

Sözcükler tüm tuhaflıklarıyla odada yankılanıyordu.

– Bilmiyorum, diye inatçı bir ses tonuyla cevapladı. Ve umurumda da değil. Belki yer saptamaları yapıyordu... Ertesi günkü kurbanını tuzağa düşürmeye elverişli yerler arıyordu...

Niémans, bu açıklama kabul edilebilirmiş gibi kafasını salladı.

– Onu takip mi ediyordun?

– Hayır.

– O halde gecenin bir yarısı sen ormanda ne halt ediyordun?

– Sürek avını engellemek istiyordum.

– Tek başına mı?

– Eğer inancın varsa, dağları bile yerinden oynatırsın.

Niémans gülmekte bir sakınca görmedi, dostça, neredeyse içten bir gülmeydi.

Polis birden başka bir soruya geçmek için tavır değiştirdi:

– Onu nasıl öldürdün?

– Boğazını kestim, diye son derece rahat bir şekilde cevapladı beriki. (Sonunda meselenin can alıcı kısmına, yani basın tarafından ifşa edilen şeyleri ele alıyorlardı.)

– Sonra?

– Kafasını kestim ve iç organlarını çıkardım.

– Bunu yapacak aletlerin var mıydı?

Kısa bir tereddütten sonra cevapladı:

– Bıçaklar ve bir maçeta, evet.

– Onları nereden buldun?

Krauss geriye doğru çekildi ve bir anda güneş ışınlarından kurtuldu. Gölgede, gözlerinde titrek bir pırıltı belirdi.

– Savaş ganimetleri.

Niémans bu palavraya karşılık vermedi.

– Kafa kesme. Nasıl yapılacağını biliyor muydun?

Krauss cevap vermek için ağzını açtı sonra vazgeçti. Niémans, adamın dudaklarının kenarlarındaki tükürüğü fark etti. Ağzının iğrenç, tiksindirici ifadesine çok uygun bir tür acı köpük.

– Tamam, geçelim. Neden onu bu şekilde öldürdün?

– Çünkü o pislikler de hayvanlara aynısını yapıyor.

– Sürek avında değil. Neden pirsch avındaki yöntemi taklit ettin?

– Düşmana her zaman saygı göstermek gerekir.

– Kafasını kesmek ve iç organlarını çıkarmak, senin saygı anlayışın bu mu?

– Pirsch avcıları böyle söyler, değil mi?

– Sana bir soru daha, yoldaş. Jürgen'in bağırsakları bulunamadı, onları nereye sakladın?

– Nehre attım.

Kleinert başını bilgisayardan kaldırdı. İtiraflar, bu şaşırtıcıydı...

– Ya giysileri, onları nereye bıraktın?

– Yaktım, diye cevapladı Krauss, bir kez daha kısa süreli bir tereddüt yaşamıştı.

Körlemesine ilerliyordu, rastgele cevaplar verdiği kahrolası bir soru-cevap oyunu.

Niémans ayağa kalkıp kamerayı kapattı. Sonra gelip masanın kenarına oturdu ve Krauss'a doğru eğilerek bir sırrı paylaşır gibi konuştu:

– Gelelim en önemli şeye, amacına. Neden yaptın?

İçi pek rahat olmayan Krauss başını öne eğdi ve gözlerini zemindeki görünmez bir noktaya dikti. Onun ezilmiş ot, tütsülenmiş baharat, kötü rafine edilmiş benzin karışımından oluşan kokusu Niémans'ı şaşırttı. Bu koku onu gerilere götürdü: Ona, sürekli ormanda dolaşan ve eski Peugeot 404'ünü onaran büyükbabasını hatırlatıyordu. Bir anda, şaşkınlıkla, Baden-Württemberg ormanlarıyla iç içe geçen çocukluğunun gür ağaçlarıyla çevrili olduğunu hissetti.

– Küçük bir çocukken, diye konuşmaya başladı Krauss, bir sürek avının peşinden gittim... yaya olarak. Boruları, köpekleri, atlarıyla yol alan pisliklerin izlerini takip ettim. Küçük bir gölün kıyısında geyiği kıstırmayı başardıklarında, hayvan nereye kaçacağını bilmez haldeydi, korkudan çılgına dönmüştü, ya buz gibi suda ölecekti ya da uşaklar gibi giyinmiş bu aptallar tarafından öldürülecekti, hangisini seçeceğini bilmiyordu...

Niémans, duygusal hatıralarıyla onları ikna etmekte zorluk çekmeyeceğini bu hödüğe hissettirmek amacıyla derin bir iç çekti.

– Sonunda, diye devam etti, geyik suya atladı. Avcılar kayıkla onu gölün ortasına kadar takip etti ve hayvan kafasını suyun üstünde tutmaya çabalarken onu onlarca kez bıçakladılar. Hâlâ hayvanın bağırtıları kulağımda, hâlâ onun gözlerini görüyorum... Hiç böyle bir acı, böyle bir korku görmedim...

Dudaklarının arasından buruşturulan bir kâğıt parçası gibi sesler çıkıyordu.

– Bir sürek avından hayvan canlı kurtulduğunda, dedi gözlerini Niémans'ın gözlerine dikerek, yine de onu öldürmek gerektiğini çünkü stresin onu çılgına çevirdiğini biliyor musun?

Profilden dikkatle bakınca, ofisin içindeki ışıkla çok net olarak belirginleşen uzun boynu, çıkıntılı hançeresi, boynuzu andıran saçlarıyla Niémans bir anda Cam Villa'nın yemek salonunun duvarlarında asılı doldurulmuş hayvan kafalarından birini gördüğünü sandı.

Krauss da Geyersberglerin kurbanlarındandı. Diğerlerinin arasında bir ganimetti. Hayvanları öldüre öldüre, avcılar bir adamı da yok etmişti.

Niémans yumuşamamak için hemen yeni bir soruya geçti:

– Demek bir geyiğin intikamını almak için Jürgen von Geyersberg'i öldürdün?

– Doğanın intikamını aldım, diye mırıldandı.

Ve bağırmaya başladı:

– Geyersbergler Tanrı'ya, evrene karşı günah işliyorlar!

Niémans'ın elinin üstüne tükürük damlaları sıçradı ve sinirli bir hareketle elini kuruladı, her türlü insan salgısına büyük bir tiksinti duyuyordu.

– Jürgen'i öldürmek için neden yakından avlanmayı seçtin? diye yineledi Niémans. O da bu şekilde avlandığı için mi?

Krauss, dudaklarının kenarındaki yapış yapış köpükle hafifçe gülümsedi.

– Bütün avlar eşdeğerdir. En güçlü olan en zayıfı öldürür. Masumların ölümü pislik heriflerin ödülüdür.

– Pirsch avı hayvanın kendini en iyi savunabildiği avdır.

– Sen, sen bu aptallıklara inanıyor musun?

– Jürgen kendisini savunamadı mı?

Krauss bu soru karşısında şaşırmış gibiydi, sanki bir anda yüklenmek için çaba sarf ettiği sorumlulukları hatırlamıştı.

– Avcıların yaptığı gibi ona kalleşçe yaklaştım.

– Sen çok güçlüsün. Ama Jürgen de ansızın yakalanabilecek biri değildi.

– Çığırtkan düdüğü nedir, biliyor musun?

– Bunu bize sen açıklayacaksın.

– Dişi geyiğin sesini taklit eden küçük bir düdüktür. Hayvanların kızgınlık döneminde kullanılır. Erkek geyik bir dişi bulduğunu düşünerek koşarak gelir ve siktiğim avcının tüfeğiyle burun buruna kalır.

Kaç serseri kadınlarına kavuşurken bu şekilde yakalanmıştı? Niémans'ın düdüğü yoktu, ama avının zayıflıkları üstüne oynayan iyi bir avcıydı.

– Benim tercihim, diye devam etti Krauss deli deli, geyik yavrusunun sesini taklit eden bir düdüktür. Dişi geyik yavrusunu kurtarmak için koşar ve göğsünün ortasına bir mermi yer. Biraz şansla, erkek geyik de bu sese gelir. Tüm bunları basit bir düdükle yapmak mümkündür...

Niémans ayağa kalktı ve birkaç adım attı. Avcılıkla ilgili söylenenlerden bir sonuca varmak imkânsızdı.

Birden, Krauss da bacakları üstünde doğrulup göğsünü şişirdi. O okları bekleyen bir kurban, bir Aziz Sebastien'dı.

– Zaten, onlar insanlara da hayvanlar gibi davranıyorlar. Dünya bu tür aşağılıkların elinde yok olacak!

– Sen neden bahsediyorsun?

Aktivist hemen yeniden yerine oturdu ve sandalyesinde büzüldü.

– Hiç.

– Geyersberglerin insanları da öldürdüğünü mü söylemeye çalışıyorsun?

Krauss boynuzlarını salladı.

– Sizin anladığınız anlamda değil. Şirketlerini av kurallarıyla yönetiyorlardı. Daha iyinin kazandığı, yani en zayıfın kaybettiği bir yönetim şekli...

Niémans hayal kırıklığına uğramıştı. Belirsizlikleri aydınlatmayı ya da daha ziyade zayıf bir ışık, herhangi bir ipucu bulmayı düşünmüştü. Ama doğaya âşık ve insanlardan tiksinen, her yerde acıma nedir bilmeyen adamlar gören solcu bir ekolojistin beylik söyleviyle karşılaşmıştı.

– Çok iyi, evlat. Sana evine kadar eşlik edecekler.

– Ama ben, bir şey imzalamadım! Ya itiraflarım? Bana yöneltilen suçlama?

Niémans dostça onun omzuna vurdu.

– Bunu her zaman yapabiliriz, delikanlı.

22

– Krauss bizimle matrak geçti, diye homurdandı Kleinert.

Birinci katın koridorunda yürüyorlardı, linolyum zemin, parlak boyalı duvarlar, sanki her şey plastik kaplıydı: Alman devlet dairelerinin Fransızlar için imrenilecek hiçbir yanı yoktu.

– Sıfırdan mı başlıyoruz? diye sordu, merdivene ulaştıkları sırada.

– Sıfırdan değil, üçten, diye cevapladı Niémans. Siz, ben ve Ivana. Bu kaçığı sorgulamama izin verdiğiniz için sizi takdir ettim.

– Bu arada, diye gülümsedi Alman, meslektaşınız hâlâ gelmedi mi?

Niémans cevap vermeden merdivenden indi. Holde bir kahve makinesi gördü. Sinirli olduğundan Cam Villa'da kendisi için hazırlanan kahvaltıya yüz vermemişti.

– Şu an için Krauss'u serbest bırakamayacağımız konusunda hemfikir miyiz?

Niémans makinenin üstündeki talimatları çözmeye çalıştı.

– Aslında onu salıvermekte bir sorun yok. Ama her şeye rağmen, bir şeyler görmüş olabilir. Kuşkusuz o gece ormanda dolanıyordu... Onu biraz daha sorgulamak gerekecek. Colmar jandarmasını haberdar ettiniz mi?

Hangi düğmeye basacağını bilmiyordu, ama keçisakallı polise de sormak istemiyordu. Tam bir Fransız gururu.

– Bu işi siz yapmadınız mı?

– Sizin haber vermenizi tercih ederim, diye cevapladı, tüm dikkatini kahve makinesine vererek.

– Ne içmek istiyorsunuz? diye sordu Kleinert, derin bir iç çekerek.

– Ha? Hımm... kahve.

Polizeioberkommissar cebinden bir bozukluk çıkardı ve makineye attı.

– Sizin Fransız jandarmasıyla olan ilişkinizi anlamıyorum, diye devam etti, siyah sıvı plastik bir bardağa boşalırken.

– Onları soruşturmadan uzak tuttuğumuzu düşünüyorlar.

Kleinert bardağı makineden alıp Fransız meslektaşına uzattı.

– Beni burada bekleyin. Adamlarımı bilgilendirmem gerekiyor.

Niémans kahvesinin tadına bakarken başıyla onu onayladı: Kahve tahmininden daha kötüydü. Freiburg im Breisgau Polis Merkezi orta ölçekli bir karakoldu, içeride mavi üniformalı elli kadar polis vardı ama gri pantolonlu ve zeytin yeşili gömlekleri olanlar da vardı. Niémans kimin kim olduğunu anlamıyordu: Bundespolizei,[22] Landespolizei...[23]

Kahvesinden tam üçüncü yudumu alıyordu ki, Ivana duvarları pas renkli koridorda belirdi. Herkesin içinde ona bağırmamak için insanüstü bir çaba göstermesi gerekti, ama bir kere bu mucize gerçekleştikten sonra da artık sesini çıkarmadı. Amirin dışa vurulmayan, bastırılmış öfkesi.

– Neredeydin?

– Size yazdım, Jürgen ile Laura'nın mürebbiyelerini sorgulamaya gittim.

– Benim arabamla mı?

– Durumu çok iyi, kaygılanmayın. Küçük ve zavallı kadın ellerimle onu kirletmemeye çaba gösterdim.

Niémans rahatladığını belli etmemek için donuk bir yüz ifadesi takındı. Bir hurda yığınına âşık olmaktan utanmıştı.

İkisi de sessiz kalmayı tercih etti, polis göz ucuyla makineden kendisine bir baharat çayı alan ortağına baktı. Çok minikti ya da en azından çok minik görünüyordu.

Kadın polis kafasını birinci kata doğru kaldırdı.

– Krauss?

– Şaka gibi. Dadı?

Ivana ona ilginç bir hikâye anlattı. İki çocuk çelişkiler içinde büyümüştü: Hem kendi kendilerine yetmeyi öğrenmişler hem de çok katı bir disiplin altında büyümüşlerdi. Anne babanın ilgisizliği, dadının soğukluğu, doğru bir öğrenim...

Bir kez daha pislik zenginlerin hikâyesi: Ivana bunu açıkça

22. Federal polis. (ç.n.)

23. Eyalet polisi. (ç.n.)

söylemiyordu ama bu şekilde düşündüğü kuvvetle muhtemeldi. Niémans bunu çok iyi biliyordu. Hırvat bir yetim olarak kökeni ve "sosyal yardım" çerçevesinde aldığı eğitim ona bokluktan başka bir şey vermemişti, zenginlerin hep kötü olduğunu düşünüyordu ve yoksullara karşı daima iyi duygular beslemekte ayak diretiyordu.

Daha yaşlı, daha sakin olan Niémans bu tür keskin inançların yanlış olduğunu ve bunun tersinin de doğru olmadığını biliyordu. Sadece güçler daha iyi bölüştürülmüştü. Kötülük ve iyilik cüzdanın iki yanına özenle dağıtılmıştı.

Niémans'a göre, en önemli şey mürebbiyenin katilin kontesi de öldürmeye teşebbüs edeceğini söylemesiydi. Geyersberg klanı bütün kafaları kesilmesi gereken bir ejderha gibiydi. Ama kimin adına? Ve hangi amaçla?

– Av kazalarıyla ilgili bir gelişme var mı?

– Bu sabah avcılık dernekleriyle görüşmem gerekiyordu. İnternette hiçbir şey yok. Ve Loretta Kaufman bana Geyersberglerin ormanında bu tür bir şeyin olmasının imkânsız olduğunu söyledi. Ona göre, bu tür av partilerinde hiçbir şey rastlantıya bırakılmazmış.

– Ivana!

Kleinert canlı adımlarla onlara doğru geliyordu. Alman dünden beri, sevimli Fransız kız konusunda gerçekten de rahatlamış gibiydi.

– Biraz olsun uyumayı başardınız mı? diye, dudaklarında gülümsemeyle sordu.

Ivana kafasını sallamakla yetindi, kıpkırmızı kesilmişti. En ufak ilgiden bile rahatsız oluyordu, ama çayından tüten dumanın ardında gözlerinde bir muziplik vardı.

– Ayurvedik çayımız hakkında ne düşünüyorsunuz? Çok etkili...

– Daha bitmedi mi? diye hoyratça araya girdi Niémans. Havadan sudan mı konuşacağız yoksa çalışacak mıyız?

Kleinert azar işitmiş bir asker gibi hazır ola geçti.

– Bir toplantı odası bulacağım, dedi, sert bir sesle.

O sırada Niémans'ın telefonu cebinde titreşti: "araştırmacı / aile doktoru / köpek uzmanı" Philipp Schüller.

– Dün akşamki köpekle ilgili olarak sizi arıyorum.

Kara canavarın görüntüsü bir anda polisin kafasında canlandı.

– Onu size yolladılar mı? diye sordu, şaşırmıştı.

– Hemen buraya gelmeniz gerekiyor.

23

Şimdi onu çok yakından, çok net görüyordu, çok siyahtı; inoks masanın üstünde siyalitik lambaların keskin ışığına teslim olmuştu. Bir çekiç başlı köpekbalığınınki gibi uçlara doğru genişlemiş, biçimsiz bir surat. Topunu kolayca yakalayan bir köpeğin dişleri gibi bir insanın boğazını parçalamaya hazır sivri dişleri çevreleyen, morarmış sarkık dudaklar...

Bedeni de suratı gibiydi. Pıhtılaşmış kanla biraz daha katılaşmış, sert ve kapkara kıllar, ölümden sonra bile sertliğini koruyan kaslar. Surattaki bütün kemikleri kırmaya hazır, deri bir eldiven içindeki bir tür devasa yumruk.

Canavarın genetik programlaması sanki binlerce dövüşe ve kan dökücülüğe ayarlanmıştı. Sonuç olarak aşırı öfkenin verdiği güçle ve öldürerek hayatta kalmıştı. O kayıp halka değil, üstün halkaydı. En berbat hayvani şiddetten ve insanoğlunun en karanlık kâbuslarından doğmuş bir yaratıktı.

Böyle bir köpek bu kadar yırtıcı, bu kadar tehlikeli görünmesi için yetiştirilmemişti. Öldürmesi, etkili olması, saldırması için yetiştirilmişti. Bu otopsi masasının üstünde, ortaya çıkarılmış bir sır, edepsiz bir günah gibiydi.

Schüller hayvanı her bakımdan ayrıntılı bir şekilde incelemiş ama açmamıştı. Sonuçta canavarın nasıl öldüğü biliniyordu.

– Bu bir röetken, diye konuşmaya başladı. En ufak bir kuşkum yok.

Niémans Kleinert'e baktı. Anlaşılan bu ad ona da bir şey ifade etmemişti.

– Çok araştırma yapmama gerek kalmadı, diye devam etti doktor. (Kesik kesik nefes alıyordu, sanki bu keşfinin heyecanı onun solunumunu bozmuştu.) Röetkenler Avrupa'da yok oldu, ama tarihsel olarak çok ünlüdürler.

Ivana not defterini çıkarmıştı –şef doktorun yanında vizite çıkmış genç bir doktor adayı.

– Ne demek istiyorsunuz?

Schüller laboratuvarın dört bir yanına göz gezdirdi: beyaz karolarla döşeli, üzerinde Bunsen bekleri, santrifüjler bulunan tezgâhlarıyla yüz metrekarelik bir mekân...

– Bir şeyler içmek ister misiniz? diye, ortaya sordu.

– Vaktimiz yok, diye sinirlendi Kleinert, açıklamanızı yapın!

Bilim adamı söyleneni duymamış gibi, elini deney kaplarının arkasına soktu ve oradan küçük bir şişe çıkardı, içindeki sıvı ne fenole ne de etere benziyordu. Özenle bakır rengi sıvıyı ölçekli bir bardağa boşalttı. Sanki milimetrik bir işlem yapıyordu. Sonunda, ısıtmak için ellerini ovuşturdu ve içkisini eline aldı.

– Bir açıklamada bulunacak mısınız? diye bağırdı Kleinert, gerçek kişiliğini göstermeye başlıyordu: ipucu bulmaya odaklanmış sabırsız bir polis karakteri.

İçkisinden uzun süren bir yudum aldıktan sonra doktor konuşmaya karar verdi.

– Kara Avcılar'ı daha önce duydunuz mu?

– Sondereinheit Dirlewanger[24] mi? diye hemen sordu Kleinert.

Niémans soran gözlerle Ivana'ya baktı, ama o da başını "bilmiyorum" anlamında salladı: Altyazısız versiyona geçmişlerdi.

– 1941'de, diye anlatmaya başladı Schüller, Himmler özel bir birlik oluşturmak için hapisteki bütün adi suçluları serbest bıraktı. Bu adamların hiçbiri rastgele seçilmemişti. Hepsi avcı ve kaçak avlanan kişilerdi. Her biri gerçek bir uzmandı... Kara Avcılar insan izi sürmekte uzmanlaşmışlardı. Ukrayna'da ve Belarus'ta partizanları takip ediyorlar, Doğu Yolu'nun yapımında çalışan Polonyalı Yahudileri gözetim altında tutuyorlardı. Varşova ayaklanmasını bastırdılar. Yüzlerce köyü, çocuklar dahil herkesi lav silahlarıyla yakarak yok ettiler. Bu birlik, tüm Alman ordusu içinde en acımasız ve kötü birlikti...

Niémans anlamıyordu. Nazizm zaten tüm dehşet rekorlarını kırmıştı. Schüller ne söylemek istiyordu?

– Bu adamlar o denli acımasız ve kötüydü ki SS üst kademesi bir soruşturma açtı, diye devam etti doktor. Birçok kez, otoriteler onları hapse tıkmak istedi. Ama sonuçta kanun gücü onlardaydı...

Genetikçi besbelli Üçüncü Reich'ın farklı ordularının, birlikle-

24. Dirlewanger Özel Tümeni. Waffen-SS komutanı Oskar Dirlewanger'in komutası altındaki tümen. (ç.n.)

rinin ve diğer taburlarının anlatıldığı bir kitabı eline aldı.

– Bu tarih kitabını laboratuvarın kitaplığında buldum.

Kitabı fayans masanın üstüne, köpeğin başının yakınına koydu ve siyah-beyaz fotoğrafların olduğu karşılıklı iki sayfayı açtı: hırpani kılıklı, bir karış sakallı, miğferlerinin üstüne motorcu gözlükleri takmış askerler... Açıkça Kara Avcılar, Doğu Cephesi'ne vahşi bir köpek sürüsü gibi bırakılmış aşağılık birer soyguncu, yağmacı paralı askerdi.

Kimilerinin çıplak gövdelerinin üstünde önü açık ceketler vardı ve altın kolye takmışlardı. Kimileri ise ayaklarına kadar inen kalın kumaştan paltolar giymişti. Bazıların başında hafifçe yana yatırılmış, kenarında tebeşirle çiziktirilmiş işaretler ya da alelacele yapılmış kurukafalar bulunan miğferler vardı.

– Dört yıl boyunca, diye devam etti Schüller, içkisinden bir yudum aldıktan sonra, Oskar Dirlewanger'in emri altında ortalığı kasıp kavurdular. Oskar da bir kız çocuğuna tecavüzden hapis yatmış, alkolik ve kaçık bir komutandı.

Schüller sayfayı çevirdi. Çıkık elmacıkkemikleri, kalın kaşları ve kocaman göz çukurları olan bir subay belirdi. Yorgun ancak delice bakan gözleri taşıyan bu acımasız kafa, üzerinde sapları birbirine çaprazlanmış bir arma bulunan –kuşkusuz bu uğursuz birliğin arması– bir yakanın içinden çıkıyordu.

– Sizi beklerken, onların marifetlerini biraz okumaya çalıştım ama hemen vazgeçtim. Dayanılmazdı. Dirlewanger'in en sevdiği eğlence, soyduktan ve kırbaçladıktan sonra Yahudi genç kızların damarlarına striknin enjekte etmekti. Ama asıl eğlence, onların ölene kadar çırpınmalarını izlemekti.

Niémans hâlâ anlamıyordu. Bu saçmalık da neyin nesiydi?

Yetmiş yıl öncesine ait bu korkunç mezalimi yeniden ortaya dökmenin sebebi neydi?

Kleinert soru sormaya hazırlandı.

– Bu katiller deneyimli avcılardı, diye yineledi Schüller. Belarus'ta yaptıkları ilk şey yerel bir köpek ırkı yetiştirmek oldu: Röetkenler. Birkaç yıl içinde, onları ölümcül birer silaha dönüştürdüler.

Tabip başka bir sayfa açtı: Ellerinde silahları, motorcu gözlüğü takmış askerler bu kez, otopsi masasın üstündeki kara köpeğin tıpatıp benzerlerini tasmalarından tutuyordu.

– Röetkenler "kan köpekleri" olarak adlandırılır. Avcının öldürebilmesi için yaralı bir hayvanı kilometrelerce takip edebilirler. Günümüzde, bu "etik bir davranış" olarak adlandırılır, çünkü söz konusu olan yaralı bir hayvana acı çektirmemektir, ama o dönemde söz konusu olan yaralı Yahudiler ve partizanlardı...

Schüller küçük şişenin içindeki sıvıyı bir dikişte bitirdi, sonra:

– Biliyor musunuz, Almancada bir söz vardır. "Hunde, die bellen, beißen nicht": "Havlayan köpek ısırmaz". Elbette Dirlewanger'in adamları da köpeklerini havlamayacak şekilde yetiştirdiler. Buna karşılık, sadece gırtlaktan ısırmaları için eğittiler.

Doktor küçük şişesinin tıpasını özenle kapattı, yeniden zulasına yerleştirdi ve bıkkın bir ses tonuyla konuşmasını sürdürdü:

– Müttefikler Kara Avcılar'ı ortadan kaldırdıklarında, onların köpeklerini de öldürdüler. O zamandan beri Avrupa'da tek bir rötken görülmedi... Ta ki dün geceye kadar.

Niémans sinirli bir şekilde kollarını iki yana açtı.

– Ne yani? Eski Naziler mezarlarından çıktı ve hayalet köpeklerini saldılar, olay bu mudur?

Tabip polisin bu saldırgan tutumuna aldırış etmeden, otopsi masasına yaklaştı ve dikkatli bir şekilde, ölü köpeğin sol ön bacağını kaldırdı.

– Bu köpek, Dirlewanger özel birliğinin işaretini taşıyor.

Herkes masaya yaklaştı ve hayvanın tüylerinin arasına kazınmış, birbirine çaprazlanmış iki el bombasından oluşan işareti gördü. Oskar Dirlewanger'in yakasındaki sembolün aynısıydı.

Niémans öfke dolu bir hareketle kitabı aldı ve hızla sayfalarını karıştırmaya başladı. Bu kez kamuflaj kıyafetleri giymiş Kara Avcılar'ı buldu, ellerinde lav silahları ve mitralyözler vardı, hepsi Ku Klux Klan gibi bezden kukuletalar takmıştı.

– Sizin adam da bu tür bir zımbırtı takıyor muydu? diye sordu Ivana, ona doğru yaklaşarak.

Niémans başıyla onu onayladı, çenesini sıkmıştı. Nasıl olmuştu da bir Nazi askeri Laura'nın bahçesinde ortaya çıkmıştı?

– Tüm bunlar mantıksız, dedi Ivana, Schüller'e doğru dönerek. Neden bu birliğin taklitçileri burada yeniden ortaya çıksınlar ki?

– Bunun bir açıklaması olabilir... diye mırıldandı tabip. Savaşın bitiminde, Dirlewanger'in toplama kamplarındaki eski esirler tarafından yakalandığı ve öldüresiye dövüldüğü söylendi. Daha sonra, onun Suriye'ye, Mısır'a kaçtığı da anlatıldı... Ama Baden-Württemberg'de ağızdan ağza aktarılan tamamen farklı bir versiyon daha var. Savaş sonrasında buraya gizlenmek için geldiği ve bizzat Geyersbergler tarafından korunduğu söyleniyor.

– Neden onu korumuş olsunlar ki?

– Çünkü Geyersbergler Nazilere yakındı. İkinci Dünya Savaşı süresince, sadece Wehrmacht'ın taşıtları için parçalar üreterek bir servet kazandılar.

– İyi de, neden özellikle Oskar Dirlewanger'e yardım ettiler?

– Çünkü o bir Svabyalı'ydı.

Niémans anlamaya başlıyordu.

– Baden-Württemberg birçok eyaletin birleşmesinden oluşan bir bölgedir, diye devam etti Schüller, Württemberg Düklüğü ve Baden Ülkesi, ama ayrıca, doğu tarafında Svabya Ülkesi. Yani savaş suçlusu bu adamın bir tür yerel şöhreti vardı.

Kuşku dolu bir sessizlik oldu ama Schüller argüman geliştirmekte sıkıntı çekmiyordu:

– Kuşkusuz başka bir sebep daha var: Avcılar arasındaki dayanışma. Mümkün olan her şekilde avlarının peşinden gitmiş olan Geyersbergler, yaptıkları zulme rağmen Kara Avcılar'a hayranlık duyuyordu.

– Gerçekten mi?

Soruyu soran Ivana'ydı, oldukça şaşırmıştı.

– Onlar birer canavardı, evet, ama av sanatını kuşku götürmez derecede ileri götürmüşlerdi. Mesela onların, hayvanlar gibi ormanda insan kokusunu alabildikleri söyleniyordu. Elbette, o dönemde söz konusu olan daha ziyade "Yahudi kokusu"ydu...

Niémans konuşmayı bir adım ileri taşıdı:

– Tamam, farz edelim ki aile Oskar Dirlewanger'i sakladı. Sonra?

Schüller belli belirsiz bir hareket yaptı, bu hareketiyle bundan sonra spekülasyona giriyoruz demek istiyordu, sanki bu ana kadar ciddiye alınacak şeyler söylemişti, bundan sonrası gerçekten komediye dönüyordu.

– Dirlewanger'in uzun süre orada gizlenmesi gerekmedi. Alkolikti, uyuşturucu bağımlısıydı, hastaydı, tamamen inzivaya çekilmişken öldü, ama Geyersbergler hep bununla hatırlanacaktı.

– Yani?

– Başka araştırmalar da yaptım. Eski gazete kupürlerinde ya da militan metinlerde, VG klanına yönelik şikâyetlerde bu bilgilere ulaşmam çok zamanımı almadı.

– Ne tür şeyler?

– Sendika sorunlarını çözmek için eski tarz şiddete başvurmakla suçlanıyorlardı. Örneğin Grup grevleri ve gösterileri bastırmak için çok etkili bir özel güvenlik teşkilatı kullanmakla tanınıyor. Genellikle avcıları, kaçak avcıları kullandıkları söyleniyor. Ormanlarına gelince, en iyisi oralara hiç yaklaşmamak. Orman korucuları sevimsizlikleriyle ünlü.

– Bu hikâyeleri biliyorum, diye araya girdi Kleinert. Ama bunların hiçbiri asla kanıtlanamadı. Almanya yasalarla istediğin gibi oynayabileceğin bir ülke değil!

Schüller ortamı sakinleştirmek için ellerini havaya kaldırdı.

– Size sadece okuduklarımı anlatıyorum.

– Ve mesnetsiz yazılmış şeyler, diye asık suratlı bir ifadeyle son noktayı koydu Kleinert.

Niémans durumu toparlama gereği hissetti:

– Teşekkürler doktor. Verdiğiniz bilgilerin nasıl işimize yarayacağını henüz bilmiyorum ama bu köpek bizim ilk somut ipucumuz.

Kızıl sakal çenesiyle köpeği işaret etti:

– Onu ne yapacağım?

– Onu bizim için taze tutun. Sonuç itibarıyla bir kanıt.

– Neyin kanıtı?

Soru Kleinert'ten gelmişti.

Niémans kısa bir süre tereddüt etti, sonra gülümseyerek cevap verdi:

– Bunu bilmeyi ben de istiyorum.

24

Niémans siyah bir kumun içinde yürüyordu. Kaygan ve katranlı bir kumun içinde.

Sebebinin büyük maddi çıkarlar ya da kişisel bir intikam olduğunu düşündükleri vâris cinayetinden yola çıkmışlar, ama ölüler diyarından fırlamış bir Nazi çetesiyle karşılaşmışlardı. *İmkânsız.*

Bu sorgunun kötü bir rüya olduğunu ona ispatlamak ister gibi Max-Planck Enstitüsü'nün avlusundaki araştırmacılar hâlâ biyodegradasyon faaliyetiyle uğraşıyorlardı.

Özellikle kadınlar çok faaldi. Bir denizkestanesinin dikeninden yola çıkarak okyanusun bir bölümünün genetik evrimini ayrıntılarıyla anlatabilecek bilgiye sahip, bu çok diplomalı kadınlar ev yapımı sabunla açık havada hâlâ çamaşırlarını yıkıyordu. Koltukaltları kıllı, tişörtlerinin içine sutyen giymemiş bu kadınlar Émile Zola'nın *Gervaise*'indeki[25] yaşlı çamaşırcı kadınları hatırlatıyorlardı.

– Amir Niémans!

Schüller kızıl sakalıyla ve helyum gazıyla şişirilmiş bir bahçe cücesi görüntüsüyle onlara doğru koşuyordu.

– Aklıma sizin işinize yarayabilecek bir şey geldi...

Nefes nefese kalmıştı, Niémans'a bir post-it uzattı.

– Bölgede yaşayan bir köpek yetiştiricisi.

Niémans kâğıdı tam alacaktı ki Kleinert daha hızlı davrandı.

– Werner Reus mu? diye bağırdı, kâğıdın üzerindeki yazıyı okuyunca. Ama o tam anlamıyla kaçığın teki!

– Belki, dedi Schüller, alınmıştı, ama buradaki en iyi köpek uz-

25. Émile Zola'nın *Meyhane* adlı romanından uyarlanmış filmin adı. Gervaise, romandaki kahramanın adıdır. (ç.n.)

manı o. Eğer biri röetkenler yetiştirmekle ilgileniyorsa, mutlaka o bundan haberdardır.

Biraz bozulan Kleinert adresi Niémans'a verdi.

– İyi şanslar, diyen Schüller laboratuvarına doğru hareketlendi.

Polisler enstitüyü çevreleyen duvardaki ana kapıdan çıktılar ve Niémans hiç beklemediği bir sahneyle karşılaştı. Henüz öğlen bile olmamıştı ama fırtına geliyor gibiydi, azalmaya yüz tutmuş ve gümüşi bir renk almış ışık cıvaya batırılmış bir fırça gibi tüm ovayı yalıyordu. Oradan çok uzak olamayan bir yerlerde serviler yapraklarını Tibet'teki küçük dua bayrakları gibi şaklatıyordu. Hışırdayan ve alışılmamış bir görüntü yangını. Gerçek dışı bu bir anlık görüntü ona iyi geldi.

– Reus'un köpek çiftliği buradan 20 kilometre uzakta, beni takip eder misiniz? diye sordu Kleinert.

– Aşırı kızgın köpeklerle dolu bir yere mi? diye sırıttı Niémans. Çok teşekkürler. Sonra buluşuruz. Ivana size eşlik edecek.

– Peki, siz? diye sordu Ivana, şaşırmıştı. Siz nereye gidiyorsunuz?

Niémans Volvo'sunun kilidini açtı.

– Geçmiş yeniden yüzeye çıkınca ataları sorgulamanın zamanı gelmiş demektir.

25

– Adınızı çok seviyorum.

Haydi bakalım, diye düşündü Ivana, akıp giden yola bakarken, Alman usulü askıntılığın zamanı gelmişti. Ama hiç keyfi yoktu.

Ayrıca adından da nefret ediyordu. Kesinlikle onu, kendini Vladivostok'a giden bir trenin altına atan Rus bir roman kahramanı olarak görüyorlardı. Tanrı aşkına, o bir Hırvat'tı. Babasının kriko darbelerinden, Sırp bombalarından, Saraybosna'daki sniper'lardan kurtularak hayatta kalmayı başarmıştı, ayrıca yeniyetmelik yıllarında uyuşturucu sorunu ve intihara meyli vardı. Daha ne istiyorlardı? 19. yüzyılın intihar tutkusuna boyun eğmesini mi?

– Hırvatça, dedi, donuk bir sesle.

Bu cevap genellikle hevesi geçiriyordu. Onun kökeni toplu mezarları, kamuflaj giymiş barbarları, açlık çeken insanları çağrıştırıyordu. Ayrıca Dubrovnik'i ve Adriyatik kıyısındaki plajları da hatırlatabilirdi. Ama onun deneyimine göre akla ilk gelen şey savaş manzaralarıydı.

Kleinert keçisakalını sallamakla yetindi. Afgan çöllerine füze fırlatan bir drona uzaktan kumanda ediyormuş gibi tüm dikkatini yola vermişti.

Ivana, onu bu şekilde başından savdığı için Niémans'a kızıyordu. Soruşturma son derece çılgın bir hal alıyordu ve Niémans onu bu Alman silahşorun ellerine terk etmişti. Nereye tüymüştü? "Ataları sorgulamak." Niémans'ı kuleli şatosunda tek başına yaşayan yaşlı amca Franz'ı sıkıştırmaya gittiğini anlayacak kadar iyi tanıyordu.

Neden onu da beraberinde götürmemişti?

– Uzun zamandan beri mi Niémans'la çalışıyorsunuz?

– Sadece birkaç ay oldu ama onu uzun zamandır tanıyorum, diye sakince cevapladı. Polis akademisinde öğretmenimdi.

– Onu bir eğitimci olarak düşünemiyorum.

– Neden?

– O bir uzman, değil mi?

Max-Planck Enstitüsü'nden ayrıldıkları andan beri fırtına yaklaşıyordu. Henüz patlamamıştı, ama her yer kararmıştı. Bununla birlikte arada sırada güneş, kalın bulutları yararak ve ufukta gümüşi bir ışık huzmesi oluşturarak kendini gösteriyordu.

– Mükemmel polis yoktur, dedi Ivana, dik kafalı bir ses tonuyla. Niémans Paris'te birçok birimi yönetti ve Grenoble'daki bir soruşturma sırasında ağır şekilde yaralandı. İyileşince de polis akademisinde öğretmen oldu.

– Sorumluluk gerektiren bir mevkie gelebilirdi.

– Başka sorunları vardı... tereddüt etti. Yöntemleri her zaman üstlerinin hoşuna gitmezdi.

Kleinert sırıtmakla yetindi.

– Onun hakkında hiçbir şey bilmiyorsunuz, diye sertleşti Ivana. Tekrar söylüyorum, o en iyisidir.

Alman mesajı almıştı: Israr etmeyecekti. Anayoldan ayrıldı ve ağaçların ışığı engelleyecek kadar birbirine yaklaştığı dar bir yola girdi. Bir anda, tamamen gece olmuştu. Bununla birlikte, arada sırada ağaçların oluşturduğu duvar açılıyor ve tarlaları, otlakları, çelik dişleri kara toprağa saplanmış bir şekilde bekleyen tarım makineleriyle çitle çevrili çiftlikleri görmeye olanak sağlıyordu.

Son derece dingin ve muhteşemdi, ama çok geniş ve çok doğal olan bu güzellik onu rahatsız ediyordu. Başkalarını boğan trafikteki egzoz gazı gibi, onun boğazını yakıyor ve soluğunu tıkıyordu. Şehrin pis kokusu onun doğal ortamıydı.

Gözleriyle yolu takip eden Kleinert ara ara ona kısa bakışlar atmaktan da geri kalmıyordu. Ivana onun yeni bir sohbet konusu aradığını ama bulamadığını hissediyordu, herif bir yerfıstığı kadar kuruydu.

Ivana çareyi yeniden iş konusuna dönmekte buldu:

– Dün geceki suç mahallinde yapılan incelemelerden bir sonuç alabildiniz mi?

– Oraya bir suç mahalli denebilirse.

– Ne demek istediğimi anlıyorsunuz.

– Hiçbir şey bulunamadı. Jürgen'de olduğu gibi. Ezilmiş otlar dışında ne bir ayak izi ne de parmak izi var. Bu da anlaşılır gibi değil. Niémans'ın gördüğü adam sanki buharlaşmış.

Kleinert'in konuşma tarzı Niémans'ın tanıklığına inanmadığını gösteriyordu; geçen gece de son derece kuşkucuydu.

– Ya çevrede yapılan soruşturma?

– Gecenin o saatinde mi? Özel bir mülkiyet olan bu ormanda mı? Orman bekçileri dışında hiç tanık yok ve onlar da hiçbir şey görmemiş. Tekrar söylüyorum, her şey Jürgen cinayetindeki gibi: Ne bir iz ne de bir tanık var. Neredeyse hayaletlere inanacağız...

Ivana ensesini koltuğun kafalığına dayadı ve gözlerini kapattı. Bir plajda güneş ışınlarının tadını çıkarır gibi Kleinert'in bakışlarından faydalanmak istiyordu.

Cep telefonu çaldı ve onun biraz olsun kafasını dinlemesine izin vermedi. Ekrana bakmadan cevap verdi, arayanın Niémans olduğundan emindi. Yanılıyordu. Ses yoktu, güçlü ve kıvrak bir boa yılanı gibi onu her gün boğan aynı sessizlik yine.

Telefonu hemen kapatıp cebine attı, Kleinert'in onu böyle, tam bir kırılganlık hali içinde görmesini istemiyordu. Ama anlaşılan o ki, polisin arayan kişinin fotoğrafını ekranda görecek kadar zamanı olmuştu.

– Sevgilinizle bazı sorunlar mı var?

– Benim sevgilim yok, dedi Ivana, sert bir ses tonuyla.

– Ah... Ben sandım ki...

Ivana dudağını ısırdı ve aniden ona doğru döndü, dirseğini son derece "dostça" iki koltuğun arasına dayamıştı.

– Ya siz, *Herr Kommissar?*

– Ben, ne?

– Bir karınız var mı?

Kleinert'in yüz ifadesi değişti.

– Ve iki çocuğum, evet. 22 yaşında evlendim. Genç ve taşralı saf bir memur.

Ivana bu soruyu onu kışkırtmak için sormuştu, bu cevabı beklemiyordu. Canı sıkıldı. Bu salak, alyans takmayarak bekâr havalarına yatıyordu.

– İşteyken asla alyans takmam, dedi, sanki onun düşüncelerini okumuştu.

– Tanıkları becermek için bu çok daha elverişli.

– Böyle düşünmeyin.

Ivana yavaşça kafasını salladı. Ve ayrıca kaybettiğini efendice kabullenmeliydi. Yakışıklı *Kommissar*'a bağladığı tüm umutlarını geride bıraktığını kendine itiraf etti. Bu ilk görüşün ironisiydi: İnsan bir başkasıyla dünya üzerinde yalnız olduğunu düşünürdü. Ve sonra, bir başkası olmadan... gerçekten yalnız olduğunu fark ederdi.

Manzara tamamen değişmişti. Herekler gibi dikili köknarlar sona ermiş, gölgeler ince çizgiler halinde üst üste binmişti. Şimdi her şey iç içeydi. Başına buyruk ağaçlar, ağaç gövdeleri, dallar, kökler kramp girmiş gibi eğilip bükülüyordu.

– Bir şey söylemeyecek misiniz? diye sordu polis, bir dilencinin ses tonuyla.

Ivana yeniden cep telefonunu çıkardı, bir numara tuşladı ve ekranı polisin burnuna dayadı: Yakışıklı genç bir adam objektife gülümsüyordu. Esmer bir ten, siyah gözler, neşeli ifadeye sahip bir yüz, bir motosikletin rüzgârıyla dağılmış izlenimi veren alna düşmüş saç bukleleri... Hafifçe gülümseyen bu yüz evrensel bir referans gibiydi: Herkes, hayatında en az bir gün bu şekilde gülümsemiş, bu şekilde neşelenmiştir...

Kleinert'in yüz ifadesi bu görüntünün tam zıddıydı. Bir hüzün... patolojik bir öfke vardı.

– Bana sevgiliniz olmadığını söylemiştiniz... diye mırıldanmayı başardı.

– O benim erkeğim değil, dedi, almaya çalıştığı bu yürekler acısı intikamdan utanarak.

Kleinert gülümsemeye çalıştı ama sırıtması yarıda kaldı. Hiçbir şey anlamıyordu. Ivana telefonu kendine doğru çevirdi ve GPS uygulamasına geçmek için başparmağıyla telefondaki görüntüyü kapattı.

– Geldik dedi, soğuk soğuk.

26

Çalıların arasına yerleştirilmiş, zorlukla okunan bir tabela yolun girişini gösteriyordu: *WERNER REUS, HUNDEHÜTTE.*[26]

Afrika'ya özgü bir yolu andıran çukurlardan, tümseklerden, deliklerden oluşan bir patikada, Kleinert'in arabasının şasisini vura vura bir kilometre kadar yol aldılar. Bir anlamda, çukurlar ve tümsekler arasında yaptıkları bu slalom, yeniden düşünmelerini sağlamıştı ve bir toz bulutu içinde köpek barınağına ulaştıklarında uzun zamandan beri köpekleriyle yalnız yaşayan bir marjinalin ağzından laf almaya kararlı iki profesyonelden başka bir şey değillerdi.

Werner Reus şehirlerden toplayarak bu yeşil sığınağa taşıdığı paslı ve kirli tüm değersiz malzemelerle önemli bir iş yapıyormuş gibi görünüyordu. Lastikler, sökülmüş parçalar, dikenli tellerle eğreti olarak birbirine bağlanmış araba iskeletleri krallığı için bir tür sur oluşturuyordu. Çamurlu ve kapkara olan toprak sanki kendi zehri içinde –üzeri sedeflenmiş benzin, yağ birikintileri– uzun süreden beri bekliyordu ve yeniden katı hale dönüşebilmesi imkânsızdı.

Arabadan çıkar çıkmaz korkunç bir kokuyla, her şeyi bastıran, hayvanlardan gelen çok pis bir kokuyla karşılaştılar. Koku o denli güçlüydü ki, suyun dibindeymiş gibi burun delikleri kendiliğinden kapanmıştı. Bir tür apne ya da mide bulantısı.

Kulakları sağır eden havlamalar ile hırlamaların yayıldığı, yüksekliği bir metreyi geçmeyen kafesler derme çatma bir koridor oluşturuyordu. Sadece kısa tüylü ve sivri dişli hayvanların yaşadığı basık barınaklardan oluşan küçük bir gecekondu mahallesi.

26. "Köpek evi" anlamında Almanca sözcük. (ç.n.)

Bunların tam arkasında, antrepoyu andıran bir bina karanlığın içinde yükseliyordu, *slum*'un[27] genel karargâhı. Werner hiç kuşkusuz içerideydi. Haydi, biraz cesaret...

Tahtalardan, kafeslerden, bağ taşlarından, kontrplaklardan oluşan labirente girdiler. Kafeslerin ardında, kaslı köpekler sağa sola saldırıyor, kapatıldıkları hücrelerinin kafeslerine atlıyorlardı. Bazıları domuz gibi taşaklarını güneşe açmış, patileri havada edepsizce yatıyordu. Bazıları ise kafesin altından çıkmak için yeri kazıyor, eşeliyordu. Ama hepsi, istisnasız hepsi sürekli havlıyordu.

Ivana bir acıma duygusu hissetti; bu köpekler, bu savaşçılar, hiç kuşku yok ki herhangi bir bakım görmüyordu. Aklına gençlik yıllarının bir şarkısı geldi, Nine Inch Nails'ın "Right where it Belongs"u: "*See the animal in his cage that you built. / Are you sure what side you're on?*"[28]

– Anlaşılan, dedi Ivana, heyecanını bastırmak için, sizin köpek yetiştiricisi, hijyen konusunda fazla titiz değil...

– Sağlık müfettişleri geldiğinde Werner tüfeğini çıkarıyor.

Kafeslerin arasındaki son yolun dip tarafında, kirli bir tamirci tulumu giymiş çok zayıf bir adam bir dizinin üstüne çökmüş plastik kovaları yıkıyordu.

– Selam, Werner, dedi Kleinert Almanca.

Sorguyu takip edebilmek için Ivana'nın onun peşinden ayrılmaması gerekiyordu.

Adam onlara küçümseyen gözlerle bakıp ayağa kalktı.

Göğsü içeri çökmüş, iğne ipliğe dönmüş ellili yaşlardaki Werner, mavi iş tulumunun ve kauçuk çizmelerinin içinde, bostan korkuluğu kıyafeti giydirilmiş bir iskelet gibiydi. At yelesini andıran gür beyaz saçları, çerçevesi Sosyal Güvenlik Kurumu'ndan alınmış gözlükleri, vantuzu andıran kalın dudakları vardı.

Ellerini tulumuna kurulayarak onlara doğru yaklaştı.

– Sizin yüzünüzden, tüm bu karmaşanın sebebi sizsiniz... dedi, selam vermek yerine onları ikaz etmeyi tercih etmişti.

Gözleri kavanozlarındaki iki balık gibi gözlük camlarının ardında yüzüyordu.

– Senin yüzünden... diye yineledi, boğumlu işaretparmağını Ivana'ya doğru uzatarak.

– Seni Teğmen Ivana Bogdanović'le tanıştırayım, Fransız poli-

27. "Gecekondu" anlamında İngilizce sözcük. (ç.n.)

28. "Yaptığın kafesteki hayvanı gör. / Hangi tarafta olduğuna emin misin?" (ç.n.)

si, dedi Kleinert, sanki kimse onu duymamış gibi davranarak.

– Pöh, kahretsin, böyle bir adla, bunu tahmin edemezdim...

Kommissar karşılık vermedi. İkinci dili Almanca olan Ivana sadece gülümsemekle yetindi.

– Kadın yüzünden... diye mırıldandı Werner, sabit fikrinden hâlâ kurtulamamış gibiydi. Bu bebeklerim için iyi değil... Bu onları kızdırıyor.

– Beş dakika konuşabilir miyiz?

Köpek yetiştiricisi musluğuna döndü ve tek bir harekette musluğu kapattı. Birkaç saniye bu şekilde, sırtı dönük olarak durdu, kendi kendine homurdanıyordu. Köpeklerin havlaması, hırlaması hâlâ aynı düzeyde devam ediyordu.

Birden demir bir çubuk aldı ve kafeslere vurmaya başladı.

– SCHNAUZE!!!! diye bağırdı.

Ivana Almancanın gündelik sokak konuşmaları konusunda uzman değildi, ama Reus kuşkusuz hayvanlara susmalarını emretmişti. Adam elindeki demir çubuğu fırlattı ve ziyaretçilerine doğru yürüdü, fırlak gözleri hâlâ Fransız kadının üzerindeydi.

– Senin kokun onları çılgına çevirdi. Aybaşı olmadın, değil mi?

Ivana hâlâ gülümsemeye devam ediyordu, ama Sig Sauer'ini kılıfından çıkarmaya can attığı aşikârdı.

– Bu şekilde devam et, diye araya girdi Kleinert, seni görevli memura hakaretten tutuklamak bize büyük keyif verecektir.

Reus umursamışa benzemiyordu, kulağının arkasında duran sigarayı aldı ve vantuz dudaklarının arasına yerleştirdi.

– Buradan gelin.

Depoya doğru yöneldi, simsiyah suyla ve cıvık iğrenç artıklarla dolu bir kanalın uzağından geçerek binanın çevresini dolandı. Ivana açıkta duran bu atıklara basmamak için seksek oynar gibi ilerliyordu.

Görece sakinliğin hüküm sürdüğü binanın arkasına ulaştılar.

– Ne konuşmak istiyorsunuz? diye sordu, sigarasını yakarken.

– Dün gece bir röetken Kontes von Geyersberg'e saldırdı.

– İmkânsız.

O ana kadar hiçbir şeye karşılık vermemekten gına getirmiş olan Ivana konuşmaya dahil oldu:

– Köpeğin leşi Philipp Schüller'in çiftliğinde.

Werner irkildi, sanki bu kadının ağzını açıp konuşabileceğini beklemiyordu. Ve özellikle de Almanca konuşabileceğini. Sigarasının ucundaki korlaşmış ateşe bakarak dumanını ağır ağır dışarı üfledi.

– Yanılıyorsunuz, son savaştan bu yana Avrupa'da hiç röetken yok.

Kleinert bu açıklamayı duymazdan geldi:

– Bölgede bu cins bir köpek yetiştirildiğini hiç duymadın mı?

Gözlüklü sıska, sigarasını bir puro gibi dişlerinin arasına yerleştirdi.

– Otuz yıldan beri köpek yetiştiriyorum. Bu bölgede benden habersiz doğan köpek yavrusu olmaz. Ben size burada röetken yok diyorsam, yoktur.

Ivana elini cebine daldırdı, telefonunu çıkardı ve otopsi masası üstündeki köpek leşinin fotoğrafını ekranda açtı. Ağzında sigarası, iki eliyle gözlüğünü tutarak ona doğru eğilmiş Werner'e telefonu uzattı.

– Lanet olsun... diye mırıldandı adam.

– Düşün, Werner, diye üsteledi Alman polis. Böyle bir köpek nereden gelmiş olabilir?

– Bunun bir hikâyesi olabilir... ama oldukça eski. Bana bir kez bölgede bir röetken olduğunu söylemişlerdi...

– Anlat, diye emretti polis.

Werner, sanki çüküyle oynayacakmış gibi elini tulumunun açık kısmından içeri soktu.

– Yirmi yıl önce, diye konuşmaya başladı, Romanlar Geyersberglerin arazisine yerleşmişlerdi.

– Tam olarak nereye?

– Tam yeri bilmiyorum ama orman korucuları onlardan araziyi terk etmelerini istedi, Çingeneler onları kovaladı. Ölümcül hata, kont hızla harekete geçti ve üzerlerine milisini yolladı.

Ivana ile Kleinert birbirlerine baktı: Schüller'in bahsettiği özel güvenlik.

– Hangi kont? Ferdinand, Herbert, Franz?

– Ferdinand. Herbert çoktan ölmüştü ve Franz, o bu tür işlere asla karışmazdı.

Köpek yetiştiricisi izmaritini leş gibi su birikintisinin içine fırlatıp ellerini yeniden mavi iş tulumunun içine soktu. Uzakta, köpekler sakinleşmiş gibiydi: Havlamalar mızmızlanmalara ve ulumalara dönüşüyordu.

– Devam et.

– Ne olduğunu bilmiyorum, ama küçük bir Roman kız parçalandı.

– Köpekler tarafından mı?

– İnsanlar tarafından parçalanmadığı kesin.

– Bu köpekler, röetken miydi?

Werner omuz silkti.

– Ben orada değildim, ama köpeğin tasviri uyuyordu. Her halükârda, bu lanet köpekler öldürmek için eğitilir. Ne dendiğini biliyorsunuz: Böyle sahibin böyle köpeği olur...

– Böyle dendiğini bilmiyordum, diye alaya aldı Ivana. Bunu söyleyen filozof kim? Sen misin?

Werner kadın polisin ayakkabılarının hemen yanına tükürdü.

– Artık gidin. Size söyleyecek başka bir şeyim yok ve köpeklerim amcık kokusundan hoşlanmıyor...

Kleinert yerinden kımıldamadı.

– Bu Çingeneler, hâlâ bölgede mi?

Werner onların çevresinden dolanıp kafeslere doğru ilerledi.

– Araştırın, dedi, omzunun üstünden, görürsünüz.

Ziyaretçiler de onun peşinden gitti ve saman ambarının açık duran büyük kapısının yakınında ona yetiştiler. Hayvan pisliğine bulanmış metal bir el arabası tutuyordu.

Birbirleriyle uyumsuz kafeslerle çevrili yolda yeniden yürümeye başladılar. Köpekler sakinleşmişti. Ivana daha iyi inceleme imkânı buldu. Siyah, benekli, iki renkli deriler. Kasların üzerinde sık ve esnek bir kılıf oluşturan kısa tüyler.

Aralarından hiçbiri, uzaktan bile, bir röetkeni çağrıştırmıyordu. O esnada genç kadın bodur bir köpeği fark etti, hayvan arka patilerinin üzerinde dikilmiş tel kafesin baklalarının arasında mastürbasyon yapıyordu.

Ivana arkasına döndü ve köpek yetiştiricisine seslendi:

– Hey, Werner!

Adam da arkasına dönerek baktı, hâlâ iki eliyle el arabasını tutuyordu. Ivana işaretparmağıyla, boşalmak üzere olan köpeği gösterdi.

– Böyle sahibin böyle köpeği olur!

27

Ivana Bogdanović dosyalama işlerini seviyordu. Vegan punk tavırlarına rağmen, kötü geçen çocukluk ve kendine zarar verdiği yeniyetmelik yıllarına karşın (belki de tüm bunlardan dolayı), küçük Slav dikkatle seçip ayıran, kaydeden, dökümünü yapan dünya üzerinde eşi bulunmaz bir eleman olarak son derece titiz bir kadındı.

Önceki gece, Niémans gibi, o lanet olası bahçedeki herkes gibi köpek saldırısının hâlâ etkisi altındayken av kazalarını araştırmayı, ama aynı zamanda da VG Grup'un ekonomik durumunu da incelemeyi başarmıştı. Araştırma dosyasını, arabasını aldığını belirten uyduruk bir notla kapısının eşiğine bırakmıştı.

Öfkeden gözü hiçbir şey görmeyen Niémans dosyayı açıp bakmamıştı. Ama şimdi, tek eli direksiyonda "Bay Kont"un şatosuna doğru araba sürerken, Ivana'nın nerede bastırdığını bilmediği kâğıtlara göz atıyordu.

Ivana eğer Laura da ölürse iki kardeşin mirasının klanın baş döndürücü mal varlığına ekleneceğini keşfetmişti; iki kuzenin yanı sıra sorgulamaya hazırlandığı yaşlı amca Franz da zenginleşecekti. Bu kadar büyük bir meblağ söz konusu olduğunda –Niémans sebebin bu olmadığını hissediyordu– cinayet işlenmezdi, özellikle de fazladan birkaç milyar için bu şekilde cinayet hiç işlenmezdi.

Ivana ayrıca, meşhur av partisine katılan davetlilerin listesini de ayrıntılı bir şekilde çıkarmıştı (isim, profil, Jürgen'le olan ilişkileri, olası sebepler...), sonra tanık ifadelerindeki en ufak tutarsızlığa kadar not alarak tanık ifadelerini yeniden okumuştu; bunda da bir sonuca ulaşamamıştı. Aslında, av köşkündeki davetlilerin hiçbiri böyle bir vahşeti gerçekleştirebilecek kapasiteye sahip değildi.

Son olarak, Geyersberglerin son iki kuşağının –babaların– soyağacını çıkarmıştı: Ferdinand, Franz, Herbert ellili yıllarda doğmuşlardı; çocuklar ise 90'lı yıllarda doğmuştu: Max ile Udo, 1988 yılında Grenadinler'de bir dalış kazasında erken yaşta ölen Herbert'in oğullarıydı, Jürgen ile Laura, 2014 yılında kanserden ölen Ferdinand'ın çocuklarıydı. Franz'a gelince, o hiç evlenmemişti ve hiç çocuk sahibi olmamıştı, bu kararı almasının sebebi belki de onun özel durumuydu: Tekerlekli sandalyeye bağımlıydı.

O halde ne? Öyleyse kim?

Şimdilik, Niémans Franz Karl-Heinz von Geyersberg'e odaklanmak zorundaydı. Ivana'nın topladığı bilgilere göre, Franz 72 yaşında eksantrik bir münzeviydi. Kuşbilimi öğrenimi görmüştü, ama hiç çalışmamıştı, her yıl gruptan gelen temettülerle yetiniyordu. Franz'ın tek bir tutkusu vardı: Doğa. WWF'nin (Dünya Doğayı Koruma Vakfı) onur üyesiydi, sulak alanların korunması için 1971'de Ramsar Sözleşmesi'nin hazırlanmasına katkıda bulunmuş ve bu özel alanlardaki kuşlarla ilgili çok sayıda bilimsel kitap kaleme almıştı.

Ayrıca Baden-Württemberg'de türlerin korunması, faunanın ve floranın yönetilmesi, kalıcı bir gelişme sağlanmasına yönelik çok sayıda vakfın da kurucusuydu. Geyersberg ormanlarına göz kulak olan tek kişi oydu. Klanının arazilerini doğal büyüklükte bir tür laboratuvar haline getirmişti.

Niémans dosyayı yolcu koltuğunu üstüne fırlattı ve yola konsantre oldu. Yarım saatten beri Titisee Gölü boyunca ilerliyordu. Kontun şatosu kuzeyde, yani Max-Planck Çiftliği'nin tam tersi yöndeydi. Bu köknarları, bu ahşap dağ evlerini, bu gri suları görmekten Niémans'a gına gelmişti. Üstelik bir başka etken bu durumu daha da kötüleştiriyordu: Çocukken, bütün büyük tatillerini, buradan çok uzak olmayan bir yerde, Ren Nehri'nin diğer kıyısındaki küçük bir şehir olan Guebwiller'de büyükannesi ile büyükbabasının yanında geçirmişti. Güzel hiçbir anısı yoktu.

Son bir viraj onu bu düşüncelerden uzaklaştırdı; bir süreden beri, güneş ve köknarlar arasında sürekli tırmanıyordu ve bir anda gördü, orada, tam karşısındaydı. Almanya'ya geldiğinden beri görmeyi beklediği şato bir tepenin üstündeydi.

19. yüzyıl sonunda, Alman hükümdarlar ve aristokratlar tuhaf bir sendromdan mustaripti: Uydurma kale-şatolar inşa etme sendromu. Kuleleri ve mazgalları olan kaleler inşa ettirmişlerdi, Ortaçağ'dan esinlenmiş ve aşırı abartılı bir estetiğe sahip mimarisi olan kaleler. Bu neo-gotik örneğin en güzeli (ya da en kötüsü)

Bavyeralı II. Ludwig'in Neuschwanstein Şatosu'ydu, o kadar gerçek dışı bir görüntüsü vardı ki Walt Disney onu logosu için model olarak almıştı.

Şimdi çok net görebiliyordu, koyu renkli çamların üzerinde çok beyaz bir şatoydu, bu çılgın türün başka bir örneği. Geyersberglerin şatosu fırlatma rampasındaki bir füzeyi andırıyordu. Dantele benzeyen işlemeler her cephenin en tepesine kadar uzanıyordu, gargoyleler ve kartal başlı aslanlar teraslarda tango yapıyordu, çok yüksek, çok sivri olan kuleler tüm bunlara hükmediyordu.

Şatoyu çevreleyen içi su dolu hendeğe ulaşana kadar sürmeye devam etti, ardından iner kalkar köprüyü geçti. Avluda, estetik çılgınlığı devam ediyordu. Yarım daire kemerli kapılar, Roma üslubu tonozlar, vitraylı camlar...

Niémans arabasından inip birkaç adım attı. Ayaklarının altında gıcırdayan küçük çakıllar, minik ancak çok belirgin bir senfoni oluşturmak için çeşmelerden akan suyun kahkahasıyla birleşiyordu.

Ana girişin basamaklarında onu bekleyen bir baş uşak vardı.

Geniş holdeki döne döne üst katlara çıkan mermer bir merdivenin dibinde onu beklettiler. Niémans geleceğini önceden haber vermişti ve görünen o ki bu ziyareti bir sürpriz olmamıştı.

Tekerlekli sandalyenin motorunun *bzzz-bzzz* sesini duyunca, arkasına döndü ve klişelerin devam edeceğini anladı; bu durum, belki de bu randevunun bitimine kadar devam edecekti.

Franz Karl-Heinz von Geyersberg, X-Men'in telepat akıl hocası Profesör Xavier'ye benziyordu. Tamamen keldi, kemikli ve engebeli bir yüzü vardı. Çukuruna kaçmış küçük gözler, çıkıntılı elmacıkkemikleri, timsah çenesi... Göz kamaştırıcı Laura ve kızıl saçlı Jürgen ile ortak bir nokta bulmaya çalışmak boşuna bir çabaydı. Ama yine de, Franz bekâr ve sevimli amcaydı ve soyağacının cansız dalıydı.

Tanışma faslı kısa sürdü, sonra ev sahibi bir öneride bulundu:

– Pırıl pırıl bir güneş var, dışarıda konuşalım.

Niémans engelli adamı büyük salon boyunca takip etti –cilalı mobilyaları, halıları, içleri doldurulmuş av hayvanlarını ve salonun dekorasyonunu tamamlayan ferforje süslemeleri ayrıntılı bir şekilde inceleyecek zamanı olmamıştı– bu kez bir Fransız bahçesine bakan yeni bir terasa çıktılar. Beyaz boyalı demir bahçe mobilyaları Relais & Châteaux'ya[29] son derece uygun bir anlayışla tespih taneleri gibi sıralanmıştı.

29. Lüks otel ve restoranların oluşturduğu bir dernek. Beş kıtada 60 ülkede yaklaşık 500 üyesi vardır. (ç.n.)

– Lütfen, oturunuz.

Franz von Geyersberg, kendiliğinden bahçeyi en iyi gören yere, yuvarlak bir masanın arkasına geçmişti bile.

Niémans da sırtı bahçeye dönük şekilde oturdu, umurunda değildi.

– Kahve ister miydiniz?

Polisin cevap verecek zamanı olmadı: Kont eski tarz küçük bir çanı sallamaya başlamıştı. Kısa bir sessizlik oldu, sadece ağaçların tepesinde cıvıldayan kuşların ve çeşmelerden akan suların tiz şıpırtıları duyuluyordu.

Baş uşağın gümüş bir tepsiyle getirdiği, altın kenar şeritli fincanlarda servis ettiği kahveleri tek kelime etmeden içtiler. Ortam sakindi ve herhangi bir gerginlik yoktu. VG'nin duayeni Fransız polis hakkında olumlu düşünüyor gibiydi. Zaten fincanını masaya bırakırken, hemen konuya girdi:

– Soru oyunu için hazırım ben.

28

Kont bir kez daha Niémans'ın konuşmasına fırsat vermedi:

– Umarım Cam Villa'yı beğenmişsinizdir.

Polis de, ortamın gerektirdiği şekilde kibar davranmaya çalışarak fincanını masaya bıraktı.

– Kusursuz. Yeğeniniz de çok misafirperver.

– Laura'nın benim vaftiz kızım olduğunu biliyor musunuz? Aslında onu biraz kendi kızım olarak görüyorum.

Konunun can alıcı noktasına girmenin bir başka yolu.

– Jürgen için aynı duyguları beslemiyor musunuz?

– Jürgen...

Onun adını düşünceli bir şekilde tekrarlamıştı, ama yüzü bir anda büzülmüş, cildinde fosilleri çağrıştıran kırışıklar oluşmuştu. Daha yakından bakınca Profesör Xavier'nin daha yırtıcı bir versiyonuydu: Kartal gagasını andıran bir burun, karşısındakine dikkatle bakan gözler ve ne yazık ki, kafasını kapalı kanatlarının arasına sokmuş dinlenme anındaki bir akbabayı çağrıştıran bir oturma pozisyonu.

Yaklaşık bir dakika daha sessizlik içinde geçti, sonra yaşlı adam birden doğruldu.

– Elbette, diye cevapladı, net bir ses tonuyla. Jürgen daha tuhaftı, kuşkusuz, ne yapacağı önceden kestirilemezdi, ama evet, onu da kız kardeşi kadar seviyordum.

– Tuhaf derken, neyi kastediyorsunuz?

– Sanki onun... onun eğilimlerini duymamış gibi konuşuyorsunuz.

– Onun öldürülmesiyle bunun en ufak bir ilgisi olmadığını düşünüyoruz. Buna karşılık, Jürgen'in hayatta eksantrik bir davranışı var mıydı, bilmek isterim.

Franz muhatabına anlamsız bir ifadeyle baktı: Soruyu anlamamıştı.

– Huyunda ani değişiklikler, diye üsteledi Niémans, insanları hor gören düşünceler, düşman kazanmasına sebep olabilecek şiddet içeren davranışlar.

– Jürgen, tek başına yaklaşık beş milyar avro demekti. Eğer düşmanları varsa, bunun sebebi onun huysuz olması değildi.

– Sebebin para olduğunu düşünmüyorum. Cinayetin vahşice işlenmesi, cesedin sergilenmesindeki ayrıksı durum daha ziyade kişisel bir sebep, uzun yıllar öncesine dayanan bir öfke olduğunu düşündürüyor. İntikam gibi bir şey.

– İntikam mı?

Franz'ın gözyuvarları büyüdü ve yeşil gözleriyle Niémans'a baktı, gözlerinin parlaklığında farklı bir keskinlik vardı.

– Bu sadece benim varsayımım.

Aristokratın boynunda, Niémans'ı kınadığını ifade eden bir seğirme oldu. Önemsiz bir Fransız polisinden başka ne beklenebilirdi ki?

– Bana Laura ile Jürgen arasındaki ilişkiden söz ediniz, diyerek, Niémans hemen yön değiştirdi, amaç yaşlı şato sahibinin kendisine cephe almasına engel olmaktı.

– Hiç ayrılmazlardı. Hep dayanışma içindeydiler...

Anlatmaya başlıyordu.

– Yeniyetmelik çağlarında da dayanışmaları hâlâ bu kadar güçlü müydü?

– Birbirleriyle konuşmadan asla bir şey yapmazlardı.

Niémans iki kardeşin cinsel partner değiştirmelerini düşündü. Bunun üzerinde durmamayı ya da en azından bunu dolaylı bir şekilde ima etmeyi tercih etti.

– Evlenmemişler. Edindiğimiz bilgilere göre ikisinin de ciddi bir ilişkisi yokmuş. Onların bu yakınlığının başkalarıyla ilişki kurmalarına engel olduğunu düşünüyor musunuz?

Franz Niémans'ın göremediği birine işaret etti. Baş uşak yeniden kahve servisi yapmak için geldi.

– Kendimi tekrarlama pahasına bir daha söylüyorum, dedi amca, servetleri onları başkalarından uzak tutuyordu. Herkes Jürgen ile Laura'ya çok hoş davranıyordu, ama bu miktarda bir servet sahibi olarak kime güvenebilirlerdi? En azından birbirlerine güvenebileceklerini biliyorlardı.

– Ya Max ile Udo?

Engelli, pantolonundaki bir ekmek kırıntısını süpürür gibi cılız ve kuru eliyle bir hareket yaptı.

– Onlar, o da başka bir hikâye.

– Ne tür bir hikâye?

– Pascal'ın Bahsi'nin tam tersi gibi bir şey. Her şey serbest. Eğer Tanrı varsa beni affedecektir. Eğer Tanrı yoksa bu durum yine benim yararımadır.

Niémans önceki akşamki iki moronun Pascal'dan alıntı yapabileceğini düşünmemişti.

– Benim için fazla bilge bir insansınız.

– Polisin bu yöntemini biliyorum, diye cevapladı Franz, karşındaki kişinin kuşkularını gidermek için ondan daha basit biri olduğunuza inandırmak.

Niémans'ın yeni Komiser Columbo olmaya niyeti yoktu, ama savunmaya geçmek neye yarardı? Daha ziyade kontu kızdıracak konulara geçmenin zamanıydı:

– Jürgen ile Laura'nın çok katı patronlar olduğunu duydum.

– Bunu kim söyledi? Çalışanlar? Rakipler? Sendikalar?

Franz kahve fincanını nazikçe masaya bıraktı.

– Amir Niémans, insan doğasını biliyorsunuz. Başkaları için patronlar her zaman pislik insanlardır. Churchill'in ne söylediğini biliyor musunuz? "Bir şirketin sahibi alaşağı edilecek biri ya da sağılacak bir inek olarak görülür. Çok az insan onun arabayı çeken at olduğunu anlar."

Niémans kuş sevdalısı bir milyarderle bu konuyla ilgili olarak da polemiğe girmeyecekti.

– Her halükârda, diye devam etti duayen, VG Grup hakkında konuşacak son kişi benim. Şirkette hiç çalışmadım. Ticaretten hiç zevk almadım.

Kaba bir şekilde güldü; onun bu neşesi, insana kendini doğrudan alçalmış hissettiren ses tonundaki bu ani değişiklikle son derece kırıcıydı.

– Samimi olmak gerekirse, asla hiçbir şeyden zevk almadım.

– Doğa dışında.

– Doğa dışında, evet, diye yineledi kont, sandalyesinde hafifçe eğilerek.

– Geyersbergler hep avcıydı. Neden siz avla ilgilenmediniz?

Franz yeniden kafasını öne eğdi, bu da konuşmak istediği bir başka husustu.

– Bu benim ekoloji anlayışıma uygun değil. Ayrıca ben de avcıydım ve bu uğurda... (tekerlekli sandalyesinin kolçaklarını sıktı)... bu.

Niémans ürperdi.

– Bir av partisinde mi yaralandınız?

– Gençtim... dedi, mazeret belirten bir ses tonuyla. Ferdinand, kardeşim henüz iyi bir nişancı değildi, daha sonra mükemmel bir nişancı oldu.

Franz polisin alaycı bakışını yakaladı.

– Ya da tam tersine, zaten mükemmel bir nişancıydı...

– Bir dakika, dedi Niémans paltosunun eteklerini çekiştirerek. Kardeşinizin sizi kasten yaraladığını mı düşünüyorsunuz?

– Her halükârda, onun mermilerinden biri beni bu koltuğa çiviledi. (Kolunu umursamaz bir hareketle salladı.) Bugün, artık bunun bir önemi yok...

Niémans bu önemli bilgiyi kafasının bir köşesine kaydetti. Bir anda bu yaşlı baykuşun intikam almak için lanet bir sebebi oluyordu, biraz geç kalmış olsa da öfkesini Ferdinand'ın çocuklarından çıkarmaya kalkışabilirdi.

– Bana neden Laura'ya yapılan saldırıdan bahsetmediniz? diye, buyurgan küçük gözlerini Niémans'ın gözlerine dikerek sertçe sordu Franz.

– Söyleyecektim ama...

O sırada, diğer avlu tarafında, sanki cephedeki vitraylara bir kürek dolusu çakıl fırlatılmış gibi çatırtılar duyuldu.

Bir araba çakıltaşlarının üzerinde park ediyordu. Bir kapı kapandı, ayak sesleri yankılandı.

Çok kısa bir süre sonra, Laura von Geyersberg terasta belirdi.

29

– Burada ne halt ediyorsunuz?

Öfkeden yanakları kızarmıştı, peri masallarındaki kadın kahramanlar gibi görünüyordu –iri siyah gözler, narin bir boyun, bir çağlayan gibi dökülen siyah saç lüleleri–, ama daha ziyade Pamuk Prenses'teki kraliçeyi ya da Külkedisi'nin kötü kalpli üvey annesini andırıyordu.

Niémans refleks olarak ayağa kalkmıştı.

– Çevre araştırması.

Kolsuz bir anorak yelek, binici pantolonu, siyah çizmelerle Laura atından yeni inmiş gibiydi. Polisin karşısına dikildi.

– Hangi hakla amcamı sorguluyorsunuz?

Yeniden çakıltaşlarının gıcırtısı duyuldu. Bir tepe lambasının çakarı bahçede titreşti. Laura Alman polisinin koruması altındaydı.

Bu kez cevap veren yaşlı amca oldu:

– Sıradan bir sohbet hayatım.

Sanki bu cevap Laura'nın öfkesini daha da artırmıştı.

– Sonuç olarak, siz burada ne arıyorsunuz? diye sordu, kelimeler dudaklarının arasından ıslık sesi gibi çıkmıştı. Geldiğinizden beri, her şeyi daha da kötüleştiriyorsunuz...

Niémans bu öfke dolu saldırganlığa anlam veremiyordu. Franz acayip bir arı vızıltısıyla yeğeninin yanına sokuldu –bzzz-bzzz...

– Sinirlenme meleğim...

Laura tekerlekli sandalyenin çevresinden dolandı ve demir bir iskemlenin üzerinde duran İskoç kumaşından battaniyeyi aldı.

– İçeri gir, dedi yumuşak bir sesle, örtüyü amcasının omuzlarına koyarken. Üşüteceksin.

Onu alnından öptü ve bir anda beliriveren bir hemşireye işaret etti.

Franz, tekerlekli sandalyesinin Laura tarafından camlı kapıya doğru itilmesine müsaade etti.

– Sizi tanıdığıma çok memnun oldum, Amir Niémans.

– Ben de, dedi Niémans hafifçe eğilerek.

Bu yaşlı amcayı gördüğü son andı. Laura onun görüş alanını kapatarak yeniden karşısına dikilmişti. Islak ve siyah gözlerinde üst seviye polise karşı bir düşmanlık ve öfke vardı, ama aynasızları kim severdi ki?

Birkaç saat içinde üç farklı Laura'yla karşılaşmıştı. Biri tüm cazibesiyle yas tutan Laura'ydı. Diğeri bahçede bir hayalet gibi yürüyen Laura'ydı ve şimdi de karşısında ailesine yaklaşılmasına tahammül edemeyen şirret Laura vardı.

– Bana açıklayacak mısınız? diye ısrarla sordu, kollarını göğsünde çaprazlamıştı. Dün, suçluyu yakalamıştınız!

– Haklısınız, diye uysal bir ses tonuyla cevap verdi. Ama Krauss'un kardeşinizin öldürülmesiyle en ufak bir ilgisi yok.

– Yeni bilgilere mi ulaştınız?

– İntikam olduğunu düşünüyoruz. Avla ilgili geçmiş bir olay nedeniyle ailenize kızmış biri ya da birileri olabilir...

– Ve siz bunun için Franz'ı sorguluyorsunuz? Hayatı boyunca tekerlekli sandalyeye mahkûm bir adamı?

Niémans onun ateş gibi kıpkırmızı olmuş yanaklarına dokunmamak için kendine hâkim olmak zorundaydı.

– Doğru, dedi Niémans, yeniden soğukkanlılığını kazanıyordu, Franz bana yaşadığı av "kazası"ndan bahsetti.

– Ben henüz doğmamıştım.

– Bu bir şeyi değiştirmez, böyle bir olay amcanız için lanet olası bir intikam sebebi olabilir.

– Anlayamıyorum.

– Franz, Jürgen'i öldürerek kardeşinden intikam almak istemiş olabilir.

Laura tehditkâr bir tavırla yüzünü buruşturarak dudaklarını büzdü, Niémans'a şiddetli bir tokat aşk etmemek için o da kendine hâkim oluyordu.

– Benimle gelin, diye emretti.

Mermer holde, Laura taş tırabzanı eliyle sımsıkı kavrayarak merdivenden çıkmaya başladı. Birkaç adım sonra kattaydı. Niémans da onu izliyordu, soluk soluğa kalmıştı.

Laura arkasına döndü ve onu bakışlarıyla durdurdu. Polis çoktan anlamıştı. "Ailesini" tanıtmak istiyordu: Gainsborough[30]

30. Thomas Gainsborough (1727-1788). İngiliz portre ressamı. (ç.n.)

tarzı saray tabloları gibi büyük boy portreler tırabzanın tam karşı duvarına sıralanmıştı.

– Dietrich von Geyersberg, dedi, bir takdimci edasıyla. 20. yüzyılın başında tüm Güney Baden-Württemberg'e hükmetti. "Ormanını" yani av alanını genişletmek için bütün köyleri yerle bir etmek gibi bir takıntısı vardı.

Niémans onu mutlu etmek için sert suratlı adama iyice baktı. Kenarları yukarı kıvrık bıyıklar ve Ascot kravatla merhametsiz bir yüz. "Belle Époque"[31] modasına uygun ceketi ve yelek cebine yerleştirdiği köstekli saatiyle, o dönemlerde Fransa'da nefret edilen bir Prusyalıydı tam anlamıyla.

– Dietrich'in adamları çiftçileri çekip gitmeye zorlamak için evleri ateşe vermeyi alışkanlık haline getirmişti. Bizim ailemizde her zaman hayvanlar insanlara tercih edilirdi. Yani daha doğrusu hayvanları öldürme zevki...

Laura birkaç basamak indi, Niémans da bir sonraki tabloyla aynı hizaya gelmek için geri çekildi.

– Büyük Klaus, diye, alaycı bir ses tonuyla devam etti. Nazilere çok yakındı. Wehrmacht'ın otomobil filosunun gelişmesine canla başla katkıda bulundu.

Hareli bir çerçeve içinde, geniş omuzları olan flanel ceketli iriyarı bir adam vardı. Kare bir surat, briyantinle iyice yapıştırılmış saçlar, ince bir bıyık, bu aile büyüğü, sesli sinemanın ilk dönemlerindeki starlara benziyordu, ama ağzını her açtığında Alman liderlere has bir sesle emirler yağdırdığını tahmin etmek zor değildi.

– Av hayvanı olarak Yahudilerin kullanıldığı av partileri düzenlediği söylenir... Hoş, öyle değil mi?

Kara Avcılar'dan bahsetmek için en uygun zamandı. "Büyük Klaus" hiç kuşkusuz savaş sonrasında Oskar Dirlewanger'e el uzatan kişiydi. Ama her şeyin bir zamanı vardı. Niémans bu rehberli küçük gezide kontesi izlemeyi tercih ediyordu.

– Wolfgang, büyükbabam. Her zaman güler yüzlüydü, her zaman anlayışlıydı, ama şirketlerimizde greve giden işçilerin üzerine gerçek mermilerle ateş açmakta tereddüt etmemişti... 50'li yılların Batı Almanyası'nda, kusursuz bir sanayi lideri.

Çok düzgün saç ayrımı, kemik gözlükler ve sevimli bir gülümseme, hayırhah özen ile değişmez duyarsızlığın karışımı. Ada-

31. 1871'deki Fransa-Prusya Savaşı'nın sonundan 1914'te patlak veren Birinci Dünya Savaşı'na kadar uzanan dönem. (ç.n.)

mın ayrıca üstü örtülü bir megalomani ile kabul edilebilir ve doğal, çılgınca bir ihtirasa sahip olduğu anlaşılıyordu.

Laura son basamakları atladı ve yeniden hole indi, burada sergilenen son bir portre daha vardı. Kırk yaşlarında sert görünümlü, kısa saçlı ve gözlüklü bir adam, ama onun kuşkusuz yüksek mevkiiyle uyuşmayan, az da olsa uysal ve dalgın bir hali vardı.

– Sevgili babam. Almanya'nın yeniden birleşmesi için çok çalıştı, ama ondan önce, ket vuran ortaklarının Demokratik Almanya casusu olduğunu ihbar ederek onlardan kurtuldu.

Laura kollarını yeniden göğsünde çaprazladı, sahip olduğu bu korku müzesinden belirgin bir şekilde çok hoşnuttu. İçini dökmek onu sakinleştirmiş gibiydi.

– Burada hoş bir galeriniz var, dedi Niémans onunla aynı düşüncede olduğunu belirtmek için. Bana ne kanıtlamaya çalışıyorsunuz?

– İntikam konusunda seçim yapmakta sıkıntıya düşeceğinizi göstermek istedim. Baden-Württemberg'in yarısı bizden nefret ediyor, diğer yarısı ise korkuyor. Kimse bizim arkamızdan ağlamaz. Katili dışarıda arayın, Niémans. Ailemde değil. Amcamı da bir daha sorgulamayın!

Saldırıya geçmenin zamanı gelmişti:

– Kara Avcılar, size bir şey ifade ediyor mu?

Soru Niémans'ın beklentisinin üstünde bir etki yarattı. Laura bozuldu. Artık ne kırmızı ne de pembeydi, maviye yakın beyaz bir renk almıştı. Tek kelime etmeden, Niémans'ın yanından ayrıldı ve topuklarını sertçe vurarak yeniden holü boydan boya geçti, karşısındaki ilk camlı kapıya kadar ilerledi.

Niémans onun arabasına binip birkaç saniye içinde gözden kaybolmasından korktu, ama onu terasta titreyen eliyle sigarasını yakmaya çalışırken gördü.

– Evet, şu Kara Avcılar? diye, soğukkanlı bir ses tonuyla sordu.

Laura arkasına dönüp dumanı onun suratına üfledi.

– Efsaneler. Yetmiş yıldan beri bu söylentilerle canımızı sıkıyorlar. Büyük büyükbabam o pislikleri saklamış ve onları fabrikasında tedavi etmiş olabilir. Şüpheli olarak onlardan daha iyi bir şey bulamadınız mı?

Yüzüne doğru yeniden dumanı üfledi.

– Dün gece size saldıran köpek bir röetkendi, Kara Avcılar tarafından tercih edilen tür.

– Köpek bana saldırmadı.

– Çünkü ben tam zamanında geldim.

– Yetmiş yıldan beri Avrupa'da röetken yok.

– Dün gece, sizin bahçenizde bir tane vardı. Derisine kazınmış o lanet birliğin armasıyla.

Laura sigarasını birkaç adım ötede içmeye karar verdi. Niémans onun, kuşkusuz mermer holde "babasının" yanına asılacak görkemli bir portre olacağını düşündü.

– Demek artık hayaletleri avlıyorsunuz?

– Gülmeyin Laura, diye karşılık verdi, ona doğru yürürken. Tehlike gerçek. Sizin listedeki bir sonraki kişi olduğunuzu düşünüyorum.

Laura izmaritini ayaklarının dibine attı ve çizmesiyle öfkeli bir tavırla izmariti ezdi.

– Katili bulun Niémans ve özellikle, bir daha buraya gelip amcamı rahatsız etmeyin.

Polis saygı göstergesi olarak hafifçe eğildi. Sebebini bilemiyordu, ama bu otoriter Alman kadına saygılı davranmaktan ve hayranlığını göstermekten hoşlanıyordu.

Basamakları inip Volvo'suna ulaştı. Refleks olarak omzunun üstünden arkasına baktı. Laura ortalarda yoktu. Buna karşılık, Franz von Geyersberg, birinci katta, pencereden ona bakıyordu.

Büst olarak bir güzel portre daha.

Niémans ona el salladı ve Laura'nın düşüncesinin tam tersini düşündü: Katili dışarıda değil klanın içinde aramak gerekiyordu. Cinayet sebebi ve belki de katilin kendisi bu sevimli ailenin bireylerinin arasındaydı.

30

Ivana hiç böyle bir şey görmemişti. Tüm şehir, çocuk kitapları illüstratörü tarafından çizilmiş gibiydi. Geleneksel evler tonozları, ahşap çatmalı cepheleri, kırma çatılarıyla birbirleriyle rekabet halindeydi. Duvarlar kırmızıya, beyaza, yeşile boyanmış, bitkilerden çitler yapılmış, sarmaşıklarla süslenmişti. Sokağın her köşesinde, altın rengi akrep ve yelkovanı olan saatler çalıyordu ve burada, Freiburg im Breisgau'da her gün Noel olduğunu henüz anlayamamışsanız diye, kırmızı bir tramvay durmadan önünüzden geçip gidiyordu.

Ivana hayranlık ve huzursuzluk karışımı bir duygu içindeydi. Tüm yetişkinler gibi çocukların dünyasına özlem duymuyordu. Peri masallarından söz edildiğini duymuştu, ama Grimm'le ya da Perrault'yla büyümemişti. Uyumadan önce küçük Ivana'ya prenses masalları okunmamıştı, ne özenle çizilmiş hava perileri ne de eski usul oyulmuş süslü harfler vardı. Babası ona içki şişelerinin etiketlerini okumayı öğretiyordu, annesi babasının öfkesini çekmemek için saklanıyordu ve onlar öldükten sonra, yetiştirme yurdunda da durum farklı değildi, yarım saat televizyon ve yatak!

Öğleden sonranın ilerleyen saatlerinde Niémans onu aramış ve Freiburg'da bir otel bulmasını söylemişti. Ayrıntı vermemişti, ama görünen o ki artık Cam Villa'da hoş karşılanmıyorlardı.

Ivana da, Kleinert'ten iki oda bulma konusunda ona yardımcı olmasını istemişti. Her zaman kibar olan Alman villaya giderek onların eşyalarını almış ve ona şehir merkezindeki, kenarlarında morsalkımlar bulunan araç trafiğine kapalı bir sokağa kadar eşlik etmişti. Sokakta, kapılarını ona açan cephesi pembe boyalı küçük bir otel vardı, ana girişteki tabelanın üstünde parlak sarı renkli bir kedi kıvrılmış yatıyordu.

Kleinert "rapor yazmak" için geri dönmüştü ve Ivana yol kenarındaki iki devasa sardunya saksısının arasına, kaldırıma oturmuş sigarasını tüttürerek akıl hocasını bekliyordu.

– Bulduğun otel burası mı?

Ivana irkilip Niémans'a baktı. Kafasında sadece geçirdiği kötü günle ilgili düşünceler yoktu, berbat bir yüz ifadesi vardı.

– Otel burası mı, değil mi?

Ayağa kalkan Ivana onu başıyla onayladı ve sigarasını saksılardan birinin içinde söndürdü. Aynı anda otele girdiler ve peş peşe odalarına çıktılar.

Cilalı tırabzan, duvarlarda sahte meşaleler...

Koridorda, Ivana konuşma gereği hissetti:

– Güzel şehir, öyle değil mi?

– Arabamı buradan on dakika uzakta bir yere park etmek zorunda kaldım, diye homurdandı.

Ivana sonraki programı sormaya cesaret edemedi.

Odasının kapısını açtı ve rondo dansı yapan çobanlar ile biracıların tasvir edildiği bir duvar kâğıdıyla karşılaştı. Mükemmel.

Ivana çantasını yatağın üzerine boşalttığı sırada kapı vuruldu.

Niémans eşikte duruyordu, üzerinde hâlâ siyah paltosu vardı ve yüz ifadesi iyi değildi. Odasına bile girmemiş olduğu düşünülebilirdi.

– Gel. Sana bir bira ısmarlayayım.

31

İkisi de ulaştıkları ipuçlarını açıkladı.

Ivana: Bir röetkenin saldırısına uğrayan küçük kızın hikâyesi.

Niémans: Av sırasında kardeşi tarafından vurulan amca.

Aslında bu iki olayın da Jürgen'in öldürülmesiyle fazla bir ilgisi yoktu ama parçalar birleştirildiğinde, Niémans doğru yolda olduklarını anlamıştı.

– Hangi yol? diye sordu Ivana, birayla ipin ucu kaçmıştı.

– Bir intikam, geçmişin intikamı.

– Franz'ın aldığı bir intikamı mı?

– Ben bunu söylemedim. Belki de o av kazasının bizim cinayetle ilgisi yoktur.

– Sizi anlamakta zorlanıyorum.

– Söylemek istediğim şu, bu aile sırlarla dolu ve bu sırlar, hiç kuşkusuz bizim düşündüğümüzden çok daha eskiye dayanıyor.

– Ne tür sırlar?

– Bilmiyorum, ama eşelememiz ve daha fazla eşelememiz gerekiyor.

Doğrusu kelimelerin hiçbir önemi yoktu. Ama Ivana, Niémans'ına yeniden kavuştuğu için mutluydu. Kısa ve özlü konuşan, suskun, içgüdüleriyle hareket eden Niémans. Son noktayı koyana kadar yorulmaksızın katilin izini süren, kan kokusu almış bir av köpeği.

İki turist gibi şehrin araç trafiğine kapalı merkezinde yürüyorlardı. Her şey yeniydi ama sanki 17. yüzyılda ya da erkeklerin lederhosen[32] ve kadınların büstiyerli ve dantelli elbiseler giydiği, ezeli ve ebedi bir dönemde tasarlanmıştı.

32. Askılı kısa pantolon, kollu gömlek, keçe kumaştan şapka. (ç.n.)

Ama görüntüye aldanmamak gerekiyordu.

Freiburg im Breisgau bir üniversite kentiydi, yüzde 100 ekolojik bir şehirdi, o denli moderndi ki tüm Avrupa'ya ders veriyordu. Buradaki organik ürün satan mağazalar süpermarket büyüklüğündeydi ve herkes ulaşım aracı olarak bisiklet kullanıyordu. Şehir güneş enerjisinden yararlanıyor, kendi gübresini hazırlıyordu. Bu durum şurada burada faytonların dolaşmasına engel değildi. Atlar arnavutkaldırımı yollarda ağır nallarını şaklatarak geziniyordu; geleneklerine bağlı olduklarının bir göstergesi olmalıydı bu.

Birden Niémans bir sokağa saptı, sonra da bir başka sokağa; bir anda şehri çok iyi biliyormuş gibi davranmaya başlamıştı. Küçük bir meydanı dönünce tuhaf bir evle karşılaştılar. Kıpkırmızı cephesi, altın rengi ve çubuk şekerler gibi çizgili süslemeleri vardı, her katta yer alan gargoyleler sanki kendilerine bir yer bulmaya çalışıyordu.

– Balina Evi, dedi Niémans, ciddi bir ses tonuyla. Sanırım Erasmus da bir süre burada yaşamış.

Ivana Erasmus'un kim olduğunu bilmiyordu. Sadece öğrencilere seyahat imkânı veren Erasmus Öğrenci Değişim Programı'nı biliyordu.

Niémans'ın konuşmasına devam etmesini bekliyordu, ama o başka bir açıklamada bulunmadı.

– Çok acayip, diye yorumda bulunma cesareti gösterdi.

– Ne?

– Altın rengi o şeylerle, kırmızıya boyanmış şu ev. Oldukça acayip.

Niémans derin bir iç çekip yürümeye başladı.

– Bir şeyi mi kaçırdım? diye sordu Ivana, ona yetişerek.

– Bu *Suspiria*'nın evi.

– Neyin?

– 70'li yılların, Dario Argento imzalı bir korku filmi.

– Film bu evde mi çekildi?

– Evet, evin içinde.

– Peki, neden buraya Balina Evi deniyor?

– Hiçbir fikrim yok.

Gerçekten çok ilginç. Kenarındaki üstü açık bir kanalda bir derenin aktığı küçük bir sokağa döndüler. Ivana bu kanalları daha önce görmüş ve bu suların sihirli bir güce sahip olduğunu şehir hakkında bilgiler veren bir gezi rehberinde okumuştu. Ayağı suya değen biri aynı yıl bir Freiburg sakiniyle evleniyordu...

Aklına bisikletli yakışıklı erkekler geldi ve ayakkabısının tabanını çaktırmadan arnavutkaldırımları arasındaki suya değdirdi. Kimse bir girişimde bulunmadığını söyleyemezdi artık ona...

Kenarında korkuluklar bulunan bir kanal boyunca yürüdüler ve salkımsöğütlerle çevrili küçük bir meydana ulaştılar. Niémans incilerden oluşturulmuş bir perdeyi andıran yaprakları araladı ve terasında bahçe masaları ile soğuk demirden yapılma dört yüzlü sokak lambalarının bulunduğu bir kafe göründü.

Oturdular ve biralarını ısmarladılar.

Birkaç dakikalık bir sessizlikten sonra, Niémans başı yakalarının arasında, elleri cebinde, uzaktaki kanala bakarak konuşmaya başladı.

– Kült bir filmdi, diye devam etti, konuşmaları hiç kesintiye uğramamış gibi, ama aynı zamanda da berbattı ve anlaşılmazdı. Bir cadı tarafından peş peşe öldürülen genç dansçı kızların hikâyesini anlatan, görülmemiş vahşet sahneleriyle dolu bir filmdi...

Ivana anlam veremiyordu. Niémans nereye varmak istiyordu?

– Yeniyetmelik çağlarımdan itibaren şiddete meyil vardı. Hem kendi şiddetime hem de başkalarının şiddetine. Korku filmlerine çok düşkündüm. Perdede, akan kanları görmek için rezil sinema salonlarına gidiyordum. Her zaman bana o kan çok kırmızıymış, çok gerçekmiş gibi gelirdi, sinemanın kadife koltuklarının içine işlerdi. Bu görüntülere ürkerek ama hayranlıkla bakardım ve kendim için bir çıkış yolu, bir teselli yöntemi arardım... Ama hiçbir zaman bulamadım. Ta ki polis olana kadar. Suçlularla mücadele ederek, sokakları güvenli hale getirerek dengemi yeniden buldum...

Ivana Balina Evi'nin Niémans'ın üstünde bu denli etkili olacağını hiçbir zaman düşünmemişti. Çoğunlukla polis bu tarz sırları açık etmeye eğilimli biri değildi.

Bol köpüklü biralar geldi. Niémans birasından yudum almak için biraz oyalandı.

– Şiddetten şiddetle kurtuldum, diye devam etti. Bu soruna hiçbir zaman bir çözüm bulamadım, ama şiddetin bir parçası oldum. Birkaç yıl önce, bir cevap bulur gibi oldum ama bu cevabı tam olarak bilenlerin artık aramızda bulunmadığını fark ettim.

Anlaşılabilir... Ivana'nın bildiği bir şey vardı, Niémans artık eski yıllardaki polis değildi. Guernon olayı onu sadece fizik olarak değil ruhen de zayıf düşürmüştü.

Koma, geçirdiği ameliyat, nekahet dönemi... Bundan önce,

Niémans enerji doluydu ve kımıldayan her şeyi vuruyordu ve kımıldayamaz hale gelene kadar da devam ediyordu. Anında adalet havarisi olarak, kelimenin tam anlamıyla berbat bir polisti. Şiddet yanlısı, ne yapacağı önceden kestirilemeyen, yasa tanımaz ama olağanüstü başarılar elde etmiş bir polisti.

Bugün artık, hizaya gelmiş biriydi. Sertliği, hoyratlığı kara delik tarafından yutulan ışık gibi komadayken soğurulmuştu. Geriye, ıskartaya çıkmadan önce bir şeyleri kanıtlamak zorunda olduğunu düşünen, yani sahada hâlâ iyi bir şeyler yapabileceğini göstermek isteyen, ölüler diyarından geri gelmiş yaşlı bir adam kalmıştı.

Niémans birasını bitirmişti ve elleri hâlâ cebinde, iyi bir şey yapıyormuş gibi ona hayranlıkla bakıyordu.

Sonra birden ayağa kalktı ve masanın üzerine bir banknot bıraktı.

– Akşam yemeğine kadar Kara Avcılar üzerinde çalış. Onlarla ilgili her şeyi bilmek istiyorum.

Ivana tepeden tırnağa onu süzdü.

– Ama... Siz nereye gidiyorsunuz?

– Uyumaya.

– Saat 18.00'de mi?

– Beni akşam yemeği için uyandır.

Niémans arkasını dönüp uzaklaştı ve salkımsöğütlerin yapraklarının arkasında gözden kayboldu.

32

Schüller Kara Avcılar'la onları etkilemeye çalışmıştı.

Sadece korku perdesini aralamıştı.

Ivana nazizmin tarihini çok iyi biliyordu. Ona göre, her polis –yani suç karşıtı herkes– insan zulmünün en kötü laboratuvarının oluşumunu derinlemesine incelemeliydi.

Bu alçak ve aşağılık kronoloji içinde, tepe noktalardan birinin, kurşuna dizerek gerçekleştirilen Şoah[33] –Doğu Cephesi'nde yıllarca devam eden ve özellikle Yahudiler ile partizanları hedef alan katliamlar– olduğu söylenebilir. Dört yıl içinde, Einsatzgruppen (gezici infaz birlikleri) bir buçuk milyondan fazla insanı katletmişti.

Ivana'nın internette yaptığı aramalar Dirlewanger'in kurduğu birliğin, bu zirveler içinde başka bir zirve olduğunu anlaması için yeterli oldu. Baktığı makalelerden birinin son derece yerinde bir başlığı vardı: "Kara Avcılar: Nazi alçaklığının uç noktalarının en uç noktası". Daha iyisi söylenemezdi.

Ivana Mac'iyle, üzerine anahtar ve cüzdan konması için tasarlanmış, biracıları tasvir eden duvar kâğıdı ile cilalı ahşaptan devasa bir dolabın arasına sıkıştırılmış küçük bir masaya oturmuş, hem hayranlıkla hem de kanı donmuş bir halde araştırmasını sürdürüyordu.

Kâbusun yaratıcısı Oskar Dirlewanger –fotoğrafını Schüller'in laboratuvarında görmüşlerdi– "yeni Alman erkeği"nin mükemmel bir örneğiydi. Yüzde 40 malul olarak (bir kolu tutmuyordu) döndüğü Birinci Dünya Savaşı'ndan sonra, hem bir cani hem de cesur bir "savaş köpeği" olarak tanınıyordu.

33. "Soykırım" anlamında İbranice sözcük. (ç.n.)

Gerçekten de, sivil hayata dönmek onun için oldukça zordu: Savaş makinesi patinaj çekiyordu. 30'lu yıllarda SA subayı olmuştu, başı beladan kurtulmuyordu. 14 yaşından küçük bir kızla birçok kez cinsel ilişkiye girdiği için tutuklanmıştı, daha sonra "zimmetine para geçirmek" ile suçlanmıştı. Kendini cinsel suçluların hapsedildiği Welzheim Kampı'nda bulmuştu.

İkinci Dünya Savaşı patladığında, Dirlewanger'in tüm hakları iade edilmişti. Pislik herif ordu içindeki desteğini güçlendirmişti ve askerlik deneyimi onun en önemli kozuydu. Hakkındaki bütün suçlamalar düşürülmüş ve Himmler ona yeni tarz bir birliği emanet etmişti. Bu özel birlik suçlu avcılardan oluşuyordu: kaçak avcılar, her biri hayal edilebilecek en mükemmel iz sürücüler ve katiller olan kanun kaçakları.

Önce Polonya'da, sonra Belarus'ta, Kara Avcılar kendi usullerine göre savaşıyordu, partizanları sessizce takip ediyorlar, ormanda görünmez olmayı biliyorlardı; avlanma sanatında bir tür yetkinliğe ulaştıklarından düşmanın içine sızabiliyorlardı...

Aynı zamanda, eşsiz birer "soykırımcı"ydılar. Yahudi gettolarının kökünü kazıyorlar, yerel halka dehşet saçıyorlar, daha önce denenmiş teknikle köyleri yakıyorlardı: Köylüleri bir saman ambarına veya kiliseye topluyorlar, sonra da lav silahlarıyla binayı ateşe veriyorlardı. Bu şekilde, tek işlemde kadın ve çocuklar dahil 10.000'den fazla sivili öldürebiliyorlardı.

Kara Avcılar sözüm ona oraya düzeni sağlamak için gelmişlerdi, ama düzeni bozan asıl onlardı, tecavüz ediyorlar, çalıyorlar, var güçleriyle yağmalıyorlardı. Onlar üniforma giymiş, tepeden tırnağa silahlı, korkunç görünümlü köpeklerle dolaşan ve yasayla korunan soyguncular, katillerdi.

Üst kademe Nazi yetkililer bile bu denli bir barbarlıktan kaygı duyuyordu. Soruşturmalar başlatılmıştı. Etrafta çok kötü söylentiler dolaşıyordu. Dirlewanger, onları küçük parçalara ayırıp at etiyle kaynatmadan önce Yahudileri öldürecekti. Amaç? Sabun üretmek.

Bununla birlikte sonuçlar ortadaydı ve Naziler Doğu'daki düşmanlarını sonuçta aşağılık insanlar, basit birer av hayvanı olarak görüyordu. Dirlewanger onlara uygun bir hasımdı. Ona başka askerler de vermişlerdi: Çingeneler, psikopatlar, siyasi tutuklular... Bu hayal edilebilecek en kaotik birlikti, ama sakat, uyuşturucu bağımlısı ve alkolik olan Dirlewanger onları kontrolü altında tutmayı başarıyordu.

Ancak gerileme başlamıştı. 1944'ten itibaren Kara Avcılar intihar operasyonlarında bazen mevcudunun yüzde 75'ine kadar kaybederek gözden çıkarılmış bir birlik haline gelmişti. Bitkin haldeydiler, her zamankinden daha fazla katliama başvuruyorlardı. Ölüm ve kan onları çılgına çevirmişti, artık av sürme yöntemlerini şehirlerin ortasında uyguluyorlardı. Korkunç köpeklerinin kılavuzluğunda insanları saklandıkları yerlerden çıkararak, mahzenlerde kovalayarak özenle öldürüyorlardı.

Ivana dehşet içeren bu yazıları notlar alarak okuyordu. Bazen, bu tanıklıklara fotoğraflar ve filmler eşlik ediyordu. O zaman "oynat"ı tıklıyordu. Birçok görüntü arasında bir sahne şuydu: Varşova'da malzeme sıkıntısı çeken bir hastanede, Kara Avcılar süngüleyerek ya da dipçik darbeleriyle yaralıları, hastaları ve hemşireleri öldürüyorlardı. Ama eğlenmek de gerekiyordu. Dirlewanger, çırılçıplak soydukları, bacak aralarından kan akan hemşireleri elleri başlarının üstünde hastanenin avlusuna çıkarttırıyordu. İçlerinden birini seçiyor, onu asıyor ve üzerinde dengede durmaya çalıştığı tuğlaları bir tekmeyle deviriyordu... Bir başka sahne: Üniformalı iriyarı bir asker kahkahalarla gülerek, on yaşlarındaki bir oğlanı kor ateşin içine atıyordu. Bir başkası: Bir asker rahibin suratını parçaladıktan sonra bir haçın üzerine işiyordu...

Ivana derin bir nefes alıp saatine baktı: Gecenin biri olmuştu. Okuduğu ve gördüğü dehşet bir tür hipnoz etkisi yaratmış ve zamanın geçtiğini anlamamıştı. Niémans'ı uyandırmalı mıydı? Kuşkusuz hayır. Aç olup olmadığını düşündü, işte bu tuhaftı, hiç acıkmamıştı.

Toplu mezar resimlerine bakmaya çalıştı. Sebebini açıklayamıyordu, ama bugünkü düşmanın da geçmişin korkunçluklarından ilham aldığını ya da bu şeytani ruhun bir kısmının Jürgen'in katilinin ya da katillerinin hâlâ beyninde yaşadığını biliyordu. İnsan fizyolojisinin alışılmış haliyle alakası olmayan biçimsiz beden duruşlarına sahip cesetler. Eklem yerlerinden ters dönmüş kol ve bacaklarıyla yeniyetmeler, sinek dolu açık ağızlarıyla çocuklar, etekleri sıyrılmış kadınlar: Yaşama, insana saygıya, haysiyete karşı yapılmış birçok saldırı... Ve tüm bunların çevresinde, ölümün esrikliği içinde köpekler.

Ivana ayrıca hiçbir şey anlam ifade etmeyen çiftlerin art arda geçip gittiğini de görüyordu. Dirlewanger'in avcıları, sadece onlar, 120.000'den fazla insanı katletmişti. İnsan kırımı doğal bir felaket halini almıştı, rakamlar alt alta sıralanıyordu, yıkımın büyüklüğü insan havsalasının hayal edemeyeceği boyuttaydı: bir halk, bir köy, bir ulus?

Somut şiddet içeren ayrıntıları araştırmayı tercih ediyordu. Sondereinheit askerlerinin özel bir imzası vardı. Tecavüz ettikten sonra yol üstüne bıraktıkları kadınlar uzun süre "oldukları" gibi kalmıyordu. Vajinaya pimi çekilmiş bir el bombası yerleştirmek gibi bir alışkanlıkları vardı...

Ivana gözlerini bilgisayarından ayırdı ve köpeğin tüyleri üzerindeki birbirine çaprazlanmış iki el bombasını düşündü. Nasıl bir kâbusun içindeydiler?

Yağmur şimdi camları şiddetle kamçılıyordu. Mermerin üzerine hızla fırlatılan avuç dolusu inci tanesi gibiydi. Pencereden bakmak için ayağa kalktı, ama o esnada odasının ışığı söndü.

Çığlığını bastırıp refleks olarak silahını aradı. Nereye koymuştu? Küçük masası, yatak ve dolap arasında el yordamıyla silahını ararken gözleri karanlığa alıştı ve karşındaki duvarda, kapı pervazı boyunca pusuda bekleyen uzun boylu silueti fark etti.

– Aradığın şey bu mu?

Ivana adamın elindeki silahı tanıdı, kendi Sig Sauer'iydi. Davetsiz misafir silahı ona doğru fırlattı ve kadın polis son anda tabancayı yakalamayı başardı.

– Kahretsin, ödümü patlattınız.

Niémans kımıldamıyordu.

– Buradalar, dışarıda, dedi sadece.

33

Yağmurun altında arnavutkaldırımı sokak bir timsah derisi gibi parlıyordu. Etraf ıssızdı, ama pencereden dikkatle bakınca Ivana bitişik sokakların her birinin köşesinde bekleyen adamlar gördü, bazıları motorluydu bazıları ise ayaktaydı, ayaklarının dibinde de Ivana'nın asla canlı olarak görebileceğini düşünmediği bir köpek vardı.

Kara Avcılar bütün gerçekliğiyle oradaydı; reenkarnasyon geçirmişler ve lanet motorculara dönüşmüşlerdi. Bazıları yağmur altında parlayan ve kaftanı andıran uzun paltolar giymişti, bazılarında yüksek yakalı meşin ceketler vardı, diğerleri ise parka benzeri kürklü kıyafetler içindeydi. Yüzlerini görmek imkânsızdı. Motorlular Nazi askerlerinin miğferlerini andıran kâse şekilli kasklar ve eski tarz motorcu gözlükleri takıyordu. Diğerleri ise "Demir Maskenin İntikamı" tarzında, burun kısmında bir korumalık bulunan bez kar başlıklarının ardına gizlenmişti.

Ivana, az önce bilgisayar ekranında, hemen hemen 24 resim/saniye ilerleyen eski filmleri izlemişti. Şimdi aynı etkiyi yapan yağmurdu, görüntüyü düzensiz, titrek sekansa, sonradan hareket verilmiş arşiv resimlerine dönüştürüyordu.

– Ne yapıyoruz? diye fısıldadı Ivana.

– Evet, ne mi yapıyoruz? Dışarı çıkıyoruz.

– Kleinert'e haber vermek gerekiyor.

Niémans kapıyı açtı.

– Kleinert'inle canımı sıkmaya başladın!

Ivana elinde silahı, Niémans'ın peşine takıldı. Dış kapıya ulaştıklarında, yağmur perdesi onları bir anda durdurdu, o kadar şiddetli yağıyordu ki kalabalığın içinde ilerleyen biri gibi omuzlarını sağa sola oynatarak kendine yol açması gerekiyordu.

Niémans Kara Avcılar'ın durduğu kavşağa doğru koşmaya başladı, ama hiçbir şey görünmüyordu. Ivana onun peşinden koşmaya karar verdiği sırada polis bir anda durdu.

Kara bir alevi andıran bir köpek, doğruca ona çarptı, onu geçerek yarısaydam perdenin altında koşmayı sürdürdü.

Ivana koştu.

– İyi misin? diye sordu, tabancasını kılıfına soktuktan sonra onu yerden kaldırmaya çalıştı.

İmkânsız. Niémans bir ton ağırlığındaydı. Bir su birikintisinin içinde sırılsıklam olmuş siyah paltosu onu daha da ağırlaştırıyordu. Yağmur onları hırpalıyor, içlerine işliyor, onları delip geçiyordu.

– İyiyim, diye kem küm etti, kahretsin, ben...

Onun üzerine doğru eğilmiş olan Ivana başka bir şey duydu, dudaklarının arasından bir mırıltı geliyordu. Sürekli olarak ne olduğu tam olarak anlaşılmayan bir sözcüğü fısıldıyordu: Meyankökü... meyankökü... En azından duyduğu buydu.

Niémans sonunda bir dizini yere koymayı başarınca, Ivana da tamamen doğruldu ve sokağın iki tarafına göz gezdirdi: Köpek geri dönecek, motorcular ortaya çıkacaktı... Düşüncelerin yaptığı çağrışımla, aklına Niémans'ın Glock'u geldi, elinden düşürmüş ve tabanca birkaç metre uzağa fırlamıştı.

Ivana silaha doğru hamle yaptıysa da sokağın uğultusu içinde bir motor homurtusu duyuldu ve motorcular bir tür tehditkâr fırtına, ıslak havayı zehirleyerek kendi çevresinde dönüyormuş hissi veren bir vınlama oluşturarak ortaya çıktılar.

İki ayağı su birikintisinin içinde, Ivana motorculardan birine nişan almak için tabancasını doğrulttu ama bir çığlık onu bir anda durdurdu. Arkasına döndü ve yerde büzülmüş Niémans'ı gördü, iki eliyle kafasını sımsıkı tutmuş hıçkıra hıçkıra ağlıyordu.

Köpek geri gelmişti: Avının yenilgisinin tadını çıkaran bir yırtıcı gibi polisin etrafında dönüyordu. Görüş alanı iyi olmamasına rağmen, Ivana köpeğin gözlerindeki parıltıyı gördüğünü sandı, enfeksiyon odakları gibi parlayan iki ateş bilyesi.

Motorculara nişan almak için yeniden arkasına döndü, ama hızla üzerine gelen adamlardan biri onun çenesine vurdu ve Ivana arnavutkaldırımı sokağa yuvarlandı. Ayağa kalkana kadar, milyarlarca yağmur damlasının ardında zorlukla seçilen dört motorcu onun çevresini sarmıştı. Her biri çok koyu renkli bir motora biniyordu, homurtular çıkararak çalışan motorların markası görülmüyordu.

Dudakları yağmurdan ıslanmıştı, Ivana gözlerini kısarak çevresini saran bu zorbaları iyice görmeye çalıştı, ama şimdi sadece yüzlerinin yarısını gizleyen fularlarını ve demiryolcu gözlüklerini görüyordu. Sanki yüzlerinin alt kısmı onlardan koparılmış gibi çıplak çenelerini ortaya çıkaran kumaşlar. Diğer adamlar da, tasmalarından tuttukları korkunç köpekleriyle yürüyerek yaklaşıyordu, hepsinde kar başlığı vardı.

Ivana içinde bulunduğu duruma inanamıyordu: Ferforje tabelaları ve pencerelerinde sardunyalarıyla peri masallarındaki dar bir sokağı andıran bu sokakta sanki *Mad Max* tarzı bir sahne cereyan ediyordu. Ne sokaktan geçen biri ne de görünürde bir polis arabası vardı; yağmur her şeyi gizliyordu ve herkes evlerine çekilmiş, bir yere sığınmıştı.

Ivana da silahını kaybetmişti ve bu tek ayrıntı onun yıkımı oldu. Kendini yeniden arnavutkaldırımının üstüne bıraktı, motorlar tarafından ezilmeyi ya da kafasına sıkılacak bir mermiyle ölmeyi bekliyordu.

Saldırganlar daha fazla hayal gücüne sahip gibiydi. Piyadelerden biri yaklaştı ve onu saçlarından çekti. Ivana bağırarak karşı koymaya çalıştı ama adam onu en yakındaki motora kadar sürükledi. Egzoz gazının, ısınmış motor yağının ve yanan benzinin kokusunu duyabiliyordu...

Bedenini hafifçe arkaya doğru bükünce, kar başlığının baklava biçimi deliklerindeki gözleri gördü; bu görüntünün mezara kadar onunla geleceğini biliyordu. Onu bir anda ter içinde bırakan, sürekli olarak baskıladığı cinsel duygularıyla ilgili bir kâbus gibiydi, ölümün eşiğindeydi.

Saldırgan onun sağ kolunu yakaladı ve motora doğru uzattı. Ivana yeniden kurtulmaya çalıştı ama mücadele edecek kadar güçlü değildi. Ne olacağını anladığında gözlerini kapattı ve ses tellerini sonuna kadar zorlayarak canhıraş bir çığlık attı.

Asker onun elini fren pedalı ile motorun zincir karteri arasına sıkıştırdı. Ivana kemiklerinin zincirle ya da herhangi bir dişliyle kırılmasını bekliyordu, ama pislik herif hareketin devamını getirmedi.

Öte yandan, motorcu motorunu stop etti, diğerleri de aynısını yaptı. Bir anda görece bir sessizlik oldu, çünkü yağmurun ardı arkası kesilmeyen şakırtısı devam ediyordu.

Ivana artık ne düşüneceğini bilmiyordu, hatta ne düşündüğünü bile. Yuvalarından fırlamış gözleriyle adamın çizmesinin gaz levyesinin üstünde durduğunu görüyordu. Yukarı kalkık olarak duran gaz pedalı yayının gerginliğini bütün bedeninde hissetti.

Aşağılık herif gaz pedalına sertçe bastığında parmakları bir anda kopacaktı. Beklemekten başka yapacak bir şey yoktu...

Bir yerlerde okumuştu, insan ruhunun belirgin niteliği kabullenme, yani ertesi günü düşünme yeteneğiydi. Pekâlâ, şu anda, yaşadığı korkuya ve dehşete rağmen, sağ elinin parmakları olmadan da hayatının nasıl olacağını gözünde canlandırabiliyordu.

Aynı zamanda da, zayıf bir teselli olarak, böyle bir cezayı bir sokak lambasına asılmaya ya da vajinasına pimi çekilmiş bir el bombası konulmasına tercih ettiğini düşünüyordu...

Ona motorcu gaz levyesine basmak için çoktan ayağını kaldırmış gibi geldi, ama aslında ona doğru eğiliyordu. Tek harekette, fularını indirdi ve anlaşılması için heceleri vurgulayarak Almanca konuştu:

– Siz Prens'i öldürdünüz ama sizi affedebilirim. Buradan gitmeniz yeterli.

Beyninin içindeki karmaşa nedeniyle, Ivana adamın Jürgen von Geyersberg'den söz ettiğini sandı, ama bunun bir anlamı yoktu. Hayır, Niémans'ın öldürdüğü köpeği kastediyordu.

Bir şey söylemeye çalıştı ama demiryolcu gözlüklerinin ardındaki adam işaretparmağını dudaklarına yapıştırdı: Sus.

– Gidin. Hâlâ zaman var.

Diğer adama, Ivana'yı tutmasını ve elini motorun dişlileri arasından çıkarmasını emretti. İşte o zaman, bir homurtu senfonisi oluşturarak hareket etti, diğer motorcular da aynısını yaptı.

Ivana kolunu tutarak, bir asfalt matkabı gibi titreyerek ve sokak lambalarının üçgen ışığıyla belirginleşen ama hâlâ yağmur nedeniyle zorlukla seçilen sokağa bakarak öylece kaldı.

Bu şekilde ne kadar zaman geçtiğini bilmenin imkânı yoktu.

Sonunda arkasına döndü ve ayağa kalkmaya –boşuna– çalışan Niémans'ı fark etti. Su birikintisinde, bir mazot tabakası içindeki bir karabatak gibi debeleniyordu.

Ancak o zaman aklına geldi ve telefonunu bulmak için ceplerini yokladı. Önce, her şeyden önce Kleinert'i aramalıydı.

Telefonunun ekranı, tam o anda Alman polisten bir mesaj geldiğini gösterdi.

Mesajı dinledi ve gecenin daha yeni başladığını anladı.

II

Yaklaşma

34

Ceset yeşilimsi bir yarığın içindeydi.

Kumlu toprak bir düzlüğün ortasında yer alan, iki metre derinliğinde, karayosunları ve likenlerle kaplı bitkisel bir yara. Etrafındaki kara köknarlar buraya ne insanların ne de mevsimlerin girmesine izin veriyordu.

Bir kez daha ceset çıplaktı.

Bir kez daha iğdiş edilmiş ve kafası kesilmişti.

Zavallı Max'ın başı, kulakları kesilmiş, saçları balmumuyla kaplanmış halde, dişlerinin arasında bir meşe palamuduyla buradan birkaç metre uzakta bulunmuştu. Bağırsaklar? Şu anda arıyorlardı, yakınlarda bir yere gömülmüş olmalıydı.

Alman kriminal polisinin ışıldakları, Asya'nın ipek kâğıdından fenerlerini hatırlatan beyaz balonları olay yerinin üzerinde dalgalanıyor ve hiçbir ayrıntıyı gözden kaçırmayacak şekilde ortaya çıkarıyordu.

Yaşadığı şoku atlatıp toparlanmak için Niémans'ın bu mesafeye ihtiyacı vardı; kırk dakikada Freiburg im Breisgau'da, Geyersberg ormanlarından birinin tam ortasındaydılar.

Şimdilik, Kara Avcılar'ı ya da en azından onlar gibi kötü kıyafetler giyerek ve korkunç köpekler yetiştirerek 2018 yılında onlara öykünenleri düşünmek istemiyordu. Röetken ona saldırdığında yaşadığı korkudan kaynaklanan paniği biraz olsun atlatmış ve yeni olay yeri için yola çıkmadan önce giydiği kuru kıyafetlerin keyfini çıkarmıştı.

Katil neyin peşindeydi? Geyersberg klanını yok etmek mi istiyordu? Tüm ailenin sorumlu olduğu bir suçun intikamını mı alıyordu? Yoksa tamamen başka bir amacı mı vardı?

Bir cesedi kıskandıracak kadar solgun Kleinert yanına geldi.

– Ayak tabanlarında karayosunu ve yaprak kalıntıları var. Bu da Max'ın yarığa ulaşmadan önce uzun süre çıplak ayakla yürüdüğünü gösteriyor.

– Jürgen'de de aynı durum söz konusu muydu?

– Evet.

– İyi de, neden kimse bana bunu söylemedi? diye bağırdı Niémans, kızmıştı.

Kleinert her zamanki ciddi ve soğuk, yarı öğretmen, yarı silahşor yüz ifadesiyle şaşırmış gibiydi.

– Ama herkes bunu size söyledi! Demek istediğim, Fransız jandarmasının dosyasında bu yazıyordu ve biz raporlarımızda bunu birçok kez belirttik.

Niémans kimsenin, hatta kendisinin bile duymadığı bir şeyler homurdandı.

– Gövdesinde sıyrıklar var, diye devam etti Kommissar. Bu da ormandaki köknarlara ve başka ağaçlara sürtündüğünü gösteriyor. Tüm bunlar onun kovalandığını akla getiriyor.

Niémans'ın aklına Kara Avcılar geldi. Kuzeni kovalayan onlar mıydı? Sürek avından bir önceki gece çağırdıkları fahişeler için "Size vizite ücretlerini söyleyebilirim" diyen oydu. Ruhu huzura ersin...

– İpucu, parmak izi var mı?

– Hiçbir şey yok. İlk cinayetteki gibi.

Bu durumda, yüksek silindirli motorlar kullanan uzun paltolu ve kar başlıklı soytarılar dışarıda kalıyordu. O herifler, üstelik yaya olarak, hiçbir iz bırakmayacak kadar dikkatli olamazlardı.

– Bu anlaşılır gibi değil, diye devam etti, özellikle bu arazide.

Düzlük, gerçekten de üstünde yer yer kökler, ağaç kütükleri, kayalar bulunan kırmızı renkli bir kumla kaplıydı. Batmadan, iz bırakmadan yürümek imkânsızdı. Özenle her şeyi süpürmüş olabilirler miydi?

– Ama yine de Max'ın ayak izleri var, değil mi?

– Hayır, yok. İnanılmaz olan da bu.

Gözünün önüne, çakıllardan oluşan kumluk bir alanı tırmıkla özenle düzelten bir Japon bahçıvanın görüntüsü geldi ama vazgeçti: Cinayetin vahşetiyle hiçbir ilgisi yoktu.

– Arabası bulundu mu?

– Buradan üç kilometre uzakta, bir patikanın yakınında.

– Demek ki bir randevusu vardı.

– Kuşkusuz, ama cep telefonunu kontrol ettik. Randevuyla ilgili bir telefon görüşmesi yok.

– En son kimi aramış?

– Kardeşini, saat 18.12'de. Onu sorguladık. Bir kadın meselesi. Görünen o ki... partnerlerini paylaşıyorlarmış.

Niémans'ın aklına aynı şeyi yapan Jürgen ile Laura geldi. Bu düşünceden de vazgeçti: Cinayet sebebinin cinsellikle bir ilgisi yoktu.

Buradaki küflü havayı soludu, ölümün, çürümenin kokusu. Bu sadece Max'ın cansız organlarının kokusu değildi, her yere yayılmış berbat bir koku. Bu düzlük, mantar yetiştirilen bir yer gibi pis kokuyordu.

– Onu çukurda öldürmüşler, diye devam etti Kleinert.

– Bunu nasıl biliyorsunuz?

– Kan. Çukur kanla ıslanmış. Kriminal polis epeyce organ kalıntısı buldu. Çukurun dibi kasap dükkânı gibi.

Niémans aşağı baktı: Kumun rengi bir anda çok farklı bir renk aldı. Sanki yarık akan bütün kanı emmişti. Hiç kuşkusuz katil, üreme organlarını yine anüs deliğinden çıkarmıştı...

– Boğuşma var mı?

– Henüz bununla ilgili bir kanıt bulamadık. Otopsiyi beklemek gerekiyor. Ama Max'ın kuşkusuz karşı koyacak gücü yoktu...

Niémans omzunun üzerinden ona bir bakış fırlattı.

– Bunu nereden biliyorsunuz?

Kleinert cevap verme gereği duymadı. Herhangi bir kanıt olmasa bile her şey çok açıktı: Kuzen kovalanmıştı, zaten çıplaktı, sonra onu bu düzlükte kıstırmışlardı.

Niémans avcılık terimleriyle sahneyi gözünde canlandırdı. Meşe palamudu ve iç organlar dikkate alınmazsa, bu sahne ona bir sürek avında gücü tükenen ve yaşadığı panikle çılgına dönen hayvanın bıçak darbeleriyle öldürülmesini ve tazı hakkı olarak bağırsaklarının köpeklere verilmesini hatırlatıyordu.

Bu düşünce başka bir düşünceyi çağrıştırdı:

– Max pirsch avı yapıyor muydu?

– Hiçbir fikrim yok. Araştırmak gerekiyor.

– Sürek avı?

– Geyersberglerin son av partisine katıldı.

– Otopsi nerede yapılacak?

– Stuttgart'ta.

– Oldukça uzak.

– Anlamadınız sanırım. Bu cinayet, bu gece Almanya topraklarında işlendi. Eyalet polisi ilk bulguları ortaya koydu ama dosyayı Alman Cinayet Bürosu devralacak.

– Ne zaman burada olurlar?

– Yarın akşama doğru.

Bir bakışta birbirlerini anladılar: Kendilerini kanıtlamak için yaklaşık yirmi saatleri vardı. Yetkililere onları da dikkate almaları gerektiğini göstermek için.

– Cesedi kim buldu?

– Holger Schmidt adında bir av korucusu.

– Eyalet için mi çalışıyor?

– Hayır. Geyersbergler için. Bu orman onlara ait.

– Adamın profili?

– Emekli bir su ve orman mühendisi. Geyik ve yabandomuzu popülasyonunu denetliyor. Onların sağlığını, beslenmesini ve üremesini değerlendiriyor. Her şey kayıt altında. Bu ormanlar neredeyse yabanıl hayatı koruma alanları kadar vahşidir.

– Aylığını kim veriyor?

– Gönüllü olarak çalıştığını sanıyorum.

– Yaşlı Franz'ın derneklerinden biri için mi çalışıyor?

– Olabilir. Önemli mi?

– Kontrol edin.

– Ne düşünüyorsunuz?

– Hiçbir şey. Ama cesedi bu adamın bulduğu ne malum?

– Yani?

Niémans sabırsızlık ifadesi olarak bir hareket yaptı. Alman onu kendi kanıtlarına doğru yönlendiriyordu ve kanıtları hiçbir yere götürmüyordu.

Aynı anda başlarını çevirdiler: Ivana onlara doğru yaklaşıyordu.

– Sen, sen neredesin? diye bağırdı, Niémans.

– Kriminal polis teknisyenleriyle konuşuyordum.

Sinirlenen Niémans, onun "Ben Almanca konuşabiliyorum" dediğini duydu. Hemen ardından, motosikletin önünde, dizleri üstünde parmakları zincir karterine sıkıştırılmış Ivana yeniden gözünün önüne geldi. Bu görüntü onu utandırıyordu. Onu kurtarması, ona koşması gerekirdi... Ama basit bir köpek onu durdurmuştu.

Birden, ağaçların ardında tüyler ürpertici bir çığlık duyuldu. Tam olarak nereden geldiğini görmek imkânsızdı. Hep birlikte ormanın sınırına kadar ilerlediler. İlk sıra ağacın arkasında bir açıklık daha vardı, kriminal polis malzemelerini oraya bırakmıştı ve üniformalı polisler olay yeri şeridi çekiyordu. İtişip kakışma buradaydı.

Mavi anoraklı bir polis kaydı ve kıç üstü düştü, bir diğeri ilerlemesini engellemek için bir sivili belinden tutuyordu, bir diğeri de onları ayırmaya çalışıyordu... Sonunda, beyaz kâğıt balonlardan birinin aydınlığında Niémans, o esnada Udo'nun hüzünlü bir far gibi parlayan acılı yüzünü gördü.

Bu tür sahneleri, Niémans onlarca kez görmüştü, ama küçük erkek kardeşin, burada "kendi işimi kendim hallederim" demek isteyen yüz ifadesi çok derindi. Sonsuza kadar bu acıyla yaşamaya mahkûm bir ölü. Wagner soslu bir Prometheus...

– Benimle gel, diye emretti Ivana'ya.

Bir grup elektrik kablosu arasında sendeleyerek bir ağacın arkasına geçtiler.

– Hepsinin başına aynı şey gelecek, diye fısıldadı. Jürgen Ferdinand'ın büyük oğluydu, Max da Peter'in... Laura ölümden kurtuldu, ama o ve Udo, katilin hedefinde, bundan eminim. Klanın vârisleri yok edilmek isteniyor.

Ivana, yasayla ve çevreyle ilgili kuralları ihlal ederek bir sigara çıkardı. Niémans'a göre daha sakin görünüyordu. Geceki saldırıya rağmen yeniden gücünü toplamıştı.

Polisin içinde huzursuz, derin bir şeyler kıpırdanıyordu.

– Sana bir şey söylemek istiyordum... diye mırıldandı.

– Ne?

– Bu gece, ben yapamadım, ben...

– Tamam, çok iyi anladım.

Niémans ona hüzünlü gözlerle baktı. Buna karşılık Ivana gülümsedi: Ivana'nın en iyi bildiği şey, herhangi birinin ölümüne neden olacak olayların üstesinden gelmekti.

– Köpeklerle olan travmanızı bana anlatmak için bu yeni bir sebep.

Niémans gülümsemeye çalıştı, ama yüz kasları taşlaşmıştı. Zincir karteri ve motosikletin dişlileri arasına hapsedilmiş Ivana'nın eli yeniden gözünün önüne geldi. Küçük Slav'ın, yağmur sularının sel olup aktığı arnavutkaldırımı sokakta yuvarlanan parmakları.

Bir anda çenesi gevşedi.

Bir ağacın arkasına geçip kusmak için bu yeterliydi.

35

Niémans şemalardan, tablolardan, listelerden nefret ediyordu, ama bu kez bu güçlüğe katlanmak zorundaydı. Merkez karakolda iç karartıcı birçok ayrıntısı olan (soluk ışık veren tavan lambaları, plastik mobilyalar, yıpranmış bir kahve makinesi...) bir toplantı odası bulmuşlardı, ama bir polis için sıcak yuvasına dönüş gibiydi.

Bu dekorasyonun en önemli parçası kullanılmış keçeli kalemleriyle eski bir "paperboard"du.[34] Niémans büyük kâğıda olayın ana öğelerini yazmaya başlamıştı.

Sol tarafa, "KAÇIK KATİL" yazmıştı, bu çok bir şey ifade etmiyordu, ama yine de genel durumu açıklıyordu. Özellikle de, bu ana kadar göz önünde bulundurdukları olası şüphelileri kesin bir şekilde olayın dışında bırakıyordu: Geyersberglerin düşmanları, ailenin sahte yakınları, av köşkünün davetlileri, VG Grup'un rakipleri... kendilerine göre makul sebeplerle bu cinayetleri işleyebilecek herkes.

Niémans sağ tarafa da "KARA AVCILAR" yazmıştı. Ivana dönüş yolunda, Kleinert'e şehrin merkezinde uğradıkları saldırıyı anlatmıştı.

Kâğıdın ortasına da "LAURA" yazmıştı. Sanki o, katili Kara Avcılar'a bağlayan öğeydi. Niémans'a göre Laura katilin ya da katillerin hedefindeydi. Zaten önceki gece bir "Sonderkommando"nun saldırısına uğramıştı. Bu, katilin o çeteden olduğunu mu gösteriyordu? Cevap vermek imkânsızdı.

Niémans paperboard'un bir başka köşesine de "FRANZ" yazmıştı. Farazi olsa da, cinayetler ile motorcular arasındaki bağlantı o olabilirdi. Bir açıdan, Jürgen ile Laura'nın babasından,

34. Bir üçayak üstüne yerleştirilmiş levhaya takılı büyük boy kâğıtlardan oluşan ve sunumlarda kullanılan gereç. (ç.n.)

Ferdinand'dan intikam almak için bir sebebi vardı. Diğer açıdan, ki Niémans bundan emindi, Kara Avcılar'ı tanıyordu.

Polis isimler arasına oklar çizerek anlatıyordu ama arkasında şüphe yüklü ağır bir sessizlik olduğunu hissediyordu. Arkasına döndüğünde, ellerinde ayurvedik çay dolu kupalarıyla, bitkin bir halde ona bakan Ivana ile Kleinert'i gördü. Kendini esrar çekmiş iki hippi karşısında konferans veriyormuş gibi hissetti.

– O halde? diye sordu, Ivana.

Niémans elindeki keçeli kalemi bırakıp Kleinert'e doğru konuştu:

– Öncelikle, asgari bir ya da iki adamı Max'ın cinayetini araştırmaları için görevlendirin.

– Cinayet büronun adamları gelmeden önce buna yoğunlaşmamız gerektiğini düşünüyordum.

– Bu konuya değil. Benim gibi siz de biliyorsunuz, hiçbir şey bulamadık, ne tanık ne kamera görüntüsü ne de şüpheli bir telefon.

Elini büyük kâğıdın sol tarafına koydu.

– Katilin sebebini boş verip onun hünerinden yola çıkalım. Buradan başlamamız gerekecek. Baden-Württemberg'in güneybatı bölgesindeki tüm avcıları, kaçak avcıları, av korucularını, su ve orman mühendislerini saptayın.

– Bu çok insan demek.

– Umurumda değil. Adamlarınızı seferber edin. Her herifin şeceresi, adli sicili, Geyersberglerle olan bağı, aldığı avcılık ödülleri bize gerekiyor...

– Ama...

Niémans bitirmesine izin vermedi, elini sağ tarafa kaydırdı.

– Kara Avcılar'a gelince, elimizde bir koz var: Bu akşamki saldırı. Şimdi artık elimizde, bu akşamki kaçıklarla ilgili somut bilgilere ulaşabileceğimiz bir şey var: motorları.

– Yani? diye sordu Ivana, kuşkusuz parmaklarındaki uyuşukluk devam ediyor olmalıydı.

– Adamlar Norton marka motor kullanıyordu. Çok sık rastlanmayan İngiliz motorları. Özellikle de, bu akşamki motorların hepsi "café racer"dı.

İki meslektaşı sessizdi. Niémans mekanik bilgisini sergileme fırsatı bulduğu için epey mutluydu.

– 60'lı yılların İngiliz "rocker"lardan miras kalmış bir teknik. Hız kazanmak için olabildiğince gövdeyi küçülterek, aksesuarları azaltarak motorlarını modifiye ediyorlardı. Amaç, müzik dolabındaki şarkı bitmeden bir kafeden belirli noktaya gitmek, sonra geri dönmekti...

Kleinert ile Ivana sabit gözlerle bakıyorlardı, bu da bir şeydi. O da bu motorların yoluna çıkmış olmasına şaşırmıştı. Önce Almanların savaş motorlarını gördüğünü sanmıştı, ama hayır, çıplak çatalıyla, basitin basiti benzin deposuyla, çok alçak gidonuyla aşırı derece sadeleştirilmiş İngiliz motorlarıydı...

– Tüm bunlar arasında unutulmaması gereken şey, diye devam etti, bu modellerin profesyonel bir atölyede modifiye edilmiş olması. Aynı işlemlerden geçen hız motorları söz konusu değil. Norton'a kadar uzanmamız gerekiyor, hem burada, Almanya'da hem de Büyük Britanya'da.

Kleinert çaresizce haykırdı:

– Peki, kim bu herifler?

– Kaçak avcılar, paralı askerler, eski askerler. Belki de soyguncular. Bu bölgede ya da Stuttgart'ta hiç buna benzer saldırılar oldu mu?

– Hayır... asla!

– Tamam, bu herifler ormandan çıkmaya karar verdiler, şaka değil. Organize oldular ve polisten korkmuyorlar. Bana göre, korunuyorlar.

– Kim tarafından?

Niémans cevap verme gereği duymadı: Dirlewanger'inki gibi, asker, düzen sağlayıcı ya da başka bir baskı milisi olarak kullanmak için kaçak avcıları serbest bırakan bir yöntemden esinlenildiğini düşünmek güzel bir başlangıçtı.

Ivana, bir öğrenci refleksiyle elini kaldırdı.

– Anlamıyorum. Katilin Kara Avcılar'dan biri olduğunu mu düşünüyorsunuz?

– Bu konuda henüz bir şey bilmiyorum ama bağlantı olmadığını düşünmek de imkânsız. Laura'ya yapılan saldırı bunu ispatlıyor.

Yeniden sessizlik oldu. Köpekle yapılan bu saldırı Jürgen ve Max cinayetleriyle pek uyuşmuyordu.

– Adli tabibe göre, diye konuştu Slav kız, Max saat 20.00 ile gece yarısı arasında öldürülmüş.

– Eee, yani?

– Kara Avcılar önce kuzeni öldürdüler sonra da Freiburg im Breisgau'ya mı geldiler?

Niémans cevap vermedi. Bu akla uygun değildi, kabul etmeliydi. Paperboard önünde yürümeye başladı, neden bilmiyordu, ama ticaret erbabına ve marketlerdeki reyon şeflerine özgü, üzerinde kâğıtlar bulunan bu tahta onu rahatlatıyordu.

Sonuçta ne diyeceğini bilemediği için saatine baktı: Saat sabahın 5'ini geçiyordu.

– Size bir önerim var: Gidip 2-3 saat uyuyalım ve saat 9'da burada buluşalım. (Kleinert'e doğru döndü.) Adamlarınız bu gece çalışıyor, değil mi?

– Elbette.

– Öyleyse, onlara üzerinde düşündüğümüz olası ipuçlarını aktarınız.

– Özür dilerim... Tam olarak hangi ipuçları?

– Önce adli sicili bozuk olan ya da ruhsal rahatsızlığı bulunan tüm kaçak avlananlar ile avcılar. Sonra, yaşlı Franz'ın dernekleri, bunlar neyin paravanı tam olarak görelim. Gece nöbetçilerinin sorumlusu kimse ve VG'deki iş güvenliğiyle ilgili kim varsa herkesin kontrol edilmesi gerekiyor.

Kleinert, Ivana'nınki gibi bir bloknot çıkarmıştı. Kuşkusuz, Fransız polise güvenmeye karar vermişti.

– Ayrıca bu geceki güvenlik kameralarının görüntülerine ulaşmak, Freiburg şehir merkezinde kapı kapı dolaşmak gerekiyor. Yağmura rağmen, bir ipucu, bir plaka numarası, herhangi bir şey bulabiliriz. Yeterince adamınız var mı?

Alman kafasını kaldırmadan, onu teyit etti

– Romanları da araştırsınlar mı?

– Ben de buna gelecektim. Freiburg Hastanesi'nde Mart 2000'de, çok kötü yaralanmış küçük bir kızın izi bulundu, Julia Wadoche. Dosyasında babasının adı yazılıydı, Joseph. Kol kadar uzun bir suç sicili vardı ve kendini "göçebe" olarak adlandırmıştı. Ailemiz bu, hiç kuşkum yok.

– Şimdi neredeler?

– Sürekli olarak yer değiştiriyorlar, ama her şeye rağmen hâlâ bölgedeler.

– Çok güzel. Mutlak önceliğimiz bu.

Kleinert şaşkınlığını dışa vurmuştu.

– Bu geceki saldırganlar bu ailenin adamları ya da onların halefleri. Bazen, uzakmış gibi görünen bir ipucu yeni bir ipucu olarak karşınıza çıkabilir.

Niémans göz ucuyla Ivana'ya baktı, not alırken yavaş hareketlerle kafasını sallıyordu. Bu basit hareketin anlamı açıktı: "Bu aptalca cümleleri kendinize saklayabilirsiniz. Artık polis okulunda değiliz..."

36

Niémans sabaha kadar gözünü kırpmadı. Kızgınlık, düşünceler, korku...

Saat 9'da, Kleinert telefon etmişti. İki haber vardı, âdet olduğu üzere biri iyi, diğeri kötüydü. Kötü olan, Freiburg im Breisgau'daki tüm sokak kameraları karartılmıştı; motorcularla ilgili tek bir görüntü yoktu. Herhangi bir tanık da bulunamamıştı, teşekkürler yağmur. İyi haber, Wadoche ailesinin yeri belirlenmişti. Roman aile, Offenburg civarında, Fransa sınırı yakınlarında, Freiburg'un kuzeyindeki bir park alanında yaşıyordu.

Şimdi üçü, Ivana ve Kleinert'le birlikte, Niémans'ın Volvo'sunda yol alıyorlardı. Bugün acilen halledilmesi gereken işler vardı, üçlü birbirinden ayrılmak istememişti. İki yolcu yine baharatlı çaylarını içiyordu, donuk yüz ifadeleri, geceki uykusuzluğun neden olduğu kırışıklar.

Niémans da kötü durumdaydı. Keyifsizdi, yol boyunca sürekli olarak haçlar, haçlar üzerinde İsa heykelcikleri, haç dikili tepeler görüyordu... Tepelere dikilmiş heybetli siluetler, kapılara çivilenmiş çarmıha gerili İsalar.

İki gün önce sınırı geçtiklerinden beri için için, derin bir huzursuzluk hissediyordu, sürekli olarak bağırsaklarını buran gerçek sancılar. Bunun Geyersberglerin soruşturmasıyla ilgisi yoktu, her şey çocukluğuyla alakalıydı. Almanya nefretiyle büyütülmüştü.

Alsace'lı büyükannesi ona Alman askerlerinden, Alman subaylarından, Alman komutanlardan nefret etmeyi aşılamıştı ve o dönemde izlediği filmlerin yarısı, rütbe şeritleri bulunan yakalarının içine vidalanmış boyunlarıyla, kulak tırmalayan bir Fransızca konuşan üniformalı kötü Almanlarla ilgiliydi. Kuşkusuz Almanya artık, büyükannesinin diş bilediği Nazi Almanyası değildi, Holokost

Almanyası değildi ya da milyonlarca insanın ölümüne neden olmuş Almanya da değildi, ama ülke hırsızların, kepaze kültürlerini benimsetmek için Alsace'ı ele geçirmiş olanların Almanyası'ydı.

Aldığı bu eğitim onu sonsuza dek etkilemişti. Daha sonra, Fassbinder, Bowie'nin Berlin'i, Duvar'ın yıkılışı, elektro müzik vardı, ama hiçbir işe yaramamıştı: Yok edilemeyecek şekilde beynine kazınmıştı, Almanya bozuk aksanlı ve yüksek rütbeli pisliklerin ülkesiydi... Ve bu ülke yabancı ve düşman bir topraktı.

Niémans bu düşüncelerinden kurtuldu: Yanında oturan Kleinert yüksek sesle Joseph Wadoche'un geçmişini okuyordu. Kesinlikle, kilise korosundaki saf bir çocuk değildi. Pek çok kere yataklıktan, hırsızlıktan, aşırı fiziksel şiddet göstermekten, pezevenklikten tutuklanmıştı... Joseph, Niémans'ın yüzlerce kez karşılaştığı, iki kulaç arasında nefes alan yüzücüler gibi, iki suç arasında soluklanan Romanlardan biriydi.

– Bugün, seyyar olarak sebze ve meyve satma iznine sahip bir esnaf, ama Offenburglu meslektaşlarıma göre, armutları ve karpuzları küçük çaplı benzin ve sigara kaçaklığı yapmak için bir paravan.

Dünden beri bir düşünce içini kemiriyordu: Wadoche'un Jürgen'i ve VG ailesinin diğer bireylerini öldürmek için sağlam bir nedeni vardı: Küçük kızının saldırıya uğraması. Ama bu cinayetler Roman tarzına uymuyordu. Ayrıca, katilin bir röetken yetiştiricisi olduğu göz önünde bulundurulduğunda, katil Joseph olamazdı. Eğer aşırı derecede kokuşmuş biri değilse, Çingene öz kızını parçalamaya kalkan köpekleri yetiştirmeye kalkışmazdı.

– Geldik, diye uyardı Ivana, arkada oturuyor ve GPS'ten güzergâhı takip ediyordu.

Karşılarına asfalt kaplı bir alan çıkmıştı, bir Cheyenne saldırısından korunmaya çalışan Western filmlerindeki at arabaları gibi, on kadar karavan çember biçiminde park etmişti.

Niémans hemen bir terslik olduğunu anladı. Park alanı kusursuzdu, park etmiş arabalar pırıl pırıldı ve XXL model karavanların hepsi yeniydi. Romanların, eski lastiklerle, arabalardan sökülmüş parçalarla ve soğumaya yüz tutmuş mangallarla çevrili park alanlarının alışagelmiş karmaşasıyla ilgisi yoktu.

Niémans tüm dikkatini verdi ve kamp sakinlerini fark etti: Hepsi sarışındı.

– Bunlar Roman değil.

– Efendim?

– Bunlar Çingene değil, diyorum. Bunlar Yeniş.

– Ha?

Kleinert sanki yonca ile kabayonca arasında ortak hiçbir şey olmadığını ona yeni öğretiyorlarmış gibi cevap vermişti. Ama yine de bu değişiyordu. Niémans'ın göçebeler hakkında tecrübesi vardı – hatta onların dilini biraz da olsa konuşuyordu– ve onlarla olan bu yakınlığın buzları eriteceğini düşünüyordu. Ama Yenişler...

Onların kim olduklarını az biraz biliyordu. İsviçre'ye, Alsace'a ve Almanya'ya dağılmış, kökenleri bilinmeyen ve sepetçilikle geçinen bir halktı. Büyükannesi onlardan beyaz hayaletler olarak bahsederdi. Ona göre, bataklıklardaki sazlıklarda dolaşırlar ve ruhları hapsedebilen sepetler örerlerdi.

Niémans, şortları ve güneşten kızarmış tişörtleriyle şezlonglarda sere serpe oturan bu adamları görünce bildiği üç Romanca sözcüğü hatırlayabileceğini ve serserilerin bıçkın ağzıyla konuşabileceğini düşündü.

– Siz ağzınızı açmayın, dedi arabadan çıkarken, ben konuşacağım.

Karavanlara doğru yürürken, bir yandan da aşina olduğu ayrıntıları fark ediyordu: zeminde, kuşkusuz bir yerlerden kaçak su ve elektrik alan borular ve kablolar, karavan mutfaklara yerleştirilmiş son model çamaşır makinelerinin başındaki kadınlar, asfaltın üzerinde modifiye edilmiş bisikletleriyle gezinen ve şehirli çocuklardan hiçbir farkı olmayan veletler...

Niémans, gıcır gıcır bir Audi Q2'nin etrafında bira içen, V yakalı yelek ve Hawai şort giymiş çam yarmalarını fark etti.

– Fransızca biliyor musunuz? diye sordu, gülümseme gereği bile duymamıştı.

– Ne sanıyorsun? diye göçebe aksanıyla cevap verdi adamlardan biri. Biz seyyahız, adamım. Sınırın bir bu tarafında, bir diğer tarafındayız...

– Joseph Wadoche'u arıyoruz.

– Ondan ne istiyorsunuz?

– Sadece konuşmak.

Adam "her zaman biriyle konuşmak isteyen zavallı aynasızlar" anlamında bir harekette bulundu, ardından 33cl'lik şişesiyle bir sundurmanın altında iskambil oynayan orta yaşlı erkeklerden oluşan bir grubu işaret etti.

Sarışınlıklarına rağmen Yenişler gerçekten de Romanlara benzemeye başlamıştı. Niémans duyduğu kaygıdan kurtuluyordu.

Gruba doğru ilerledi, Ivana ile Kleinert de peşinden geldi. Oturan üç adam da neredeyse, portatif masanın üzerindeki kâğıtlar kadar etkileyiciydi. Güneşten kızarmış İngiliz yüzleri, yıkanmaktan çekmiş borsalinolara benzeyen küçük şapkalarıyla ellili yaşlarda adamlar.

Niémans içgüdüsel olarak, buradaki en büyük otorite olduğu her halinden belli olan adama hitap etti:

– Joseph Wadoche?

Pancar gibi kıpkırmızı olmuş adam bir kaşını kaldırdı.

– Siz Fransız polisi misiniz?

Çingenelerle ortak bir nokta daha: Marjinal yaşamalarına, yerleşik hayatın dışında olmalarına rağmen her zaman olan bitenden haberdarlardı.

Niémans ekibi tanıttı ve ziyaretlerinin sebebini açıkladı:

– Üzgünüm, ama yirmi yıl önce ailenizin başına gelmiş olan kötü bir olayı yeniden araştırmak istiyoruz. Bir köpekle yaşanmış bir kaza...

– Bir kaza mı? diye yineledi.

Kendi cevabına yine kendi güldü ve ayağa kalktı, başını sundurmaya vurdu. Göz ucuyla Niémans rakibini tarttı: En az yüz kiloydu, fıçı gibi bir gövdesi vardı, kolları bir but kadar kalındı, tertemiz atletli gerçek bir panayır herkülüne benziyordu. Alabros kesilmiş çakıl rengi saçların altında yağlı yüzü fırında pişirilmiş bir tuğlayı andırıyordu.

– Pislikler köpeklerini kızımın üstüne saldılar...

Niémans, Jo'nun kızgınlığının yüzünde bir dalgalanmaya neden olmadığını görmekten memnun oldu. En ufak bir zorluk çıkarmadan konuşacaktı, tüm öfkesini kusacağı için çok mutluydu.

– Karavanıma girin, dedi göçebe, asık suratlarınızla herkesi kaygılandırıyorsunuz.

37

Karavanın içi bir kamaraya benziyordu. Pencereler, cilalı ahşap bir masa ile at nalı biçiminde beyaz, arkalıksız bir kanepenin bulunduğu salonun üç duvarında yer alıyordu. Her şey kusursuzdu ve çok pahalıya mal olmuş olmalıydı, ama bunda tuhaf bir şey yoktu: Eğer Yenişler Romanlar gibiyse, paralarını zenginliklerini dışa vuran şeylere yatıracaklardı.

Karavanın içindeki diğer ayrıntılar ona Çingeneleri hatırlattı: bir akordeon, masalsı bir Doğu şehrini tasvir eden süslü bir duvar kaplaması, rafların üstüne yerleştirilmiş bir sürü ucuz biblo... Bazı eşyalar buram buram batıl itikat kokuyordu, insanı ürküten kararmış bir sürü heykelcik.

Bütünün içinde yerlerini alarak iyi kötü masanın etrafına oturdular, sonra Joseph karısını çağırdı ve onunla bilinmeyen bir dilde konuştu. Bayan Wadoche doğrudan geçmişin efsanelerinden fırlamış gibiydi ve tavırları bir falcıya ya da göçebe büyücüye benziyordu. Aşırı zayıf bir yüz, kuru bir cilt, derin kırışıklar, bir Siyu reisininki gibi uzun, ipeksi saçlar.

Biralar geldi. Niémans kocaman bir yudum aldı ve düğmeye bastı.

– Joseph, bize anlat.

Yeniş de birasını sıkılı dişlerinin arasından bir hışırtıyla yuvarlayarak yudumladı.

– 2000 yılıydı. Biz biraz Fransız'ız, ama Alsace'lılar canımızı o kadar çok sıkıyor ki, bazen sınırın öte tarafına geçmek zorunda kalıyoruz. Bir keresinde kendimizi Freiburg yakınlarında sakin bir ormanda bulmuştuk. Ama orası Geyersberglere aitmiş.

– Orada nasıl hayatta kalabiliyordunuz? diye bir soru yöneltti Niémans. Onların arazilerinde hiçbir altyapı yok.

Joseph gülümsedi, bu normal bir gülümsemeden ziyade sinsice bir sırıtmaydı.

– Herkes öyle sanıyor ama yanlış. Av yolu üzerindeki hemen her köpek konaklama istasyonunda su ve elektrik bağlantısı var. O pislikler ormanlarını koruyor, bu doğru, ama hep "medeniyetin" ufak bir dokunuşuyla.

– O istasyonlardan birindeki tesisata mı bağlandınız?

– Yola uzak değildi, diye onu onayladı Yenişlerin reisi. Alan vardı, su, elektrik vardı ve bizi rahatsız edecek tek bir gaco yoktu. En azından biz öyle sanıyorduk...

– Geyersberglerin adamları size baskın mı yaptı?

– Önce orman korucusuyla muhatap olduk, bize buranın özel mülk olduğunu, hemen gitmemiz gerektiğini söyledi, hepsi bu. Biz yerimizden kıpırdamadık. Avrupa'da polisler seni bir yerden çıkarana dek aylar geçer.

– Ama Geyersbergler milislerini yolladı.

Joseph birasından yeni bir yudum aldı. Ve bira dudaklarının arasından geçerken yine aynı tiz ses duyuldu.

– Bize gün ağarırken saldırdılar. Üzerlerinde haki renkli yağmurluklar, siyah ceketler vardı. Sanki zombi Nazilerin olduğu bir korku filminden fırlamış bir birlikti.

– Yaya mıydılar?

– Hayır, motorları vardı.

– Ne tür?

– Bilmiyorum. Silindir hacimlerini tartışacak durumda değildik.

– Ne renk?

– Siyah, sanırım. Askeri bir zımbırtı olduğunu hatırlıyorum, güçlü, canavar gibi bir şey. Bu alçakça baskın karşısında, biz bile tüymeyi düşündük.

– Sizinle konuştular mı?

– Hayır. Tek kelime etmediler.

– Yüzlerini gördünüz mü?

– Hayır. Kar başlıkları vardı, bazıları da İkinci Dünya Savaşı'ndaki Alman askerleri gibi motorcu gözlükleri ve kâse biçiminde kasklar takıyordu. Son derece cesaret kırıcıydı. Önce birkaç kişinin suratını dağıttılar ve sonra köpekler bizi ısırmaya çalışırken onlar karavanlarımızı ateşe verdiler. Gözümün önüne göğüslerine dikilmiş siyah üçgenle toplama kamplarına yollanan Çingeneler geliyordu.

– Kendinizi savunmadınız mı?

Joseph arduvaz renkli gözlerini Niémans'ın gözlerine dikti. Öfke ve acı bir anda keskin bir bıçağa dönüşmüştü.

– Sanırım iyi anlatamadım. Tüfekleri ve lav silahları vardı.

– Lav silahı mı?

– Öyle, adamım. (Joseph alaycı bir biçimde gülümsedi.) Yapabileceğimiz tek bir şey vardı: Tavşanlar gibi kaçmak.

Belarus ormanlarındaki Sonderkommandolara yaraşır bir sahne. Niémans köpeklerin havlamalarını duyuyor, karavanları saran turuncu alevleri görüyor, paniğe kapılmış Yenişlerin haykırışlarını işitiyordu.

– Köpeklerini saldılar mı?

– Acayip köpekler, sana yemin ederim. Kamp alanında yapacak başka bir şey olmadığı için bize havlıyorlardı, ama üzerimize torpil gibi gelirken bir anda havlamayı kestiler.

Niémans Ivana'ya baktı, polis kız röetkenin fotoğraflarını çıkarmaya cesaret edemiyordu.

– O sırada mı köpekler kızınıza saldırdı?

Joseph hemen cevap vermedi. Gırtlağında, yaşadığı olayın acı tadı vardı hâlâ. Kimse o hatırayı yerinden kıpırdatmaya cesaret edemiyordu.

– Ormanda, dedi sonunda, alçak sesle, kimin nerede olduğunu bilmek zordu. Küçük kızımın, Marie'nin elini tutmuştum ve ileri doğru koşuyorduk. Sonunda, açıklık alanda bizi sıkıştırdılar.

Tam bir sürek avı: kıstırılmış hayvan, çevresini sarmış, kan kokusuyla ve vahşice saldırma isteğiyle gözü dönmüş köpekler.

– Kızım ile beni ayırdılar ve beni ağaçlara kadar sürükleyerek götürdüler, diye devam etti Joseph. Sonra, Marie'yi soydular ve açıklığın ortasına bıraktılar. (Sanki bu kez gerçekten acı bir tat almış gibi sustu.) İşte o zaman, şampiyonlarını saldılar.

– Yani?

– Bu tür işler konusunda çok yetenekli olduğu her halinden belli olan köpek. Her şey benim gözlerimin önünde cereyan etti. Marie ulur gibi bağırıyordu, adamlar kahkahalarla gülüyordu, köpek etleri ısırmanın, suratı parçalamanın, kemikleri kırmanın verdiği zevkten dört köşe oluyordu.

İçeriye yeniden sessizlik hâkim oldu. Zaman, karavanın içinde aralarında asılı kalıyordu, zihinlerinin derinliklerinde korku kırıntıları dolanıyordu.

– Gittiklerinde, kızımdan geriye sadece kanlı bir enkaz kalmıştı... İşte, sizin bahsettiğiniz "kaza."

Devam etmesi için Niémans hemen söze girdi.

– Bu adamlar, onların Geyersberglerin adamları olduğuna emin misin? Başka bir serseri çetesi de olabilir...

– Boş yere nefes tüketme.

– Kanıtın var mı?

– Kanıt, onlar gacolar içindir...

Niémans, sonunda iPad'ini çıkarmaya karar vermiş olan Ivana'ya işaret etti.

– Köpekler, diye sordu Ivana, zımpara kâğıdı gibi bir sesle, buna benziyor muydu?

Işıklı ekranı ona doğru uzattı. Adam cihaza dokunmadı ama resmin üstüne tükürdü.

Polis kız ekranı koluyla temizledi ve mırıldandı:

– Bunu evet olarak kabul ediyorum.

– Bu cins köpekleri, diye söze girdi Niémans, o korkunç olaydan sonra bir daha gördünüz mü?

– Hiç görmedim. Ama asla bir daha o ormana yaklaşmadık.

– Freiburg polisinin arşivlerine baktık, bir şikâyet başvurusu bulamadık. Polise gitmediniz mi?

– Yenişler polise gittiklerinde kendilerini parmaklıkların ardında bulur.

Joseph kanepenin üzerinde geriye doğru çekildi ve kollarını iri gövdesinin üstünde çaprazladı. Arkasında, pencerelerden yeniden hareketlenmiş olan kamp alanı görünüyordu. Küçük Wadoche krallığı.

– Bu soruların sebebi ne? diye sordu, birasının dibindeki son yudumu yuvarlarken.

Niémans hâlâ masanın üzerinde duran iPad'i işaret etti.

– Bu köpek iki gece önce yeniden ortaya çıktı ve kontese saldırdı.

Joseph, kayan yıldızlar karavanın loşluğunda ışıldayan altın dişlerini sergileyen bir kahkaha patlattı.

– Göndericiye iade!

Wadoche sadece hikâyenin ilk kısmını anlatmıştı. Niémans olayın burada kalmadığını tahmin ediyordu.

– İntikam almayı hiç düşünmediniz mi?

– Geyersbergler dokunulmazdır.

– Geyersbergler belki, ama size saldıran motorcular dokunulmaz değil.

Joseph'in gülüşü, çağın bir gizemine yeniden kafa yoruyormuş gibi entrikacı bir gülümsemeye dönüşmüştü.

– Onları asla bulamadık. Ne sınırın bu tarafında ne de diğer tarafında. O alçaklar hakkında en ufak bir bilgiye ulaşamadık. Alsace'taki ve Baden Württemberg'teki bütün ailelerle konuştuk. Sanki o herifler hiç var olmamıştı.

– Öyleyse, olay kapandı mı? diye, kuşkulu bir edayla sordu Niémans.

– Hayır, dedi Joseph, yeniden ortaya çıkan karısına işaret ederek, belki de "gölgelerin yoldaşı, sessizliğin kız kardeşi" hiç ortadan yok olmamıştı.

Kalın parmaklarının arasında yeni bir bira vardı.

– Bir tane daha? diye, kusursuz bir ev sahibi olarak sordu.

Topluca reddettiler. Ivana'nın midesi bulanıyor olmalıydı, Kleinert oturduğu yerde fosilleşiyordu ve Niémans en ufak bir noktayı kaçırmak istemiyordu, bu son doğru ipucuydu.

– Büyücüyü çağırdık.

Niémans gülümsedi. Yenişler ile Romanların sorunu aynıydı: Karavanlarının çatısında uydu antenleri olması ve modern bir görüntü sergilemeye çalışmaları boşuna bir uğraştı, inançlarında değişen bir şey yoktu.

– Bizim aramızda çok ünlüdür, diye ekledi Joseph, dünyanın en ciddi adamı edasında. Uykusunda, ölüler diyarına yolculuk yapar. Oradan getirdiği kötü güçleri, kara büyüleri insanların üzerine yönlendirebilir.

Niémans rafların üzerindeki heykelciklere dikkatle baktı. İçlerinden en az yarısının bazı güçleri olmalıydı. Çocukları daha güçlü olsun diye gebe Yeniş kadınları Roman gebeler gibi göğüslerinde ayı dişi taşıyorlar mı diye düşündü.

– Ondan Geyersberglere büyü yapmasını istedik. Dengeyi sağlamak gerekiyor: O pislikler ailemizi mahvetti, lanetin her şeyi yeniden dengelemesi gerekiyor.

Niémans, Kleinert'in afallamış yüz ifadesini görünce Alman'ı kaybettik diye düşündü.

– Yaşlı kadın buna gerek olmadığını söyledi. Çoktan lanetlenmişler...

– Hangi anlamda?

– Ölüm onların üzerindeymiş.

Niémans vücudunun ürperdiğini hissediyordu. Önemli bir şeyler oluyordu.

– Açıkla, diye emretti Niémans.

– Her nesilde, Geyersbergler genç bir oğul kaybediyor...

Jürgen ile Max'ın ölümünden sonra, bu sözler farklı bir anlam kazanıyordu.

– Sana başka ne söyledi?

– Hiç, bu benim için yeterli oldu. Gazetede Geyersberglerin bir oğlunun öldürüldüğünü okudum. Yani ihtiyar yanılmamış, öyle değil mi?

Joseph alaycı bir edayla onlara göz kırptı; şimdiden şişesinin yarısını bitirmişti. Aldığı yakıtın etkisiyle sert yüz hatları gevşemiş gibiydi.

Birden, salonun köşesinde oturduğu yerden kalktı: Görüşme bitmişti. Misafirler de onun peşinden ayağa kalktılar ve kapıya kadar ilerlediler.

Dışarıda, kalbi kırık şef ile son derece şaşkın haldeki üç polis arasında tuhaf bir sempati hâkimdi. Bir rüyadaymış gibi, karşılıklı olarak birbirlerini selamladıkları sırada bir gölge Joseph'in yüzünü yaladı. Üç polis arkalarına döndü. Çevresinde çocuklar bulunan otuzlu yaşlardaki bir kadın karşılarında duruyordu.

Yaşı sadece bir varsayımdı çünkü yüzü yoktu. Suratı üstçenede son buluyordu. Alt taraf, sadece büzüşmüş boşluklardan ve dikilmiş deri bağdokularından oluşuyordu. Yüzün sol yarısı bir Kraft kâğıdı gibi buruş buruştu. O taraftaki gözü yoktu ve sarı saçlarının altındaki şakağında derin bir yarık vardı.

– Marie, kızım, dedi Joseph, sakin bir ses tonuyla.

Niémans dehşetin ötesinde, böyle bir tahribata neden olabilen hayvanlardan birini gebertmiş olmaktan mutluluk duydu. İkinci Dünya Savaşı'ndan sonra bir musibetin veya tehlikeli bir genin kökünü kazır gibi hepsini yok etmişlerdi.

Bugün hâlâ o köpeklerden birkaç tanesi yaşıyorsa, işi tamamlamaya adaydı.

– Bir büyücünün ardından gitmeyi reddediyorum, diye uyardı Kleinert.

– Gerek yok. Anlattıklarını teyit etmek yeterli.

Niémans sakin bir şekilde sürüyordu (Volvo'suyla fiziksel teması onu rahatlatıyordu). Kleinert ne söyleyeceğini bilmiyor gibiydi. Arkada oturan Ivana da, Marie'nin yüzünün yarattığı şokun etkisi altındaydı. Artık hiçbir şekilde olmuyordu. Bu görüntüyü ne zaman gözünün önünden kovmaya kalksa, yeniden elini motorun zincirleri arasına kıstırılmış, parmakları gaz levyesinin tek bir hareketinde her an kopacakmış gibi görüyordu. Olay o noktaya varmamıştı, ama yine de bu olayın verdiği acı, bir kolsuzun olmayan kolu gibi kaşınıyordu.

– Bu tür hikâyelere nasıl inanabiliyorsunuz? diye konuşmaya devam ediyordu, Alman.

– Bu söylentilerin ardında bazı gerçekler olabilir.

Ivana bu konuda ne düşündüğünü söyleyemiyordu. İçgüdüsel olarak, Niémans'a güveniyordu, ama bir büyücünün dolaylı tanıklığı, gerçekten...

– Bu çılgın bir soruşturma, diye yeniden homurdandı, Kleinert. Hayvanlar gibi doğranan kurbanlar. Şüpheli olarak bir köpek. Ve şimdi de tanık olarak bir büyücü...

– Duruma ayak uydurmalıyız, Kleinert. Üstelik elimizdekinin tümü bu.

Ivana camı açtı, reçine kokusuyla yüklü havayı ciğerlerine çekti ve bir süreden beri aklını kurcalayan bir teoriyi söylemeye karar verdi:

– Bu olayda bağdaşmayan bir şey var.

– Tek bir şey mi, emin misin? diyerek sırıttı Niémans.

– VG Grup'un Sonderkommando tarzında bir milis oluşturduklarını düşünüyorsunuz.

– Evet.

– Bunu neden yapsınlar?

– Fazla bir şey bilmiyorum. Parayla tutulmuş adamların işi.

– Bu milisin Geyersbergler için çalıştığını kabul edelim, neden şimdi Grup'un vârislerini öldürsünler?

– Bulmamız gereken de bu. Verilen emirleri yerine getirdiklerini asla göz ardı etmiyorum.

– Kimin emirleri? diye araya girdi, Kleinert.

– Yaşlı Franz'ın.

– O tekerlekli sandalyede!

– Eee, yani?

Onun bu sözleri üzerine arabanın içine sessizlik hâkim oldu. Kimse bu teoriyi benimsemiyordu.

– Bununla birlikte, diye ekledi Niémans, Jürgen ile Max'ın katili bir Kara Avcı olmayabilir.

– Demek öyle, dedi Kleinert, tahammül sınırını aşmış gibiydi. Öyleyse neden onların peşinden koşuyoruz?

– Bir bağlantı var, buna eminim.

Güneşli havadan derin soluklar alarak kendini daha iyi hissetmeye başlayan Ivana sordu:

– Kaçak avcılar, eski mahkûmlar ve diğerleri konusunda ne durumdayız?

– Adamlarım çalışıyor.

– Franz'ın dernekleri?

– Aynı.

– Grup'un geçmişinde, Wadoche'ların olayına benzer başka olaylar var mı, araştırmak gerekiyor.

– Eğer olsaydı, haberimiz olurdu.

– Belki de olmazdı. VG Grup insanları kızdıran olayları hasıraltı etmiş olabilir...

Ivana cevap vermedi: Böyle düşünüldüğünde, her şey mümkündü. Kleinert'e gelince, yüz ifadesinden belliydi, bölgesinde eski Nazilerin yeniden ortaya çıkabileceği, çocukların köpeklere parçalattırılabileceği ve ormanda vârislerin kafasının kesilebileceği gibi düşünceleri kabul etmiyordu.

Freiburg'a yaklaşıyorlardı. Ivana coşkulu bir ürperti hissetti. Bu şehri sevmeye başlıyordu. Ağaçlardan, ağaçlandırılmış tepelerden ya da ahşap çatmalı cepheleri olan evlerden daha çok, onu hayranlığa düşüren şehrin ekolojik atmosferiydi. Bir gün arabalar unutulacaktı, yenilenebilir enerji, yeniden canlandırılmış toprak kullanılacaktı ve herkes Freiburg im Breisgau'daki gibi yaşayacaktı...

– Max konusunda, diye devam etti Niémans, bir şey çıktı mı?

– Otopsi devam ediyor. Cinayet mahallinde bir şey bulunmadı.

Kriminalpolizeidirektion sütlü kahverengi bir binaydı, kumaş şeritleri gibi sıralanmış pencereleriyle, teras çatısıyla, yuvarlatılmış köşeleriyle daha ziyade 1930'lu yılların bir fabrikasını çağrıştırıyordu. Bununla birlikte insana güven veriyordu. Düzen ve yasa adına inşa edilmiş bir kale gibiydi.

Birçok saha polisinin tersine, Ivana herhangi bir büroda, bilgisayarın başında geçirdiği zamanları seviyordu.

Niémans kontağı kapattı ve Kleinert'i uyardı:

– Neredeyse öğlen oluyor. Bir şeyler bulmak için sadece birkaç saatimiz var.

– Adamlarım gözlerini kırpmadı.

– Cinayet Büro'nun adamları gelince uyurlar. Nortonlarla ilgili yeni bir şey yok mu?

– Hemen gidip bakıyorum.

– Süper, dedi Niémans, tam ters anlama çekilebilecek bir ses tonuyla.

Ivana'ya döndü.

– Sen, sen bana şu kahrolası köpekleri buluyorsun... Eğer bir köpek çiftliği varsa, bunu kimsenin duymamış olması imkânsız, en azından veterinerlerin...

Bu Ivana'nın tercih ettiği bir iş değildi, ama her şeye rağmen bu köpekler gerçek bir ipucuydu, sıcak, canlı, elle tutulur bir ipucu. En başından beri rüzgâra karşı yol alıyor olsalar da, bu köpeklerin varlığıyla ilgili izler bulabilmeliydi.

– Ya siz? diye, her seferinde can sıkıcı bir işle yetinmek zorunda kaldığını hissediyormuş gibi sordu.

– Ben mi? Biraz şecere araştırması yapacağım.

Onların Volvo'dan inmesini bekledi ve bir beynin derinliklerinde yavaş yavaş olgunlaşan bir fikir gibi usulca yeniden yola koyuldu.

39

Birinci kata geldiklerinde, Kleinert Ivana'ya "kolaylık ve uygunluk nedenleriyle" onu kendi bürosuna yerleştireceğini açıkladı. Kadın polis tam olarak onun ne söylediğini anlamamıştı, görünen o ki onu göz önünde tutmak istiyordu. Bir başka durumda, Ivana bunu bir güvensizlik göstergesi olarak algılayabilirdi, ama o kendini boş hayallere kaptırmayı tercih etti.

Evli olmasına rağmen, bir kızın çevresinde dolanan bakir bir oğlan gibi onun etrafında dolanıyordu. Tam olarak ne istiyordu? Evlilik dışı bir ilişki mi? Soruşturma boyunca devam edecek platonik bir ilişki mi? Yoksa TV dizilerinde olduğu gibi, "Kara Orman'da Ivana'yı görür görmez" gerçekten ona vurulmuş muydu?

Bilgisayarını bağladı, iPad'ini ve telefonunu şarja taktı, masanın üzerindeki dosyaları hale yola koydu. Bölgedeki veterinerleri ve diğer köpek barınaklarını aramadan önce, Neuilly-sur-Marne'daki köpekli birimde çalışan eski bir arkadaşıyla temasa geçmek istiyordu.

– Bir şey var, dedi bir anda Kleinert, henüz yerine bile oturmamıştı.

Kaşla göz arasında, e-postalarını kontrol ediyor ve adamlarının sabah masasına bıraktığı kâğıtları karıştırıyordu.

Elinde bir kâğıt tomarıyla Ivana'nın masasına doğru yaklaştı.

– Bu ne?

– Franz von Geyersberg'in vakıflarından biri, "Schwarzes Blut."

Siyah kan. Soruşturmayla uyuşan bir ad.

Kleinert Ivana'ya doğru eğilip kâğıtları gösterdi.

– Benim çocuklara göre, bu dernek ailenin ormanlarıyla ilgileniyor. Ücretli çalışanların adları bizim araştırmalarımızdaki isimlerle örtüşüyor.

– Hangileri?

– Baden Württemberg Hapishanesi'nde yatmış kaçak avcıların adları.

– Söylemek istediğiniz...

– Görünen o ki, Franz fazla... dürüst olmayan adamlara iş veriyor.

Ivana kâğıtları karıştırdı, hepsi Almancaydı.

– Tam olarak görevleri ne?

– Avcılık.

– Avcı olanlar Geyersbergler değil mi?

– Hizmetkârlar önce temizlik yapıyor. Bu sabıkalılar, herkesin söylediği gibi "ayıklama" yapıyorlar. Diğer av hayvanlarının beslenebilmesi ve rahatça dolaşabilmesi için belli bir kotaya, özellikle de yaşlarına göre hayvanları öldürüyorlar.

– Onun da öldürülmesi için...

Kleinert Ivana'nın masasının ucuna oturdu. Artık onunla arasında mesafe 20-30 santimetre vardı.

– Bu kadar... keskin militan olmayın, dedi, nazikçe kınayan bir ses tonuyla. Eğer bu avcılar olmasaydı, açlık ve parazitler hayvan popülasyonunu vuracaktı. Doğanın mantığı doğal seçilimdir. Doğada herkese yer yok.

Kleinert'in her konuştuğunda, Ivana onun sentaksının niteliğiyle ve söz dağarcığının zenginliğiyle şaşkınlığa düşüyordu. Bu adam, sadece görünüşüyle değil, entelektüel olarak da onun hoşuna gidiyordu. Ne şehirlerde görev yaptığı dönemlerde katlanmak zorunda olduğu cahil serserilerle ne de bugün yatağını paylaştığı boşanmış polislerle ilgisi vardı.

Kleinert biraz daha eğildi. Onun küçük gözlüklerinde kendi kızıl sarı saçlarını görebiliyordu: Her iki yuvarlak camda birer alev.

– Bana inanın, bu ormancılar ne yaptıklarını biliyorlar, diye üsteledi. İyi beslenmiş bu hayvanlar mücadele sırasında mükemmel kozlara sahip oluyorlar.

Ivana ürperdi.

– Siz tam olarak hangi mücadeleden söz ediyorsunuz?

– Pirsch, elbette. Schwarzes Blut, en mükemmel yakından avlanma yapılması için ormanları hazırlıyor.

Ivana kâğıtları yeniden eline aldı ve şöyle bir göz attı, neredeyse her satırda "pirsch" sözcüğü vardı.

– Bu sizi şaşırtmış gibi, diye bir saptamada bulundu, Kleinert.

– Jürgen pirsch avı yapıyordu, ama Laura bu av türü için hiç zamanı olmadığını bize söyledi. Tekerlekli sandalyesinde oturan Franz, ormanda fazla uzağa gitmeyi göze alamaz. Peki, bu ormanları kim için hazırlıyorlar?

– Max ve Udo?

– Bu, bana çok az insan için büyük bir çaba gibi geliyor.

– Geyersbergler sıradan insanlar değil.

Ivana bu konuda didiklenecek bir şeyler olduğuna emindi, belki de klan başka tarz avlar için dostlarını davet ediyordu. Oyun alanı çok sık kullanılmak için çok büyüktü...

– Size tuhaf başka bir şeyi daha göstermek istiyordum, dedi Kleinert, Ivana'nın elleri arasındaki sayfaları çevirirken; isteyerek ya da değil, elleri birbirine dokunmuştu. Geyersbergler eyaletle bir anlaşma imzaladı. Hem kendileri hem de özellikle, bazıları hapisten çıkmış adamları için silah taşıma ruhsatı almış olabilirler.

Ivana'nın daha fazla açıklamaya ihtiyacı yoktu: Almanya'da, Fransa'da olduğu gibi hapis yatmak ateşli silah sahibi olmak için bir engeldi. Ama Geyersbergler bu anlaşmayla, iş verdiği ayaktakımını yeniden silahlandırabiliyordu.

– Hepsi bu kadar değil, bu avcıları av hayvanlarını ayıklamak için başka toprak sahiplerine kiralıyorlar. Başka bir deyişle, dernek tarafından iş verilmiş bu adamlar bir tür kiralık katil. İşleri, komşu arazilerdeki sayısı artan hayvanları öldürmek.

Raporun son sayfasında, bir isim listesi vardı, kuşkusuz bu profesyonellerin, kaçak avcıların, eski mahkûmların, savaş suçlularının adları...

Bu adamların dün gece onlara saldıranlar olduğunu anlamak için çok fazla hayal gücüne ihtiyaç yoktu. Kara Avcılar'la olan benzerlik de onların büyüyüp gelişmesini kolaylaştırmıştı. Sayısız köyde katliamlar yapan Dirlewanger'in adamları gibi onlara ormanlarda hayvan kırımı yapmak için para ödenmişti.

– Onları polis merkezine çağırmak gerekiyor, diye bir çıkarımda bulundu. Onları sıkıştırmalıyız. Ve Norton satın alıp almadıklarını teyit etmeliyiz.

– Tavsiyen için teşekkür ederim, dedi Kleinert, ayağa kalkarken.

– Kesin bir kanıt bulmak için öğleden sonramız var, diye soğuk bir ses tonuyla devam etti Ivana. Ben yeniden köpeklerime dönüyorum.

Aslında, halletmesi gereken acil bir durum daha vardı: Odaya hâkim olan bu karşılıklı çekime son vermek. Kahretsin, profesyonel ol.

– Sanırım bir çay içebilecek zamanımız var, değil mi?

Namuslu polis gayreti bir gülümsemeye dönüştü. Bir kez daha kızardığını hissetti.

Freiburg im Breisgau'da yaşamak gitgide tehlikeli bir hal alıyordu.

40

Niémans için zor olmamıştı. Paris'in en ünlü soybilimcilerinden birini tanıyordu ve ona Ren Nehri'nin bu tarafında bir meslektaşı olup olmadığını sormuştu. Beriki bir saniye tereddüt etmemişti: Rainer Czukay, bu konuda birinci sınıf bir uzmandı, konferanstan konferansa koşuyordu ve Baden Württemberg'in en küçük ailesine kadar herkesi tanıyordu.

Soybilimci ona adamın adresini de vermişti: Kriminalpolizeidirektion'a bir kilometre mesafedeki Freiburg im Breisgau'da Vauban semtinde oturuyordu. Niémans arabasına binmişti ama hemen durmak zorunda kalmıştı: Burada sokaklar sadece yayalar içindi.

Burası şehrin en ünlü semtiydi: Tamamı güneş enerjisi kullanan mavi, sarı ya da kırmızı boyalı bir sürü ev. Ivana geçen gün, gözleri parlayarak ona hızlı bir şekilde açıklamıştı. Bu geleceğin şehrini gönüllüler inşa etmişti. Hemen her yerde bitkisel ve hayvansal atıkların toplandığı kompost çöp tenekeleri, çatılarda bahçeler, evleri ve kaldırımları yutmaya hazırmış gibi bekleyen ağaçlar vardı ve elbette, görünürde tek bir taşıt yoktu.

Niémans tüm bunların geleceği temsil ettiğini biliyordu ama bu gelecek onu mutlu etmiyordu. Ağır bir baskı, bu yeşil girişimlerin her birinin ardında bir tür görünmez Big Brother bulunduğunu, bunun ne olursa olsun haklı olduğunu iddia eden berbat bir diktatörlük olduğunu hissediyordu. Herkes otobur olmadan ve kendi osuruğunda enerji üretmeye başlamadan önce bu toprakları terk edecek olma düşüncesi için için onu mutlu ediyordu.

Niémans elleri cebinde dalgın bir şekilde yürürken, bisikletlerin zillerini ve tramvayın uzaktan gelen mırıltısını duyuyor, bir yandan da Joseph'in sözlerini düşünüyordu. Büyücü ve Geyersbergler üzerindeki lanet imasıyla bir anda "derinlerdeki bir şeyin tetiklendiğini" hissetmişti. Bu efsanenin bugünkü iki cinayetle bir bağlantısı vardı. Henüz ne olduğunu bilmiyordu, ama birbirinden bağımsız değildi.

Czukay'ın evi mavi renge boyanmamış iki katlı ahşap bir yapıydı, panayırlardaki satıcı barakalarını andırıyordu. Kapı sundurmasının basamakları üstünde, ıhlamur ağaçlarının oluşturduğu gölge titrek, yeğni ve parlak bir su birikintisi gibiydi.

İnterfonu bulup zile bastı. Ev sahibine haber vermek için telefon etmiş ve tahmin ettiği gibi, soybilimcinin Fransızca bildiğini teyit etmişti. En başından beri dil konusunda şansları yaver gidiyordu. Kuşkusuz sınıra yakın olmanın etkisi vardı. Birkaç kilometre daha doğuda olsa, soruşturmayla ilgili pek bir şey yapamazdı...

Basamakları çıkarken Niémans tüm dikkatini topladı ve Parisli dostunun söylediği şeyi hatırladı: Czukay'ın birbiriyle hiç alakası olmayan iki mesleği vardı. Soybilimci aynı zamanda kırıkçı çıkıkçıydı. Daha da ilginci, spor yaralanmalarında ve SM travmalarında uzmanlaşmıştı. Dominant kişinin biraz fazla ileri gittiği çok sayıda domine edilmiş insanı tedavi etmişti.

Kapı açıldı. Rainer Czukay ne soybilimciye ne de bir SM üstadına benziyordu. Daha ziyade eski tarz bir köylü görüntüsü vardı. Kısa boyluydu, bedeni kocamandı; yuvarlak yaka siyah bir kazak ile bahçıvan tarzı mavi bir pantolon giymişti. Nasırlı iri elleriyle, gerçekten de Henri Bosco'nun bir romanından fırlamış gibiydi.

Adam tek kelime etmeden, onu içeri buyur etti. Yaşı hakkında bir şey söylemek zordu. Gümüş rengi kısa saçları alüminyum bir kaskı çağrıştırıyordu ve kireç gibi beyaz cildinde en ufak bir kırışık yoktu. Bütün olarak bir kurbağayı andırıyordu. Kısa ve yassı burunlu bir surat, çardak gibi kalın kaşların altında gri renkli, pırtlak iri gözler, geceleri vıraklamaya hazır bir guatr.

Birkaç sandalyenin yan yana sıralandığı ve dişlerini sergileyen, içleri doldurulmuş hayvanların –bir tilki, bir sansar, bir kunduz...– bulunduğu bekleme salonunu geçtiler. Hayvanların cam gözleri tam anlamıyla kafalarından dışarı fırlayacak gibiydi.

Ardından, bir muayene masası ile eski bir çalışma masasının olduğu bir odaya girdiler. İçeride alkol, biber ve meyve karışımı tuhaf bir koku vardı. Niémans'ın aklından Molotof kokteyli, ama bitkilerden yapılmış bir Molotof kokteyli geçti.

– Jürgen'i tanıyor muydunuz? diye damdan düşer gibi sordu.

Kırıkçı çıkıkçı odanın ortasında muayene masası ile çalışma masası arasında durdu.

– Bunu bana, onun SM eğilimleri olduğu için mi soruyorsunuz?

– Bana söylenen...

– Size ne söylendiğini biliyorum ve onların hepsi birer safsata. Bir gün kendini bağlatmış ve vücudunda çıkık olmuş bir kadını tedavi ettim. Kadın iyileşti ve ondan sonra ona yaşadığı "heyecanın" bu şekilde daha fazla arttığı anlatıldı. Ateş olmadan çıkan duru bir duman.

– Başkalarını da tedavi ettiniz, değil mi?

– Bu tür mü? Elbette, bu konuda kült oldum. Stuttgart'tan bile geliyorlar. Ama asıl kazancım bundan değil.

– Diğer hastalarınız kimler?

– Freiburg ahalisi. Benim manyetik güçlerimi takdir ediyorlar. (Beton blokları andıran iri ellerini uzattı.) Onlar için ben, diğer çıkıkçılara göre doğal bir enerjiye sahibim.

– Jürgen von Geyersberg'i de tedavi ettiniz mi? diye üsteledi Niémans.

– Buraya gelme sebebinizin benimle soybilim hakkında konuşmak olduğunu sanıyordum.

– Hepsi bağlantılı.

– Onunla hiç karşılaşmadım, hayır. Bir keresinde, onun bağladığı bir kadını iyileştirdim.

– Onu yaralamış mı?

– Hayır. Eğlence çok uzun sürmüş, hepsi bu. Kızda dolaşım sorunları baş göstermiş. Önemli bir şey değil. Bir ya da iki seans onun yeniden hareket kabiliyetine kavuşması için yeterli oldu.

Geniş cüsseli adam, aynı ruhsuz sesle devam etti:

– Ona ne olduğunu gazetelerde okudum. Çok vahşice. Bu sabah, radyoda başka bir cesedin daha bulunduğu söylendi, doğru mu?

Niémans birkaç kelimeyle cevap verdi. Gerçekten, söylemesi gereken en az şeyi söylemişti.

– SM çevrelerinde, Jürgen için ne söyleniyordu?

– Özel bir şey değil. Şibari uyguluyordu ama bağlanmaktan da hoşlanıyordu.

– Daha çok dominant mıydı?

– Hayır, domine edilendi. Ama bazen taraf değiştiriyordu. Bu durum, bu çevrelerde oldukça ender görülen bir şeydir.

Niémans Jürgen'in zevkleriyle ilgili fırsatı kaçırıp kaçırmadığını düşündü – yaratılış olarak bu tarz taşkınlıklar onun canını sıkıyordu. Bir insanın tüm yaşamı gerçek şiddet içinde geçince, kendilerine zarar veriyormuş gibi yapan soytarılar insanı sinirlendiriyordu.

– Ben sizinle özellikle Geyersberglerin hikâyesini konuşmak istiyordum.

Czukay'ın yüzü aydınlandı. Kolunu başka bir kapıya doğru uzattı.

– Benimle geliniz. Çalışma odamda her şeyi hazırladım.

41

"Soybilimci Czukay"ın ini kâğıttan inşa edilmiş gibiydi. Her duvar dosyalarla, karton kutularla, klasörlerle kaplıydı. Yerde de üst üste yığılarak sütunlar oluşturmuş şömizler, bez kaplı şömiz dosyaları vardı. Köşelerde duran kitaplar küçük aralıklarla yerleştirilmişti. Ama ortada, üzerleri tamamen boş iki masa vardı.

Bir köşede, bu odanın hâkimi olan dosyaların arasında büzülüp kalmış demir bir çalışma masası duruyordu: Baden Württembergli ailelerin hikâyesini anlatan sicimle bağlanmış, sarımtırak, karmakarışık, dağ gibi dosyalar. Hard disklere bağlı bir bilgisayar da varlığıyla boy gösteriyordu, ama teknolojinin burada azınlıkta olduğunu tahmin etmek zor değildi. Önemli olan, geçerli kabul edilen tek şey küf kokan ve parmakların arasında yıpranmış kâğıtlardı.

Czukay ilk masanın çevresini dolandı ve ikinci masanın dip tarafında durdu, orada metal bir sandık onları bekliyordu. Bir dizini yere koyup göğsüne kadar sandığın içine daldı. Bir dosya çıkardı ve verniklenmiş masanın üstüne koydu.

– Geyersberglerin tüm hikâyesi. İzlerine en azından Reform Dönemi'ne kadar ulaşılabilen ve kuşakları Baden Württemberg'in kuruluşundan ve gelişiminden ayrı tutulamayacak bir aile. Ne öğrenmek istiyorsunuz?

Niémans paltosunu çıkardı. Odanın ısısı toz gibi kalıcıydı, ağır ve hareketsiz.

– Müsaade eder misiniz? diye sordu, paltosunu bir kitap kulesinin üzerine koyar gibi yaparak.

– Elbette. Zamanla bu kitaplar mobilyaya dönüştü.

Polis derin bir nefes aldı, tüyosunun menşei yarım yamalaktı.

– Bir söylenti duydum, diye başladı. Her kuşakta, Geyersbergler oğullarından birini erken yaşta kaybediyormuş. Bu konuda ne düşünüyorsunuz? Bu efsanenin en ufak bir dayanağı var mı?

Czukay bir kitap yığınının üzerine oturmuş, yaşlı bir beygiri birine kakalamaya hazır bir at cambazı gibi ellerini uyluklarının üzerine koymuştu.

– Bu bir efsane değil, dedi. Somut bir gerçek.

Adam yeniden ayağa kalkıp dosyasını açtı. Masaya bir tavan arası kokusu yayıldı.

– Her kuşakta gizemli bir ölüm var...

İçinde, bir tür basın albümü gibi, VG klanıyla ilgili gazete kupürlerinin olduğu naylon bir poşeti aldı. Elini içine daldırdı ve kesilmiş bir yazı çıkardı.

– Mesela, dedi, gazete kupürünü özenle masanın üstüne bırakırken, Herbert von Geyersberg, Max ile Udo'nun babası, 1988'de Grenadin Adaları'nın açıklarında yelkenlisinin üstünden kayboldu.

Yeni bir kupür:

– Daha önceki kuşağa gidersek, 1966'da, Dietrich von Geyersberg, Wolfgang'ın ağabeyi, VG'nin büyük patronu hiç iz bırakmadan yok oldu.

– Ne demek istiyorsunuz?

Araştırmacı kupürü ona uzattı, buram buram iki Almanya, Berlin Duvarı, Soğuk Savaş kokan, üstünde aşıboyası lekeleri bulunan bir makaleydi.

– Sadece buharlaştı.

– Öldürüldü mü?

– Bu da varsayımlardan biri ama cesedi hiçbir zaman bulunamadı. Onun komünist olduğu ve Doğu'ya geçmiş olabileceği de söylendi. Düşük ihtimal. Bir başka teori, onun aile içinde üstlendiği sorumluluklara dayanamadığını ileri sürüyor. Sonsuza dek... kaçmış olmalı.

Czukay çoktan, elini bir kez daha poşetin içine daldırmıştı.

– Biraz daha gerilere gidelim. 1943'te, Helmut Fransız Direnişçiler'in demiryoluna yaptığı bir sabotaj sonucunda öldü. En azından öyle tahmin ediliyor çünkü cesedi asla teşhis edilemedi. Bir yıl sonra kuzeni Thomas'ın, Amerikan çıkartması sırasında kaybolduğu açıklandı. İlki 31, diğeri 29 yaşındaydı.

Bu kayıplar herkesin bildiği şeylerdi. Oysa kimse bu durumun sürekli yinelenmekte olduğunu göz önünde bulundurmamıştı. Yeniş bir büyücü dışında, kimse...

– Daha eski tarihlerle ilgili araştırmalar yaptınız mı?

Bu kez tüy divit kalemle yazılmış resmi belgeler masanın üzerinde belirdi.

– Bir başka Geyersberg, Richard, Dietrich'in kardeşi 1916'daki Somme Muharebesi'nde sırra kadem basarken bir diğer kuzen Liège yakınlarındaki bir nehirde sürüklendi.

– Cesetleri bulunmuş mu?

– Sanmıyorum, hayır.

Niémans önüne konulmuş tüm yazıları dikkatle inceliyordu. Geyersberg lanetinin yapbozu. Bu lanetin ormanın derinliklerinde bıçakla veya tüfekle hesaplaşılan aileler arası rekabetlerle sınırlı kaldığı sonucuna varmayı çok isterdi. Ama her kuşakta aynı çekişmenin, aynı başrol oyuncularıyla olduğunu ve her seferinde bir ölümle ve üstelik kayıp bir cesetle sonuçlandığını varsaymak imkânsızdı.

– Bu belgelerin fotokopisini alabilir miyim?

Rainer Czukay kocaman gülümsedi.

– Sizin için önceden hazırlamıştım. Sebebi anlamanızı sağlayacak temel belgeler.

– Hangi sebep?

Czukay sandığın dibinden bir bloknot ile bir kalem aldı: Araştırmacı teorisini açıklama fırsatı bulacağını biliyordu.

– Daha önce bir soyağacı gördünüz, değil mi? diye sordu, kâğıdın üzerine bir şema çizerken; her dikey çizgi birçok dala ayrılıyordu ve bu dallarda da iki ya da üç kol bulunuyordu.

Buralara ailenin farklı yakınlık derecelerindeki isimleri yazdı.

– Burada çarpıcı olan, kayıpların simetrisi. Her kuşakta bir dal siliniyor. (Ölmüş isimlerin üstüne bir çizgi çekti.) Vârisler için yeterince yer olmadığına kader karar vermiş gibi.

Niémans sessizce ağacı inceliyordu. Şüpheye kapılmıştı, bu, bir kupa sistemi gibi her seferinde bir Geyersberg'i saf dışı bırakan bir tür ayıklama olabilirdi.

Zayıf halka mı saf dışı bırakılıyordu?

Yoksa isyankâr bir oğul mu?

Başka bir varsayım da bu şüpheye eklendi: Bu saf dışı bırakma işini yapanlar Kara Avcılar'dı...

Hayır, bu tutarlı değildi. Sonderkommandolar 1940'lı yıllarda ortaya çıkmıştı ve Geyersberglerin kayıpları daha eski tarihlere uzanıyordu...

Ama hissediyordu, yaklaşıyordu... Tüm olayların merkezinin sıcak noktası buradaydı, hemen elinin altında.

Paltosunu aldı, artık öğrendiklerini olgunlaştırmak istiyordu.

Muhatabının elini sıkmak yerine, ellerini cebine soktu. Manyetik güçleri olan bir adamın parmaklarına dokunmak istemiyordu.

– Teşekkürler profesör. Bana çok yardımcı oldunuz.

42

Çarpıcı bir bilgi bir başka bilgiyi önemsiz kılıyordu. Ivana çok önemli bir bilgiye ulaşmıştı, ama işte, kimsenin nerede oluğunu bilmediği Niémans heyecan içinde çıkıp gelmişti. Sonuçta, tam ona göre bir davranıştı...

Şimdi paperboard üzerine sinirli sinirli soyağaçları çiziyor ve onlara gerçekten var olan Geyersberg lanetini açıklıyordu.

– Konuştuğum uzmana göre, diye açıklamada bulundu, her kuşakta bir vâris otuz yaşına doğru, sebepsiz yere ortadan yok oluyor. Cesedi asla bulunmuyor.

Ivana çay dolu kupasını iki eliyle tutmuş, akıl hocasını hayranlıkla dinliyordu. Niémans bir kez daha doğruyu görmüştü. Tüm beklentilerin tersine, bir Yeniş ile bir büyücünün hezeyanları haklı çıkıyor ve onlara soruşturmada yeni kanallar açıyordu.

Gitgide gemide denizi ilk kez gören bir çocuğa benzemeye başlayan Kleinert araya girdi:

– Her seferinde onların öldürüldüğünü mü... söylemek istiyorsunuz?

Niémans durumdan hoşnut, keçeli kalemin kapağını kapattı, öğretmenlikten kalma bazı alışkanlıkları korumuştu (söylediğinin tersine bir eğitmen olmak hoşuna gitmişti).

– Bundan emin olmak için çok erken, ama onların Jürgen ve Max gibi öldürüldükleri düşünülebilir, evet.

– Geyersbergler cesetleri yok ederek bu cinayetleri gizlediler mi?

– Bu çok çılgınca ama benim düşündüğüm de bu...

– Kendi vârislerini mi öldürüyorlar?

Niémans, Kleinert ile Ivana'nın oturduğu masaların önünde

dikildi. Bacakları açık, elleri arkasındaydı, cevabı hazırdı.

– Sanmıyorum, hayır. Ama buna karşılık, içlerinden birinin öldürülmesini kabul etmeleri için gizemli bir sebepleri var.

Bu kez, Kleinert ayağa kalktı.

– Bu gerçekten saçmalık.

Henüz paltosunu çıkarmamış olan Niémans (aktör duruşunu hâlâ koruyordu) işaretparmağını uzattı ve sesini yükseltti:

– Ama bu kez, bir şeyler ters gitti ve cesetler bulundu!

Pencereye doğru yürürken, Kleinert omzunun üstünden Ivana'ya bir bakış attı, sanki "amiriniz tımarhanelik" der gibiydi. Ama Ivana bu suç ortaklığını kabul etmemişti, ne söylerse söylesin Niémans'ın tarafındaydı.

– Peki size göre, bu vârisleri kim öldürmüş olabilir?

Niémans arkasındaki ellerini gevşetti.

– Hiçbir fikrim yok.

Ardından gelen sessizlik, Kleinert için bir artı puandı. Fransız polis bir dağ vaat etmişti ve sadece bir esinti yaratıyordu.

Niémans elindekini korumak için Ivana'ya yöneldi:

– Sende önemli bir bilgi vardı, nedir?

Bloknotunu karıştırdı.

– Neuilly-sur-Marne'daki köpekli birimde çalışan arkadaşlarımdan birini aradım. Ona göre, röetkenler çinko emilimiyle alakalı genetik bir sorun yaşıyorlarmış.

– Yani?

Ivana hızlıca notlarına bir göz attı.

– Veterinerlerden ya da eczanelerden sipariş edilen özel bir ilaç, bir çinko takviyesi almak zorundalar... Eğer bölgede biri röetken yetiştiriyorsa, bu ürünü büyük olasılıkla satın alıyor demektir.

Niémans, bir gemi küpeştesindeymiş gibi pencerenin yakınında duran Kleinert'e hitap etti:

– Bölgedeki tüm veterinerleri aramak gerekiyor.

– Bununla ilgileniyoruz. Adamlarım eczanelerle de temasa geçti.

– Kleinert, dedi sakin bir sesle, meslektaşına doğru yaklaşırken, gevşemenin zamanı değil. Stuttgart'ın adamları geldi mi?

– Bir ya da iki saat içinde burada olurlar.

– Onlar gelmeden önce azami bilgiyi toplamalıyız!

Kleinert kafasını kaldırdı, gözlerinde provokatif bir ifade vardı.

– Ve bunları onlara mı vereceksiniz?

Niémans cevap vermedi. Soruşturmayı bizzat tamamlamak istediği çok açıktı ve Ivana da onunla aynı fikirdeydi. Orman katili onlara aitti.

Kleinert söz almak için bu belirsizlikten yararlandı, her şeye rağmen, onun da söyleyecek yeni bir şeyi vardı. Birkaç cümleyle Schwarzes Blut Vakfı'nı anlattı ve Niémans'a avcıların listesini verdi: Çoğu birçok suçtan sabıkalı kişiler.

– Bunlar onlar, diye mırıldandı Niémans, adli sicillere hızla göz atarken, hiç kuşku yok. Onları sorguladınız mı?

– Niémans, sanki esnek zamanımız varmış gibi konuşmayı bırakın. Bu bilgilere bir saat önce eriştik. Yapabileceğimiz tek şey, bu herifleri karakola çağırmak ve...

– Özenli davranacak zamanımız yok.

– Prosedüre uymak gerekiyor. Bu bir polis için asgari bir zorunluluk, öyle değil mi?

Niémans gürültülü bir şekilde derin bir soluk aldı.

– Ya yaşlı Franz, onu araştırdınız mı?

– Bir numaralı şüpheliniz hakkında mı konuşmak istiyorsunuz? diye sordu Kleinert, ironik bir ses tonuyla. İki cinayet sırasında nerede olduğunu kanıtlıyor. Üstelik, tekerlekli sandalyesi kros için gerekli donanıma sahip değil.

– Çok komik. Ya engelinin sebebi?

– Yalan söylemedi: 17 yaşındayken bir av partisinde omuriliğine bir mermi isabet etmiş.

– Dosyada suçlunun adı geçmiyor mu?

– Soruşturma bir kaza olarak kapatılmış.

– O halde bu da onu gerçek bir şüpheli yapıyor. Pirsch avından esinlenerek Ferdinand'dan çocukları üzerinden intikam almak için bir sebebi olan tek kişi o.

– Yakından avlanma sırasında değil bir sürek avında vurulmuş.

– Ne demek istediğimi çok iyi anlıyorsunuz.

– Hayır, anlamıyorum, en başından beri pirsch avıyla canımızı sıkıyorsunuz ve şimdi de, yanında yaklaşık otuz kişi varken Franz'ın sıradan bir av kazasının kurbanı olduğunu unutmamız gerekiyor.

Niémans kapıya doğru yöneldi.

– Kara Avcılar, av kazaları, pirsch, bunların hepsini araştırın ve Cinayet Büro'nun adamları gelmeden bana bir şeyler bulun!

– Nereye gidiyorsunuz? diye açıkça bağırdı Ivana, sanki bir kez daha terk ediliyordu.

Niémans omzunun üstünden cevap verdi:

– Kontese bir çift laf söylemeye. En başından beri yalanlarıyla bizi yanıltıyor.

Kapıyı çarparak çıktı.

Tamamen talimat gibi anlaşılmaz bir brifingle onları kaderlerine terk etmekten kuşkusuz ahlaksızca bir zevk alıyordu.

Ama Ivana ile Kleinert birbirlerine gülümsediler, yeniden baş başa kalmaktan çok memnunlardı.

43

Şeytanla yaptıkları anlaşma neticesinde vârislerinden birini kurban etmeye hazır bir aile düşünüyordu. Kara Avcılar'dan önce kökeni 17. yüzyıla ya da daha gerilere uzanan Kara Avcılar'ı düşünüyordu. Av hayvanı olarak insanın kullanıldığı, Kont Zaroff'un avlarını düşünüyordu. Düşünüyordu...

Niémans tüm dikkatini yola verdi. Ağaçların üstünde gökyüzü olağanüstü bir dizi grilik – demir, çelik, inoks...– sergiliyordu. Değişik pırıltılar ve arkadan vuran güneş her şeyi, her yeri parlatıyordu.

Polis ürperdi. Büyükannesi ile büyükbabasının evinin arkasına doğru inen düzlükte koşuyordu. Meyankökü, korkunun neden olduğu yürek çarpıntılarıyla uyum içinde onun bacaklarına çarpıyordu...

Cam Villa'ya giden patikaya girmeden önce yeni nöbetçilere rozetini göstermek zorunda kaldı. Avluya, akvaryum eve, çimlere ulaştı. O anda, her şey onun gözünde bir tapınağa dönüştü. Gri çakıllar ona bir mezarlığın çakıllı yollarını, Cam Villa'nın sert hatlarıysa devasa bir anıtmezarı hatırlatıyordu. İki salak kardeşle yediği akşam yemeğini hatırladı ve nemli yapraklar arasına atılmış ceset ile oradan fazla uzağa bırakılmamış, dişlerinin arasındaki meşe palamuduyla toprağa bulanmış kafanın örüntüleri üst üste binmiş halde gözünün önüne geldi...

Laura'nın 4x4'ü oradaydı, çok iyi.

Zili çaldı ve kapıyı bizzat onun açmasını bekledi. Bir uşak belirdi ve ağzında sıcak patates varmışçasına konuştuğu İngilizceyle ona "Bayan kontes burada değil" dedi. Niémans onu yakalayıp kapının pervazına yapıştırdı. Anında gerekli bilgileri aldı: Laura von Geyersberg dua etmek için şapele gitmişti.

Niémans ormanın sınırını geçti ve köknarların altında uzanan patikaya girdi. Birden, aynı anda kabuk ve yaprak kokuları yükseldi, sanki çok yakın bir zamanda bir sürü ağaç kesilmişti. Ağaçların karayosunlarının ve eğreltiotlarının altına süzülen özsularını ve çalılara yapışan talaş parçacıklarını hayal ediyordu. Başını yukarı kaldırdığında, yapraklı dalların arasından, bu kokuları devasa yeşil gri bir kubbe gibi hapseden ağır ve kapalı gökyüzünü görebiliyordu.

Çevreye çiy gibi bir nem hâkimdi ve ıslandığını hissediyordu, ama bu su ve kokular âleminin ortasında, içi bu ıslaklığı emen bir süngere dönüşmüştü. Üşüyordu. Yakalarını kaldırdı, ellerini ceplerine soktu ve sağına soluna kaygılı bakışlar atmaya başladı. Kara çalılar mermer bloklara dönüşüyor, bodur ağaçlar sivri granitler gibi dik bir hal alıyordu. Yeniden titredi. Bunun sebebi soğuk değildi: Korkuydu.

Sonunda anladı: Burası röetkenin geldiği yoldu. Birden kısa tüylerden, kanlı etlerden, sıcak nefesten yapılmış korkunç bir giysiyle sarmalanmış, sıkıştırılmış, ıslanmıştı. Röetken oradaydı, saydam bir sisten daha yoğun, daha güçlüydü.

Bu köpek ve tüm köpekler onun içindeydi, onun beynini parçalamaya, organlarını söküp almaya hazırlardı. Adımlarını hızlandırdı, karnına kramplar giriyordu. Meyankökü onun peşindeydi.

Şapel imdadına yetişti. Taş bir yapı değildi, bir *stavkirke*'ydi, Norveç'te ya da Baltık Denizi kıyılarında bulunan tahtaların dikey olarak yerleştirilmesiyle inşa edilmiş ahşap kiliselerden biriydi.

Bina Kapla'dan inşa edilmiş ve çok ince açılmış bir kurşunkalem ucunu andıran çan kulesine kadar uzanan kat kat şapellerden oluşmuş gibiydi.

Bu şapelleri biliyordu, hep bu ilginç kiliseleri görmek için bir seyahat planlamak istemişti. Geç de olsa görmek, hiç görmemekten daha iyiydi: Tam karşısında bu şapellerden biri vardı. Soluk alışı düzene girmiş ve kendini toparlamıştı, dikkatle yaklaştı. Parkelerin arasındaki boşluklar kadar dar olan pencerelerden mumların titreşen ışığı görünüyordu.

Kapı kilitli değildi. Kapıyı itti, korkunç bir gıcırtı duymayı bekledi. Ama yağlanmış kapının sessizliği ona cevap verdi. İçeride, çam kokusu burun deliklerini doldurup doğrudan beynine ulaştı. Zemin, tavan, duvarlar, her şey yeni kesilmiş ahşabın beyazlığına ve duruluğuna sahipti.

Birkaç adım daha attı.

İçeride, Luthercilerin sade ve katı inancını çağrıştıran ahşap banklar sıralanmıştı. Diz çökmüş ruhlar, başları yukarıda kalpler... Dip tarafta, sunağın sol tarafında, her ayrıntıyı bal rengine dönüştüren alevlerin yayıldığı onlarca mumun durduğu bir revak vardı. Niémans ahşap ile alevlerin arasındaki bu gizemli uyuşmazlığı, bu tehlikeli karşıtlığı hissediyordu. Bir mumun yere düşmesiyle yapı bir anda kül olacaktı...

Laura sunağın sağ tarafında diz çökmüştü. Arkadan bakıldığında, güçlü ve saklı bir pınarın yanına çömelmiş gibiydi. Kuşkusuz dua ediyordu, hareketsizdi, en gizemli anında gözlemlenen bir hayvanı çağrıştırıyordu.

Bütün gayretine rağmen, polis döşemenin gıcırdamasına engel olamadı ve anın saflığını bozdu. Laura arkasına döndü. Yüz ifadesini seçmek imkânsızdı. Şaşkın, düşmanca, üzgün, bir şey söylemek olanaksızdı.

Ayağa kalktı ve uzun silueti gölgeden çıktı. Bir kez daha Niémans'ın aklına yabanıl bir hayvan geldi. Belki bir maral ya da esnek gövdeli, altın rengi postu olan geyikgillerden başka bir tür. Laura'nın, 270 Winchester'iyle ve atölyesinde bizzat hazırladığı mermilerle soğukkanlılıkla öldürdüğü av hayvanlarından biri.

Sıraların arasındaki koridora çıktı. Bu altın şapelin içinde, gözleri yakıcı iki mum damlası gibi parlıyordu. Buraya dua etmeye gelmişti, ama bir kez daha Fransız polis, dalgıçlarınki gibi kaba ayakkabılarıyla bu kutsal anı bozuyordu.

– Her şey sadece katilleri aramak değil, dedi, çakılan bir kibriti andıran bir sesle. Ölülere de saygı göstermek gerekiyor.

44

Niémans yine özür dilemeye gelmemişti.

– Saygı doğruyu söylemekle başlar, Laura. Bize yalan söylemekten vazgeçin. Aksi takdirde, bizim bir numaralı şüphelimiz haline geleceksiniz.

Sanki kilisenin içine sert bir rüzgâr girmiş gibi nemli gözleri bir anda kurudu.

– Ne söylediğinize dikkat edin.

– Niçin bana pirsch avıyla ilgili bu saçmalıkları anlattınız?

Laura sol taraftaki sıraların arasına girdi. Niémans'ın onun peşinden gitmekten başka çaresi yoktu. Mumların yanına gelince kontes ona döndü: Duvarda, melekler onun omuzlarına dökülen, koyu renkli gür saçlarını çevreliyordu.

– Anlamıyorum.

Niémans bir adım ilerledi. Laura'nın parfümü bir büyü gibi ona nüfuz etti.

– Bana Geyersberglerin bu av türüyle ilgilenmediğini ve bunun şatafattan uzak olduğunu söylediniz. Aslında, tamamen tersi. Bu en asil av ve aileniz yüzyıllardan beri bu avı yapıyor.

Laura, birden rahatladı, sanki Niémans'ın başka bir konudan bahsedeceğini düşünerek bir an için endişelenmişti.

– Asla böyle bir şey söylemedim, diye alçak sesle cevap verdi. Jürgen pirsch avı yapıyordu. Max ve Udo da, ama benim bunun için zamanım yok, hepsi bu. Sizin bu takıntınızı anlamıyorum.

Niémans onu yaptığı bu son saptamayı dikkate almadı.

– Peki, amcanız tarafından yönetilen vakıf, Schwarzes Blut?

– Çevreci bir dernek.

– Ormanlarınızı geliştiriyorsunuz, özellikle yakından avlanma için av hayvanlarınıza özen gösteriyorsunuz. Orman sizin krallığınız, sınai grubunuzdan bile değerli.

– Bir kez daha söylüyorum, bu sizi neden bu kadar ilgilendiriyor, anlamıyorum.

– Katil pirsch ritüelini taklit ediyor.

– Eee, yani? Aynı yerde dönüp duruyorsunuz, Niémans.

Polis karşılık vermedi. Buraya kendini aklamaya gelmemişti.

– Ya Kara Avcılar? diye ekledi. Amcanızın işe aldığı ve özgürlüklerini verdiği bu adamların hepsi sabıkalı, kaçak avcı, tıpkı Himmler'in Sonderkommandolar için yaptığı gibi. Ve bu serseriler kendilerini Oskar Dirlewanger'in askerlerinin reenkarnasyonları sanıyorlar!

Laura üzgün bir yüz ifadesiyle, arkasındaki duvar boyunca, parmaklarıyla hafifçe duvara dokunarak yürüdü. Mumların cılız ışığı sanki onu takip ediyor ve elini aydınlatıyordu, melekleri, kralları, çarpıcı ifadeye sahip şaşkın yüzleri görünür kılıyordu.

– Sizin bu anlattıklarınız efsaneler âlemiyle ilgili.

– Bugün konuştuğum Yenişlere göre bu efsaneler gerçek.

Sert bir tavırla arkasına döndü ve duvarın köşesine yaslandı.

– Suçlular hatalarının bedelini ödedi, diye hemen cevap verdi.

O dönemde, Laura onlu yaşlarda olmalıydı (küçük Yeniş kızla aynı yaşta), ama bu olayı çok iyi biliyordu. Geyersberglerin tarihinde bir lekeydi.

– Ailenin zararı telafi edildi, diye devam etti, sanki o dönemde bu işle bizzat ilgilenmişti. Küçük kız Freiburg'un en iyi hastanesinde tedavi edildi.

Niémans, zararı telafi etmek için Geyersberglerin Yenişlere ne kadar nakit para verdiğini düşünüyordu. Az önce Joseph yalancı pehlivanı oynamıştı, ama kuşkusuz susmasının karşılığında teklif edilen parayı almıştı.

– Her ne olursa olsun, bugün kızı o haliyle görmek hoş değildi.

Laura yanıt vermekte zorlanıyor gibiydi. Arkasında, Hıristiyanlıkla ilgili motifler yerlerini doğrudan İskandinav sagalarından çıkmış ejderhalara ve başka yaratıklara bırakmıştı...

– Eee, yani? diye karşılık verdi. Bu eski hikâyenin cinayetlerle ne alakası var?

– Bana neden ailenizdeki gizemli ölümlerden bahsetmediniz?

– Kazalar, savaşlar sonucu olmuş ölümler, hepsi bu.

– Ve asla hiçbir ceset bulunmadı.

– Bu konuda ne biliyorsunuz?

– Eğer cesetler olsaydı, herkes bunu hatırlayacaktı. Sanırım kutsal aile tapınağı boş.

Laura onu tokatlamak için elini kaldırdı ama zamanında durdu. Hayır, bir polise vurmaktan çekindiği için durmamıştı. Bu denli alçalmak istemiyordu, hepsi bu.

Altdudağını ısırmakla yetindi ve birkaç adımda kapıya ulaştı. Öğleden sonra güneşi akan bir cıva gibi kilisenin içine doldu. Altın gümüşe karşı, bu muhteşemdi ama Niémans'ın bir estet gibi davranacak zamanı yoktu.

Kapı yeniden kapandı ve kontesin peşinden yürüdü. Onu önceki gün gibi sinirli sinirli sigara içerken ya da kararlı adımlarla patikada yürürken görmeyi bekliyordu. Oysa şapelin sekisinin üstünde duruyordu, elleri cebindeydi ve nemli havadan derin nefesler alıyordu.

Niémans ona yaklaşıp çevresinden dolandı. Pusun içinde kuşların şakımalarını duyuyordu, sanki gri gökyüzü kelimenin tam anlamıyla, bütün renkleri, bütün yaşamı baskılarken doğa ses vermek için ayak diriyordu. Özellikle de Laura'nın profilini hayranlıkla seyrediyordu. Çoğu zaman, gün ışığı son derece merhametsizdi, tendeki en ufak bir kusuru bile arayıp buluyor ve derinleştiriyordu. Ama Laura daha güçlüydü. Çok az makyajlı cildinde eşsiz bir duruluk, bir incelik vardı. En ufak bir genişlemiş gözenek, derin bir kırışık, koyu bir halka yoktu.

– Korkuyorsunuz Laura, dedi Niémans onun kulağına.

– Neden, kimden? diye sordu, ona doğru dönerek, gözkapakları titriyordu.

– Kara Avcılar sizi tehdit ediyor.

– Anlamıyorum. Onlar bizim için mi çalışıyor yoksa bizi öldürmek mi istiyorlar?

Bir yerlerde bir kuş, film çekimlerinde kullanılan bir klaket gibi kanatlarını şaklattı. Sahne tamamlanıyordu, bu teorisi de tutmamıştı.

Laura yeniden gülümsemişti.

– Dua etmeye daha sonra geleceğim, dedi, yola doğru ilerlerken.

Polis, köknarların karanlığında kaybolan Laura'nın arkasından baktı ve şapele dönmeye karar verdi. Kendini her zamankinden daha fazla polis, meraklı, çakal hissediyordu...

Sahında, mumların yarısı sönmüştü, ahşap duvarlar şimdi ıslakmış ve çürümeye hazırmış gibi görünüyordu.

Kontesin diz çöktüğü yere gitti. Eriyen mumlarının damlayarak söndürdüğü büyük şamdanlar dışında, dikkat çekici bir şey yoktu. Biraz daha yaklaştı ve duvar tahtalarının içine vidalanmış beyaz mermerden bir levha fark etti.

Niémans cep telefonunu çıkarıp fenerini açtı. Dörtgen levhanın üstünde Jürgen'in adı ile doğum ve ölüm tarihleri yazılıydı. Müteveffanın adının altına oyularak yazılmış mezar taşı yazısını fark edince mezara girmenin bir yolu olabilir mi diye düşündü.

Biraz daha eğildi ve girintili yüzeyi aydınlattı:

> Yap olanca gücünle uzun ve ağır işini
> Kaderin seni çağırdığı yolda,
> Sonra acı çek ve öl, sessizce, benim gibi.

Alıntı Fransızcaydı. Polis resmini çekti ve bir kez daha okudu. Belli belirsiz de olsa ona bir şey ifade ediyordu. Bilinen bir şiirin bir bölümüydü, ama hangisi olduğunu hatırlamanın imkânı yoktu.

Son dizeye takılıp kaldı: "Sonra acı çek ve öl, sessizce, benim gibi." Bu "benim gibi" kimdi? Bu dizeler kimden bahsediyordu?

Elindeki telefon titreşti, az kasın yere düşürüyordu.

Ekranı kendine doğru çevirdi: Ivana.

– Ne? diye bağırdı, bir an için sesinin ulaşmadığını düşünmüştü. Geliyorum.

45

Ovanın dip tarafında, kırmızı tuğladan inşa edilmiş bir çiftlik binası bir platform üzerinde yükseliyordu. Sanki güneşin son ışınlarını tutmuştu ve bir çimenlikte unutulmuş bir mangal közü gibi basamaklı sekinin üzerinde cızırdıyordu. Ele geçirilecek kale burası mıydı?

Miğferi ile kurşungeçirmez yeleğinin arasına sıkışıp kalmış Ivana, SEK'in zırhlı araçlarının birinin arkasına gizlenmişti, ancak bir ceviz kıracağının kıskaçları arasındaki bir fındık kadar rahattı. Onun yanında Kleinert, namlusu aşağıya doğru çevrilmiş halde silahını göğsüne yapıştırmış, SUL pozisyonu almıştı ve her şeye hazır gibiydi. Çok seksi.

Niémans Kontes'le yüzleşmeye gittiğinde, Ivana kesin bir bulguya ulaşmıştı: Meşhur röetkenleri yetiştiren kişinin adı ve adresi. Freiburg im Breisgau'nun güneyinde bulunan Kandern adlı küçük bir köyün eczacısının söylediğine göre bir adam her ay çinko eksikliğini takviye edici ilaçlar alıyordu. Adam Grafenhausen Bölgesi'ndeki bir başka köyün iyi bilinen bir veterinerinin reçetelerini kullanıyordu. Ama bir sorun vardı, veteriner asla bu reçeteleri yazmamıştı.

Ivana ilaçları satın alan adam hakkında hemen bilgi toplamıştı: Adı Johann Bruch'tu, 43 yaşındaydı, lisanslı bir avcıydı, birçok kez tutuklanmış ve şiddet uygulamaktan, kaçak avcılıktan, ağla avlanmaktan ve hayvanların üreme dönemlerine riayet etmemekten birçok kez mahkûm olmuştu. Ayrıca cinayetten iki kez şüpheli durumuna düşmüş ama her seferinde aklanmıştı. Sonuçta, yine de on yılını parmaklıklar ardında geçirmişti.

Resmi kayıtlara göre, artık adam Gletscherkessel Präg Doğal Rezervi'nden çok uzak olmayan ıssız bir çiftlikte av köpekleri yetiştiriyordu.

Ama köpekler arasında röetken yoktu.

Esas konu farklıydı: Bruch altı yıldan beri Schwarzes Blut Vakfı için çalışıyordu. Yaşlı Franz tarafından işe alınan ve korunan sabıkalılar listesindeydi.

Kleinert çok hızlı davranmış, rekor bir süre içinde müdahale birimini harekete geçirmişti: SEK'in, Almanya Landespolizein'ın taktik birimi, Spezialleinsatzkommandos'un adamları derhal Gletscherkessel Präg Doğal Rezervi'ne doğru yola çıkmış, hatta Kleinert, Ivana ve onların ekibinden önce oraya varmışlardı.

Diğer taraftan, Slav kız Niémans'a –telefona cevap vermiyordu– haber vermeye çalışmıştı. Kendini çaresiz hissediyordu. Ona göre operasyon orantısızdı. Her şeye rağmen amaç köpek yetiştiricisi eski bir kaçak avcıyı yakalamaktı. Ama Kleinert bu şekilde değerlendirmiyordu ve sonunda o da Kleinert'e hak vermişti: Bruch onları tüfekle ateş açarak karşılamıştı.

Şimdi manzaradan, Fort Chabrol[35] olaylarındaki gibi pis kokular yükseliyordu. Polisler geniş ovanın ortasında konuşlanmıştı, akşam rüzgârı yüksek otları hafifçe tararcasına aralarından geçip gidiyordu. Her şey alacakaranlıkta titreşiyor gibiydi, ama bu daha ziyade, içinde bulunduğu andan etkilenmiş olan Ivana'nın algısıydı.

Arkasında ayak sesleri duydu. Niémans, nihayet. Alabros kesimi saçları, yuvarlak gözlükleri, siyah paltosu ve herkesten bir baş daha uzun bir boy. Yaşına rağmen, yorgun yüz hatlarına rağmen hiç de fena değildi; elbette asker tarzını sevenler için.

– Bu ne karmaşa? diye sordu, henüz soluklanmadan.

Kleinert durumu açıklama görevini üstlendi. Niémans, gergin bir suratla ovanın dört bir yanını kartal bakışlarıyla tarıyordu. Kuşkusuz, çalıların arasına gizlenmiş otomatik tüfekli adamları ve ağaçlara tünemiş, ellerinde Ultima Ratio'lar[36] bulunan keskin nişancıları çoktan fark etmişti.

– Basit bir köpek yetiştiricisi için mi herkesi ayaklandırdınız?

Kleinert cevap olarak Niémans'a kurşungeçirmez bir yelek uzattı.

– Söz konusu değil, diye reddetti, bunlar bana sıkıntı veriyor.

Kimi zaman, Niémans başka bir çağa, başka bir dünyaya aitmiş

35. 1899 yılında, Paris'in Chabrol Sokağı'nda başlayan ve 12 Ağustos'tan 20 Eylül'e kadar süren Yahudi karşıtı ayaklanma. (ç.n.)

36. Fransa tarafından üretilmiş, çok yüksek isabet oranına sahip keskin nişancı tüfeği. (ç.n.)

gibi davranıyordu. Dudaklarının arasında yanan sigaralarıyla altıpatlarlı sert adamların altın çağı.

Alman polis hiç istifini bozmadı, elindeki kevlar yeleği hâlâ ona doğru uzatıyordu. Sonunda, Niémans paltosunu çıkardı ve kurşungeçirmez yeleği giydi. Biraz kaşındıktan sonra, meslektaşları gibi kuşanmıştı.

Ivana gülümsedi; Niémans'ını tanıyordu ve bu ortamın, havadaki barut kokusuyla onun hoşuna gittiğini biliyordu. O bir saha adamıydı ve Guernon'dan bu yana sahadan uzaktı.

– Herif bizi tüfekle ateş ederek karşıladı, diye belirtti Ivana. Fabian SEK'i çağırmakta haklıydı.

– Fabian mı?

– Boş verin.

Niémans'ın yüz ifadesi değişmişti, köpekli birimin çoban köpeklerini görmüştü.

– Röetkenleri bulmak için buradalar, diye açıkladı, Ivana.

Polis artık ona cevap verecek durumda değildi, çenesi kilitlenmiş, gözleri donuklaşmıştı.

– Niémans, beni dinleyin.

Polisten hiç tepki yoktu. Eli silahının üstündeydi, sahiplerinin yanında sakin bir şekilde bekleyen Alman çoban köpeklerini vurmaya hazırdı.

Ivana onu paltosunun eteklerinden yakaladı ve bağırdı:

– Niémans!

Sonunda, gözbebeklerinde pırıltı meydana geldi. Bağlantı yeniden sağlanmıştı.

– Bizimle uslu uslu oturun. Destek gelmesini bekliyoruz.

– Ne desteği?

– Stuttgart'tan, diye araya girdi Kleinert. Ayrıca savcının da bize yeşil ışık yakmasını beklememiz gerekiyor.

– Kendini kulübesine kapatmış kaçak avcıdan söz etmeye devam mı ediyoruz?

– Niémans, diye karşılık verdi Ivana, salağa yatmaktan vazgeçin. Eğer bu herif Kara Avcılar'dansa bize karşı lav silahı kullanabilir ya da üzerimize el bombası atabilir. İhtiyatlı davranmak daha iyi olur.

Niémans küçük bir baş hareketiyle durumu kabullendi. Bir şey düşünüyor gibiydi. Ivana baskın ve kuşatma konusunda bir şey bilmiyordu. Geceyi beklemek daha mı iyiydi? SEK'in bir saldırı planı var mıydı? Gece saldırısının daha muhteşem olacağını düşünüyordu. Dürbünle ve lazerli nişangâhla donatılmış tüfekler sayesinde gece nar renginde küçük sevimli noktalarla aydınlanacaktı.

Sanki beklerken vakit geçmesi için, Alman polis telsiz cızırtıları arasında teknik bir tirada başladı:

– Henüz kapıyı kırmak gibi bir düşüncemiz yok, diye açıkladı, koçbaşı ya da plastik mermi...

– Neden gaz bombası kullanmıyorsunuz?

– Bu herif öfkeden kudurmuş durumda. En ufak bir risk alamayız. Takviye burada olduğunda ve yetkililer onay verdiğinde, bir helikopter yukarıdan yeni ekipler indirecek ve biz de saldırıya geçeceğiz...

Niémans elinde son model bir gaz bombası tüfeği bulunan bir polise ısrarla bakıyordu. Adamın aklı bir karış havada gibiydi.

– Her halükârda, diye Kleinert devam ediyordu, hiçbir şeyin farkında değildi, bu hem havadan hem de karadan yapılacak bir yıldırım harekâtı olacak.

– Hemen harekete geçmemiz gerekiyor. Zaman kaybedemeyiz.

– Benim yetki alanımda ve benim ülkemdesiniz. Bir Fransız olarak, siz...

Niémans hızla elinde gaz tüfeği olan adamın yanına gitti. Elindeki bomba atarı aldı ve Kleinert'in yerine cümlesini tamamladı:

– Mükemmel bir fikrim var: Gidelim kapıyı çalalım.

– Niémans, istediğiniz şekilde davranmanıza izin veremem. Göz yaşartıcı bomba kullanmak için izin aldık ve bu...

Polis sert bir hareketle silahı kuşandı.

– "Yıldırım harekât" benim!

Sonra, gülünç bir şekilde cepheye doğru koşmaya başladı, yeşermiş bir otlakta koşan yalnız bir kamikazeye benziyordu.

Ivana da içinden mırıldanarak onun peşine takıldı:

– Niémans, bu sizin yaşınıza uygun değil. (Sonra, silahını iki eliyle kavrarken boğulacak gibi oldu, ekledi:) Sizin için çok geç, benim içinse çok erken...

46

Çok hızlı bir şekilde ağaçsız alana ulaştılar. Ivana Niémans'ın arkasında sık ve kısa adımlarla ilerlerken kendini bir ball-trap oyunundaki bir kil güvercin gibi hissediyordu. Ovanın dip tarafında, kızıl renkli kulübe sanki akşamın alacakaranlığında hâlâ yanıyordu. Şimdilik, açılan bir ateş yoktu. Toprak setlerin üstünden atladılar, otları yararak geçtiler. Hedefle aralarında üç yüz metre vardı. Ivana artık bedenini hissetmiyordu. Tam bir coşkunluk içindeydi. Aynı zamanda da, Bruch acaba deneyimli bir avcı mı diye düşünüyordu...

İki yüz metre.

Hâlâ silah sesi yoktu. Her adımda, yeni bir duyguya kapılıyordu. Sig Sauer'inin kabzası elindeydi, çatışma öncesi büyük bir beyaz gürültü vardı... Bu, işinde her zaman eksikliğini hissettiği ve sadece çizginin diğer tarafını bildiği tehlikeydi.

Yüz metre.

Kulakları sağır eden bir patlama duyuldu, bir pompalı tüfeğe özgü biraz tok bir sesti. Şanslarına kıl payı kurtuldular. Bruch sadece sıradan bir gösterişçiydi; eğer bir pirsch avcısı olsaydı hassas bir tüfeği olurdu ve onlar da çoktan ölmüş olurlardı.

Niémans yavaşlamak zorunda kaldı. Ivana onun derin, hıçkırır gibi nefes alışlarını duyuyordu. İki patlama sesi daha yankılandı. Hâlâ isabet yoktu. Aslında onlar için tehlikeli bir durum söz konusu değildi, bir pompalı tüfeğin menzili sadece 20-30 metre kadardı.

Niémans durdu. Hızla gelen Ivana ona çarptı. İkisi birlikte yoncaların üzerine yuvarlandılar.

– Kahretsin! diye bağırdı, sen de kim...

– Benim, Niémans. Sakin olun!

Bu karışıklık içinde, Ivana onun yüzünü gördü, solgundu. Doğal biyotopu bir kilisenin mahzen mezarı olan mermer bir baş.

– Çekil, dedi Niémans, onu koluyla iterken.

Ayağa kalktı, yerdeki gaz bombası tüfeğini aldı ve eve doğrulttu. Bir iki saniye nişan aldı ve gaz bombası, evin kapısının yanındaki pencereyi kırarak hedefine ulaşırken karanlık bulutlardan oluşan bir fon üzerinde beyaz bir iz bırakarak havayı deldi. Bunu bir zehirli duman patlaması izledi, bir tilkiyi ininden çıkaracak bir duman.

Niémans ile Ivana, ellerinde silahlarıyla çoktan eve doğru ilerlemeye başlamışlardı. Bruch dışarı çıkmıyordu. Bu oldukça şaşırtıcıydı. Ivana'nın protestolara katıldığı bir dönem olmuştu ve sinüsleri sık sık zehirli gaza maruz kalmıştı: Dayanmak imkânsızdı.

– Başka bir çıkış daha var, dedi, Niémans'ı omzundan tutarak, güçlükle soluyordu.

– Arka tarafta mı, demek istiyorsun?

– Hayır. SEK kulübenin etrafını dolaştı.

– Nerede?

– Yerin altında.

Niémans kısa bir süre Ivana'ya dikkatle baktı, sanki onun ne düşündüğünü anlamıştı. Basamaklara yöneldiler ve kapıya ulaştılar, sırtlarını duvara yapıştırarak pervazın iki yanına konuşlandılar.

Niémans kapının karşısına geçip kilide bir el ateş etti. Ardından bir tekmeyle açılan kapıdan hemen asitli gaz dalgası yayıldı.

Niémans geri çekildi ve iki büklüm oldu. Ivana hiçbir şey görmüyordu. Solunacak hava olarak yanık kokusu vardı. Ivana Niémans'ı görmek için gözlerini araladı; gözlüklerini düzeltiyordu, sonra gömleğinin koluyla ağzını kapattı ve puslu cehennemin içine daldı.

Hiç düşünmeden, sol koluyla ağzını örttü ve Niémans'ın peşinden içeri girdi. İçeriye, dumanın içine... Her an bir tüfek patlamasıyla yırtılabilecek kahrolası gri bir katmandan başka bir şey yoktu. Şimdiden Niémans'ı kaybetmişti ve çevresindeki duvarları bile göremiyordu. Birden, bir yerlerden bir metal tangırtısı geldi, bunu yerde sürüklenen zincir sesleri izledi, açılmaya çalışılan bir kapağın çevresine dolanmış zincirin sesi olmalıydı.

Ayakları bir sandalyeye takılarak, bir kapı köşesine çarparak gürültüye doğru yöneldi. Tek yol göstericisi, hâlâ devam eden zincir gürültüsüydü. Daha aşağıdan, yerin altından geliyordu.

Niémans neredeydi? Ona seslenmesi söz konusu olamazdı, boğucu dumanı yeniden içine çekmeye cesareti yoktu. Seslere kulak kabartarak, duvarlara tutunarak ilerlemek daha iyiydi...

Sonunda basamaklara ulaştı. Bir mahzene indi. Gazın yerini karanlık alıyordu. Zincir sesleri daha yakından, daha aşağıdan geliyordu. Ezilmiş toprak zeminde yeniden dengesini buldu, hâlâ kolunun arasından nefes alıyordu.

Birkaç metre ileride, dizleri üzerine çökmüş bir adam sonunda ızgara kapağı açmayı başarmıştı. Mahzenin altında, başka bir bodrum daha vardı. Birden, kaplan gibi ürkütücü, kıvrak karaltılar mahzenin zemininde belirdi. Kuşkusuz göğüslerine kazınmış iki el bombası sembolüyle, röetkenler buradaydı. Schüller'in laboratuvarındaki leşi gördüğünü sandı, sanki ete kemiğe bürünmüş birçok kopya halinde, kalın bir petrol gayzeri gibi tek bir hamlede yüzeye fışkırmıştı...

İçine doğmuş gibi başını mahzenin diğer tarafına çevirdi ve Niémans'ı, zavallı Niémans'ını gördü, bir köşeye büzülmüş, korku içinde kendi kâbusları tarafından çiğ çiğ yenilmeye hazırdı.

Ivana bir ya da ikisini indirebilirdi, ama diğerleri onu boğazından yakalardı, her şey sona ererdi. Onların zehirli pus içinde dans eden gözlerini gördü, parlayan ıslak gözler. Kısa tüylerinin altında oynayan kaslarını gördü. Beyazımsı bir salyanın aktığı, sarkık pembe dudaklarının altında parlayan keskin dişleri gördü.

Gözlerini kapattı ve ateş edemedi. Bacaklarının ısırılmasını ya da boynunun parçalanmasını bekliyordu. Ama bir şey olmadı. Gözlerini açtı. Köpekler yok olmuştu. Geride sadece Bruch ile kapağı ve Niémans ile korkusu kalmıştı.

Durumu hemen anladı. Köpeklerin gözleri çok zayıftı, gaz bombası onlar için çok fazlaydı. Ivana'ya bakmamışlardı bile ve gazdan kurtulmak için merdivenlerden kaçmışlardı.

Tüm dikkatini hâlâ takıldığı zincirlerle uğraşan Bruch'a verdi. Tüfeğiyle arasında iki metreden daha fazla bir mesafe vardı: Ivana onun kafasını bir mermiyle uçurmadan önce silahına ulaşma şansı hiç yoktu. Kaçak avcı içinde bulunduğu durum nedeniyle sanki donup kalmıştı. Çok ağlıyordu, kırmızı yüzünde sahte ve saldırgan bir ifade vardı.

Ona tutuklandığını söylemek istedi, ama refleks olarak ağzını açınca sadece öksürebildi, sonra da botlarının üstüne kustu. İçler acısı bir durumdu.

Başını kaldırdığında pislik herif ortadan yok olmuştu.

Ama merdivenden kaçmamıştı.

Açık kapaktan aşağı inmişti.

Öncelik Niémans'taydı. Alkol yoksunluğu çeken bir ihtiyar gibi tir tir titreyen akıl hocasının yanına gitti.

– Kımıldamayın, dedi.

İkinci bodruma inmenin zamanı gelmişti. Açık deliğe doğru gitti ve ahşap merdiveni tuttu. Ayakları yere basınca 19. yüzyıl madenocaklarını çağrıştıran lâl rengi toprak bir galeriyle karşılaştı. Tavanda kafes mahfazalar içinde ampuller asılıydı. Galerinin her iki cidarında kafesler vardı. Zincirin kapağı açmak için değil, bu kafesleri açmak için olduğunu anladı, köpekleri düşmanın üstüne salmak için basit bir sistemdi.

Gözleri yaşarmıştı, yine de buranın topografisi hakkında fikir sahibi olmayı başardı. Sol taraf bir çıkmazdı: Kızılımsı bir kaya yüzeydi. Sağ tarafa yöneldi, tabancası bir tırmanma halatı gibi hâlâ elindeydi, geride kalmış bir köpeğin her an yüzüne saldırmasını bekliyordu.

Karşısına çıkan tek şey, sıçanyolunda koşan ya da daha çok, tünelin ortasında ona sadece dar bir geçit bırakan açık kapılara çarparak sendeleye sendeleye ilerleyen Bruch oldu.

Bir anda aklına gelen bir düşünceyle tabancasını kılıfına yerleştirdi ve iki eliyle yerde uzanan zinciri kavradı ve var gücüyle çekti. Bunun tam olarak neye yarayacağını bilmiyordu, ama güzel bir sürpriz oldu. Kafes bölmeler anında aşağı indi ve Bruch'ın kaçacak yeri kalmadı.

Ivana adama arkadan yaklaştı ve silahının namlusunu ensesine dayadı, ama tehdidi yeterince etkili değildi. Bruch kolunu arkaya doğru savurdu ve onu bir kafese doğru fırlatmayı başardı.

Akabinde Sig Sauer'ini ona doğrultuyor ve tetiğe basıyordu. Ivana gözlerini kapattı, aklından tek bir düşünce geçiyordu: "Fransa için öldü." Ardından silah sesi duyuldu, ama ne bir acı duydu ne de yere düştü, hiçbir şey hissetmedi.

Gözlerini açtı ve şimdiye kadar gördüğü en heyecan verici manzarayla karşılaştı: Niémans oradaydı, yabani bir adatavşanı gibi Bruch'ı boynundan yakalamıştı. Herifin kolu imkânsız bir açıyla sallanıyordu; Niémans onun dirsek eklemini kırmıştı. Şimdi, etini yumuşatmak için ahtapotu rıhtım iskelesine vuran İtalyan balıkçılar gibi adamın kafasını kafeslerden birinin köşesine çarpıyordu.

Rahat bir nefes alan Ivana bu kez yeniden kaygılandı: Niémans adamı öldürecekti. Zorlukla ayağa kalktı ve bu kez o akıl hocasının yakasına yapıştı, onu var gücüyle çekti. Bruch'la birlikte daha fazla etkili oldu, onu ayırmayı başardı. Bir kez daha, arkaya, kırmızı toprağın içine yuvarlandılar.

Gerçekten de, adli polisin en iyi pankreas güreşçileriydiler.

Birkaç dakika önce yüksek otların arasında baktığı gibi onu dikkatle inceledi. Niémans'ın bakışlarından, Guernon olayının onun sağlığını olumsuz yönde etkilediğini, hiç kuşku yok ki çılgınlığını da artırdığını anladı.

47

Kelepçe vurma, bu gerçekten çok aşırıydı.

Kleinert otoritesini göstermek istemişti. Niémans, şimdi elleri kelepçeli, arka kapıları açık bir ambulansın içinde kafasını geriye yatırmış bir şekilde oturuyordu. Bu durum ona, eskiden boyunlarına geçirilen, lale denilen demir bir halkayla halka gösterilen Çinli mahkûmları hatırlattı.

Ama en kötüsü, Ivana'nın vaazıydı. Gözlerine damla damlatan bir doktorun yanı sıra bir de küçük Slav'ın ukala söylevine katlanmak zorundaydı.

– Sizi durduran neydi? İkimiz de orada tıkılı kalabilirdik. Sizin yaşınızda bir intihar görevi, bu gerçekten zamanı gelmeden gönüllü olarak askere gitmeye benziyor!

Niémans onu görmüyordu, ama arabanın aşağısında olduğunu tahmin ediyordu. Zaten fazla uzun boylu değildi, onunla ayakuçlarında yükselerek konuşuyordu, böyle yaptığından emindi.

– Hayatını kurtardığımı unutuyorsun.

– Sadece sizin aptallıklarınız yüzünden hayatım tehlikeye girdi. Tüm bunlar bir av korucusu için!

Polis bir el hareketiyle –ya da daha ziyade homurdanarak– doktoru uzaklaştırdı ve ambulans sedyesinin üstünde doğruldu, ayakları boşluktaydı. Gözleri, suyun dibinden bakıyormuş gibi hâlâ ıslaktı.

Etraflarında Sonderkommandolar kalkanları ve saldırı silahlarını toparlıyordu. Kleinert'in adamları çevre güvenliğini sağlarken, kriminal polisin teknisyenleri Bruch'ın evini istila etmişti.

– Bizim tek ipucumuz olan bir av korucusu. Onu karakola götürdüler mi?

– Hastaneye götürdüler. Bruch bir kafa travması geçiriyor, yüzündeki sayısız yarayı söylemiyorum bile.

– Meşru müdafaa.

– Paris'te olsaydınız, çoktan kovulmuştunuz. Burada, bizi sadece Almanya'dan kapı dışarı edecekler.

– Buna savcı karar verir.

Ivana cevap vermedi. Niémans onun donuk siluetini seçebiliyordu, parmaklarının ucunda dönen bir sigara vardı. Gözlerindeki ilaca rağmen, onun tüm vücudunun titrediğini görüyordu.

Asla itiraf etmek istemezdi ama Ivana yüzde yüz haklıydı. Sabırsızlıktan, kibirden bu saçma, yasadışı ve gereksiz yere tehlikeli bu saldırıya kalkışmıştı.

Aslında, bu tarz kahramanlıkları hâlâ yapabileceğini, bu dava – kendi davası– için tamamen ölmediğini ispatlamak istemişti.

Ve her zamanki bu açıklanamaz öfke, bu intihar eğilimi kendi korkusuna, köpek korkusuna meydan okuma isteğinden kaynaklanıyordu. Bu bir çıbanı patlatmak ya da Rubicon'u[37] geçmek gibiydi. Kendi tabusuna karşı gelerek daha güçlü çıkacağına dair akla aykırı bir umut...

– Artık tartışmaya gerek yok, dedi sonunda Ivana. Stuttgart'ın adamları geldi. Davayı devralıyorlar.

– İmkânsız. Bizi görevlendirdiler...

– Hiçbir şey anlamıyorsunuz. Tüm bunlar artık Max'ın cinayetiyle ilgili. Alman topraklarında bir Alman vatandaşı. Bundan böyle bu bizim işimiz değil.

– Ya Jürgen?

– Jürgen mi? diye yineledi Kleinert, arabaya doğru yaklaşırken.

Niémans, onun dudaklarında yarı öfkeli yarı sadist bir gülümseme gördüğünü sandı. Ya da sadece o kafasında bu şekilde yaratmıştı.

– O işle ben ilgileniyorum.

– Salağa yatmayın, Kleinert. Onun Fransa topraklarında öldürüldüğünü çok iyi biliyorsunuz.

– Bunu kendi savcınızla konuşun. Bebeği bize kakaladılar. Belki o da bizim gibi sizin aptallıklarınızdan bıkmıştır.

Bir sıçrayışta Niémans yere atladı. Birkaç saniye ayakları üstünde sallandı ama görüşü düzelmişti.

– Sonuç itibarıyla bu saçmalığın sebebi ne? diye ortaya sordu, Ivana ile Kleinert birbirlerine yakın duruyordu. Ölü var mı? Hayır. Hasar var mı? Hayır. Kuşatma saatlerce sürecekti, tüm bun-

37. Bu deyim, geri dönüşü olmayan noktadan ileri gitmek anlamında kullanılır ve Julius Caesar'ın MÖ 49 yılında lejyonuyla nehri geçmesine atıfta bulunur. (ç.n.)

lar bize ne söyleyeceğini bilmediğimiz bir adam için yapılacaktı.

Alman polis bıkkınlık belirten bir hareket yaptı, bir başka raunt için hırçın birine ihtiyaç yoktu.

– Boş verin Niémans. Evinize dönün ve burada sizin kabul edilemez davranışınızı görmezden gelmeye çalışacağız.

Niémans umutsuz gözlerle Ivana'ya baktı, o başını öne eğdi.

– Hâlâ bize ihtiyacınız var, diye bir kez daha denedi. En başından beri hepimiz aynı gemideyiz.

– Bu doğru, Niémans ve eyalet savcısı bu konuda ikna oldu.

Kleinert kolunu Ivana'nın omzuna koydu ve kesin bir ses tonuyla söyledi:

– İşte bu yüzden Fransız ve Alman yetkililer Teğmen Bogdanović'in danışman olarak burada kalmasına karar verdi.

Niémans bu samimi hareket karşısında şaşırmıştı.

– Ne?

– Niémans, dedi Ivana, tek çözüm bu. Çok ileri gittiniz.

Niémans bir şey söylemek istedi ama bu şey gelip boğazına takılıp kaldı.

O sırada her şey yeniden gözlerinin önüne geldi. Ivana'yı kurtarmak için deliğin içine nasıl atlamaya karar vermişti. Pislik herif onu yere yuvarladığında nasıl bir öfke patlamasıyla saldırmıştı. Bu öfkeyle şiddet uygularken nasıl büyük Niémans'ın geri döndüğünü sanmıştı. Güçlü, etkili, ardından koştuğu kötülükten çok daha tehlikeli bir Niémans.

Ama yanılıyordu. Şiddet dolu öfkesi geri gelmişti, bu kesindi, ama eski bir hastalığın kalıntısı gibiydi. Geri kalan şeyler, uzak bir geçmişti, Guernon öncesi yılları kadar ulaşılmaz bir şeydi. Aşılamaz bir sınır yerine göğüs kemiğinden göbeğinin altına kadar uzanan bir yara izi vardı.

Havlamalar duyuldu: Röetkenleri arabalara sokuyorlardı. İnliyorlardı, son derece uysal, kafaları yere eğik, gözleri gaz doluydu. Nedenini bilmiyordu, ama bu sahne Niémans'a Jürgen'in anısına mermere kazınmış mezar yazısını hatırlattı.

– Bu şiiri biliyor musun? diye Ivana'ya sordu. "Yap olanca gücünle uzun ve ağır işini / Kaderin seni çağırdığı yolda, / Sonra acı çek ve öl, sessizce, benim gibi."

– Hayır, diye cevapladı, sert bir ses tonuyla; dolaylı da olsa kültürsüz olduğu ona hatırlatıldığında hep alınıyordu.

– Bu Alfred de Vigny'nin "Kurdun Ölümü" adlı şiirinin son mısraları.

Niémans lafa karışan Kleinert'e baktı.

– Siz, Alfred de Vigny'yi tanıyor musunuz?

– Fransız kültürüne hayranım. Özellikle de şiire.

– Bunu tahmin etmezdim. Şiirde konuşan kim? "Benim gibi" diyen kim?

– Kurt. Şair, hayvan avcılar tarafından katledildiği sırada bu düşünceyi kurdun bakışlarında okuyor.

– "Acı çek ve öl, sessizce..." diye, alçak sesle tekrarladı Niémans.

– Bu dizeleri nerede okudunuz? diye sordu Ivana.

– Jürgen'in mezarında.

Bir anda üç partner arasında bir sessizlik oldu.

Gece ovaya, ters dönmüş bir hokkadaki mürekkep gibi yayılıyordu. Polis arabaları giderken ve farları uzaklaşırken köknarların hatları karanlık ve sert bir derinlik kazanıyordu.

Jürgen şiirdeki kurttu. 35 yaşının altında, tıpkı Max gibi ölmeyi kabul etmek zorundaydı. Neden? Bir lanet nedeniyle mi? Katil sadece bu lanetin vurucu gücü müydü?

Cebindeki telefon titreşmeye başladı. Çıkarmaya çalıştı, ama kelepçelerle imkânsızdı.

– Kahretsin, çıkarın şu kahrolası kelepçeleri!

Ivana elini Niémans'ın cebine soktu, cep telefonunu çıkardı ve onun kulağına dayarken Niémans elleriyle telefonu kavradı.

– Alo?

– Schüller, dedi, kısa nefesler alan bir ses.

– Ne var?

– Laboratuvarıma gelin, bunu bizzat görmeniz gerekiyor.

– Konu ne?

– Siz gelin.

Niémans telefonu sağ eliyle tutarken sol bileğindeki saate bakmaya çalıştı. Tabaklarla da bir jonglör gibi gösteri yapmayı pekâlâ deneyebilirdi.

– Önce bir şüpheliyi sorgulamamız gerekiyor. Sonra geliriz.

Kuşkuyla gözlerini açmış Kleinert'e bir bakış attı.

– Ne kadar sonra?

– İki saat.

– Sizi bekliyorum

Niémans telefonu kapattı ve parmaklarının ucuyla telefonu cebine koymayı başardı.

– Silah sesleri sizi sağır etmiş olmalı, dedi buz gibi bir sesle. Kimseyi görmeye gitmiyorsunuz, bir "şüpheli"nin sorgusuna da katılmıyorsunuz. Artık siz bu soruşturmanın bir parçası değilsiniz, kahretsin! Bunu size hangi lisanla anlatmam gerekiyor?

Trajik bir arenayı andıran bu kırlık alanda şansını son bir kez daha denemeliydi.

– Kleinert, dedi, sakin bir sesle (ona ön adıyla da hitap edebilirdi, ama hatırlamıyordu), az önce saçmaladım ve bunun için özür dilerim. Yaptıklarım için sizin yetkilileriniz, benim yetkililerim ya da herhangi birilerinin karşısında hesap vermeye hazırım. Ama şimdi, bunun sırası değil, acele etmemiz lazım. Benim gibi bir polisten bu kadar kolay vazgeçmemelisiniz.

Alman, bu tiradın saçmalığı karşısında geri çekilmek ister gibi vücudunu hafifçe geriye doğru esnetti.

– Gerçekten, siz kim olduğunuzu sanıyorsunuz?

– Sadece davayı en başından beri sizinle birlikte takip eden sağlam bir partnerim. Hepimiz birlikte olmalıyız, Kleinert. Katili yakalamak için tek şansımız bu.

Kleinert ona sanki farklı bir gözle bakıyordu. Her şeye rağmen, başka bir zamana ait bu kabadayı müsveddesi, bu çağdışı polis dizginlenebilir ve Kriminalpolizei'nin adamlarına karşı sağlam bir müttefik olabilirdi.

– Stuttgartlı meslektaşlarım bizi karakolda bekliyor. Onlarla konuşacağım.

Niémans bileklerini yeniden havaya kaldırdı.

– Bu şakaya bir son verebilir miyiz?

Kleinert gülümsedi ve anahtarları çıkarmadan dönüp gitti.

48

Şakanın zamanı sona ermişti, buraya kadar yeterince eğlenmişlerdi. Onları bekleyen memurlar, evrensel tarzda bir cinayet bürosunun gerçekten örnek polisleriydi: Üniformasızlardı, ceketleri buruşuk değildi. Sadece siyah takımlar ve beyaz gömlekler giymişlerdi. Cenazenin önünde yürüyen, törenden sonra asla eve içkiye davet edilmeyen ölü gömücüler. Ölülerin anısını altüst eden ve bu anıyı iğrenç bir çamura dönüştüren adamlar.

Niémans onlara doğal otoritesini kabul ettirmek isterdi, ama bileklerindeki kelepçeyle ve kıpkırmızı olmuş tavşan gözleriyle, en baştan kaybetmişti.

Herkes kendini tanıttı. Yeni gelenler Peter Fröhlich, Klaus Berling ve Volker Klenze adlarıyla karşılık verdi; Niémans rütbeleri değil, isimleri aklında tuttu.

İlk adamın, palyaço kaşları ve fermuar biçimindeki ağzıyla çikolatalı ekmeği çağrıştıran uzun ve solgun bir yüzü vardı. Her yerde suçluları görecek ve onları sonsuza dek tasnif edecek gibi sürekli olarak çevreye göz gezdiren ikinci adam kızıla çalan lüle saçlı, bodur biriydi. Son adam diğerlerinden bir baş daha uzundu –tabutu tek başına taşıyabilirdi– ve kesinlikle geri dönüşüm gibi kokuyordu: Bar fedaisi fiziğiyle ve gergin yüz ifadesiyle, cinayet büroya girmeden ve silahları bırakmadan önce taktik birimde uzun yıllar çalışmış olmalıydı.

Bu üçü bundan böyle soruşturmayı yönetecekti ve Niémans Alman prosedürlerinin inceliklerinden anlamasa da, kendi kaderi hakkında hiçbir şüphesi yoktu. Buradan sınıra...

Bununla birlikte, beklenmedik iki olay oyundaki kartları yeniden dağıttı. Kleinert Palyaçokaş'ı bir kenara çekti ve iki polis anlaşılmaz bir dilde mırıldanmaya başladılar. Kuşkusuz, ikisi uzun zamandan beri tanışıyordu. Bir umut olabilir miydi?

Var gücüyle elini sıkmak için Niémans'a doğru yürüyen ikinci polis, başına ödül konmuş bir adamda vücut bulmuş biri gibiydi. Adam basit bir Fransızca konuşuyordu, ama mesaj açıktı: Niémans'ın ünü ondan önce duyulmuştu. Adam, Volker Klenze onun hayranıydı ve Johann Bruch'a kendisinin de tam olarak aynı şeyi yapacağını Niémans'a söylemekten çekinmedi.

Sonunda, Kleinert ve Palyaçokaş geri döndü, iriyarı olan da onlara katıldı ve üçüncü polisle birlikte, hep beraber Töton[38] toplantılarına devam ettiler.

Niémans, sigarasını yakarken Almanları dikkatle izleyen Ivana'ya baktı. Eğitimi büyük adımlarla –ve üstelik uluslararası seviyede– ilerliyordu. Bizzat polislerden daha fazla numaracı ve dümenci kimse olmadığını öğreniyordu.

Dörtlü geri döndü ve Kleinert inatçı bir ilkokul öğretmenini çağrıştıran suratındaki sinsi ifadeyle Niémans'ın karşısına dikildi.

– Benim dosyayı onlardan çok daha iyi bildiğim konusunda meslektaşlarımla aynı düşüncede olduğumuzu söylemem gerekiyor.

– Sanırım "biz" demek istediniz, değil mi?

– Eğer ben onlardan önce şüpheliyi sorgularsam zaman kazanacağımızı kabul ettiler.

– Hâlâ "biz" değil mi?

Kleinert derin bir iç çekip cebinden minik bir anahtar çıkardı. İki küçük deliğe soktu ve Niémans serbest kaldı.

– Siz benimle geliyorsunuz. (Ivana'ya sevecen gözlerle baktı.) İkiniz de. Ama sorguya karışmayacaksınız, tek kelime etmeyeceksiniz.

– Sessizlik oyunu, dedi Ivana, sigarasını yere atarken.

Filmlerde, şüpheli kelepçelerden kurtulunca bileklerini ovuştururdu, Niémans ne olursa olsun bileklerini ovmak niyetinde değildi. Kırmızı toprak bir tünelin içinde canavarlar yetiştiren evsiz kılıklı herifi sorgulamaya can atıyordu.

İki arabayla yola çıktılar. Sorgulama hastanede yapılacaktı. Savcıdan izin almadan ve avukat olmadan. Görünen o ki, herhangi birine telefon etmesi için Johann Bruch'a izin vermemişlerdi. Son derece yasadışı.

Niémans Alman polisleri takdir etmeye başlıyordu.

38. Eski Almanlara verilen ad, günümüzde argo kullanımda Alman. (ç.n.)

49

– Söyleyecek bir şeyim yok, dedi yatağında oturan hayvan.

Çok aydınlık ve fazla mobilyası olmayan bir hastane odasındaydılar. Beyaz oda daha ziyade bir akıl hastanesi hücresini çağrıştırıyordu, bu da duruma çok uygundu.

Kleinert koridordaki nöbetçileri yollamıştı. Stuttgart'tan gelenler nöbet tutuyordu. Alman polis Bruch'ın tam karşısında duruyordu, karyolanın ayakucu demirlerini tutmuştu.

Niémans ile Ivana kenarda bekliyordu. Polis kız, bütün kurallara rağmen yeni bir sigara yakmıştı ve içtiği sigarayla merak uyandıran bir izlenim yarattığını düşünüyordu.

Johann Bruch bu ayrıntıyı fark etti ve Almanca bir şey söyledi. Niémans onun yaptığı hareketten ne söylediğini anladı: O da sigara istiyordu.

Kleinert ona küfürle karşılık verdi, herhalde olumsuz bir şeydi.

– *Hier wird Französisch gesprochen*, diye emretti.

Niémans kelimelerin fonetiğinden cümleyi anladı: "Fransızca konuş."

– Bu iki salak için mi? dedi Bruch, onlara balgama benzeyen bir bakış atarak.

Niémans, onları iyi uğraştırdığını itiraf etmeliydi. Yüzündeki pansumanlar ve kafasındaki bandajla, onu iki saat önce döven adamı karşısında görünce gözünü bile kırpmamıştı. Ayrıca ne yasaların ardına sığınarak ne de bir avukat talebinde bulunarak sızlanmıştı. Adam içinde bulunduğu duruma çekinmeden karşı durabilecek güçteydi.

Kuşkusuz sersemin tekiydi ama cesurdu.

Bandajlara rağmen, açık hava yaşamından kıpkırmızı olmuş alkolik yüzü ayırt edilebiliyordu. Sinsi gözler, birkaç günlük pis bir sakal, adam kirden sertleşmiş bir kumaş gibi inatçı bir öfkeyi, taşlaşmış bir acıyı çağrıştırıyordu. O sadece tuzakla tavşan yakalayan bir avcı değil, gerçek bir caniydi.

– Kapına geldiğimizde, diye başladı Alman, bizi tüfekle ateş ederek karşıladın, neden?

– Rahatsız edilmekten hoşlanmıyorum.

– Saklayacak neyin var?

– Hiçbir şey. Ben av korucusuyum. Saygıdeğer bir vakıf için çalışıyorum.

Bruch'ın aksanında Alman telaffuzunun çarpıcı belirginliği yoktu. Daha ziyade Alsace'lılar gibi kelimeleri yayarak konuşuyordu.

– Ya röetkenler?

Bruch omuzlarını silkti. Kelepçeli ellerini bacaklarının arasında, hâlâ dolu iki silah gibi tutuyordu.

Avcının etkileyici bir boyu bosu yoktu ama kâğıt hasta gömleğinin altından hem kemikli hem esnek, sağlam bir vücudu olduğu hissediliyordu. Son derece düzenbaz, ahlaksız, tehlikeli bir diriliğe sahip bir orman adamıydı.

– Ne yani, köpek yetiştirme hakkımız yok mu?

– Bunlar için hayır. Bunu çok iyi biliyorsun.

– Umurumda değil. Bu köpekler kimseye zarar vermedi. Onları yasaklamak için bir sebep yok.

– İki gün önce, bu itlerden biri Kontes von Geyersberg'e saldırdı.

Kaçak avcı sırıttı:

– Ama o iyi.

Bruch Kleinert'e doğru yaklaştı. Polis bir milimetre bile kımıldamadı. En ufak bir korku belirtisi yoktu.

– Bu köpekler sadece Geyersbergleri korumak için yetiştirildi.

– Sen ne söylemek istiyorsun?

Bruch yeniden sırtını yatağın baş kısmına yasladı.

– Hiç.

– Yirmi yıl önce, küçük Çingene kıza saldıranlar siz değil misiniz, sen ve arkadaşların?

Kısa bir süre bekledi. Aşağıdan bakan gözleri koruma altındaki duygusuz, ahlaksız, kararlı bir adamın bakışlarına benziyordu.

– Bunun bedeli ödendi.

Küçük Yeniş kıza yapılan saldırı demek ki yargıya taşınmıştı. Ama hayır, "kazayla" ilgili dava açmak için en ufak bir kanıt bulunmamıştı. Bruch daha ziyade bir iç cezalandırmadan söz ediyordu. Geyersbergler kapılarının önünü temizlemişti.

– Sonuç olarak, benim burada ne işim var? diye birden patladı. Sanki suçluymuşum gibi beni sorguluyorsunuz. (İşaretparmağını Niémans'a doğru uzattı.) Ama asıl pislik olan o ve ben sadece bir kurbanım! Beni dövdü. Beni öldürmeye çalıştı. Hapiste çürümesi gereken o!

Kimse itiraz etmedi. Özellikle de Kleinert.

– 3 Eylül'ü 4 Eylül'e bağlayan gece neredeydin?

– Bilmiyorum. Evimde. Neden?

– Kontesin senin köpeklerinden birinin saldırısına uğradığını sana söyledim.

– Benim köpeklerimden biri mi? Bunu nasıl biliyorsunuz?

– Senin bodrumunda bulduğumuz röetkenlerle aynı dövmeye sahipti.

– Hiçbir şey kanıtlayamazsınız. Şu dövme, herhangi bir köpekte de aynı dövme bulunabilir. Bu bir kanıt değil.

– Bu, çok özel bir Nazi birliğinin sembolü. Oskar Dirlewanger'in Sonderkommandolarının simgesi. İkinci Dünya Savaşı boyunca binlerce masum insanı katletmiş kaçak avcılardan ve sabıkalılardan oluşturulmuş bir birlik.

– Eee, yani?

– Neden bu sembolü seçtin?

– Sevimli buldum.

– Birbirine çaprazlanmış iki el bombasını mı? Bir Nazi işaretini mi?

– Bu suç değil.

Bruch'ın cevaplarıyla bir yere varmak imkânsızdı ve herif açmaza sürükleyen cevaplar bularak eğleniyor gibiydi.

– Bu köpekleri kim damgaladı?

– Hiç hatırlamıyorum.

– Bu hayvanlar, onlar nereden geldi?

– Bilmiyorum. Babam daha önce de bu köpekleri yetiştiriyordu. Ailemizin hep röetkenleri vardı.

– Kara Avcılar'ın soyundan mısın?

– Onlar hakkında ne bilebilirim?

– Daha önce baban da Geyersbergler için mi çalışıyordu?

– Herkes onlar için çalışır, bölge onlara ait.

– Garajında bir motor bulduk. Bir Norton 961 Commando SE 2009.

Niémans'ın bundan haberi yoktu. Bu durum artık bardağı taşıran son damlaydı. Sargılı kafasının çevresindeki mengene sıkışıyordu.

– Aşırı hız mı yaptım? diye sordu beriki.

– Buradaki meslektaşlarım, bu tip motorlara binen bir çetenin saldırısına maruz kaldı.

Bruch umursamaz bir hareket yaptı.

– Elinizde benim aleyhime hiçbir şey yok, diye durumu özetledi. Bana anlattığınız her şey dolaylı kanıtlar. Bu köpekleri yetiştirdiğim ve motorlardan hoşlandığım için bir röetkenle ya da motorla yapılmış bir saldırıyı benim sırtıma yüklemeye çalışıyorsunuz. Daha sağlam bir şeyler bulmanız gerekiyor.

Bruch doğru söylüyordu, ama Niémans onu biraz daha sıkıştırabileceklerini hissediyordu.

Yatağa doğru yaklaştı. Bu komedi yeterince devam etmişti. Bu kez, kaçak avcı geriye doğru çekilmişti, anlaşılan ilk karşılaşmalarını unutmamıştı.

– Schwarzes Blut'taki görevin ne?

– Ben av koruyucusuyum. Bölgedeki fauna ve florayla ilgileniyorum.

– Daha açık anlat.

– Av hayvanlarını, onların beslenmesini ve yaşam koşullarını denetliyorum. Sağlıklı ve temiz olmaları gerekiyor.

– Pirsch için mi?

– Pirsch için, evet.

– Geyersberglerde, hâlâ pirsch avı yapan kim?

– Bunu onlara sormanız yeterli. Ve ayrıca onlara gelip beni buradan almalarını da söyleyin. Bir saat içinde ben serbest kalırım ve siz de burada mastürbasyonunuza devam edersiniz...

Niémans adamın üzerine hamle yaptı ve başparmaklarını Bruch'ın yüzündeki yaralara bastırdı. Kaçak avcı ulur gibi bağırdı. Sargılar kan içinde kaldı.

Polis parmaklarını çekti ve kaçak avcı kendini sırtüstü yatağa bıraktı. Çoktan Kleinert ile Ivana onu tutmuştu. Oda her zamankinden daha fazla duvarları kapitone kaplı bir hücreye benziyordu. Canhıraş bağırtılar üzerine Stuttgartlı adamlar, ellerinde silahlarla fırtına gibi odaya daldılar.

Ama Niémans, artık durumun farkında değildi. Karnındaki uzun yara izi depreşiyordu, artık nefes alamıyor ve geçmiş yorgunlukları onu uyuşturuyordu.

Kendini yüzüstü yerde buldu, elleri arkadaydı. Volker Klenze, çetenin iriyarı olanı yeniden onu kelepçeliyordu; anlaşılan o kelepçelerden bir daha kurtulamayacaktı...

Bruch hemşire ziline basıyor, Ivana yanaklarını tutarak bağırıyor, Kleinert herkesi sakin olmaya davet ediyordu. Gelip giden insanların ayakkabılarını görüyordu. Ve onun, yüzü hâlâ yere yapışık olan Niémans'ın artık hiçbir şey umurunda değildi.

– Siz gerçekten tehlikelisiniz, aklınızı kaçırmışsınız! diye bağırdı Ivana, onunla aynı hizaya gelmek için dörtayak üzerine çömelmişti.

Niémans gülümsemeye çalıştı, ama sırtında bir Alman polis varken bu imkânsızdı. Sesler gitgide boğuklaşıyordu. Suların derinliklerine iniyormuş gibi hissediyordu. Düşünceleri birbiri ardına sıralayamıyordu.

Herkes haklıydı. Volvo'suna binmesi ve Fransa'ya dönmesi gerekiyordu. Hayır, ne evine ne de Nanterre'e, Trois-Fontanot'daki bürosuna. Yaşlılar yurduna.

Ya da, neden olmasın, doğrudan mezarlığa.

50

Kısa ceketine sımsıkı sarınmış, yolcu koltuğunda büzülmüş Ivana, farların ışığı altında köknarlar resmi geçit yapıyordu. Yolun kenarında tek sıra halinde ilerleyen çökmüş, ürkmüş mahkûmlar. Ölüme doğru yürüyen mahkûmlar.

Ivana öfkeliydi, ama esas olarak kaygılıydı. Niémans, onun tek ve yegâne ortağı maskesini atmıştı. Başından geçmedik şey kalmamış, deneyimli polis şakaklarındaki yeşil yansımalarla ve iyi kurulanmamış ter damlalarıyla bir kaçık gibi görünüyordu. Kafasına estiği gibi davranarak, gereksiz yere şiddet uygulayarak, hiçbir sonuca ulaşmayan sezgileriyle hareket ederek sadece ilerleyememekle kalmamış, kurallara uygun davranan polisler için bir baş belasına dönüşmüştü.

Ivana en kötüsüne engel olmak için Kleinert'e yalvarmak zorunda kalmıştı. Alman onun güzel gözleri için boyun eğmişti. Kaçak avcının "aniden başlayan kanaması" tedavi edilirken onu sakinleşmesi için arabada bırakmışlardı.

Otoparkta müzakere el sıkışarak tamamlanmıştı, Stuttgartlı polisler hastanede yaşanan bu kötü olayı rapor etmemeyi kabul etmişti. Buna karşılık, Niémans bu gece sınırı geçmek zorundaydı. Pazarlık kesinlikle söz konusu değildi.

Cinayet büronun adamları karakola döndüğünde, Ivana elindeki son kozu oynamayı denemişti: Kibarca Kleinert'ten, Schüller'le konuşurken Niémans'ın da yanlarında olmasını talep etmişti. "Yolumuzun üstünde" diye bahane de bulmuştu ve her şeye rağmen, araştırmacı Niémans'a telefon etmişti.

Bir kez daha Kleinert kabul etmişti. Bu Ivana için çifte zafer demekti. Öncelikle, "Niémans'ının" olumlu bir haberle – bir bilgi, bir keşif, bu kahrolası soruşturmayı düzlüğe çıkaracak herhangi bir şey– yeniden işe dönmesini istiyordu. Sonra da evli adamın onun için gerçekten nasıl yanıp tutuştuğunu kanıtlıyordu. Ölü bir ağaç parçası gibi değil, sağlam, esnek yeşil bir dal gibi...

Hâlâ köknarlar, farlar, asfalt. Sonuç olarak, Ivana kendini iyi hissediyordu. Korkmuştu, evet, ama cadı masalları anlatılan bir küçük çocuk gibi. Bu arabanın içinde, yüksek alınlı Alman'ın yanında ve bir ceset torbası gibi paltosuna sarılmış, arkada oturan Niémans'ı yanında kendini güvende hissediyordu.

Laboratuvarı çevreleyen duvar göründü, sarmaşıklar farların ışık huzmesi altında ışıldıyordu. Biraz uzakta, ışıkları yanan birkaç pencere seçilebiliyordu. Araba kapıları kötü bir sesle çarparak kapandı. Issız gece onları tuhaf çıtırtılarla ve nem kokusuyla karşıladı. Kırlık bir alandan daha bunaltıcı bir şey yoktu...

Ana kapıdan geçtiler ve ışıklara doğru yöneldiler. Pencerelerden, çevresinde bir kalabalığın zamansız yemek yediği uzun bir masa gördüler.

İçerideki kadınlardan biri onları fark etti ve kapıyı açmak için hemen ayağa kalktı. Eşiğin likenlerle kaplı taşlarının üstünde ayakta bekliyordu, önlüğü yoktu, ama ceketi ile bez pantolonu başka bir üniforma oluşturuyordu. Bahçıvan giysisi ile Çinlilerin mavi kıyafetinin bir tür karışımı gibiydi.

– Philipp? diye seslendi, peçetesiyle ağzını silerken. Laboratuvarda çalışmak için diğer binada kaldı. Ona gelmesini söyleyin, üşütecek! Siz de bize katılın!

Son derece nazikti. Kadının yolu göstermesiyle yandaki uzun odaya girdiler ve bodruma inen metal kapıyı gördüler. Steril giysiler olmadan buraya girebilirler miydi? Niémans yatay konumdaki kapı koluna bastırdı. Eğer belli talimatlar varsa onları uyarırlardı.

Peş peşe indiler. Zemin yüzeyinin giriş katının pürtüklü taşları ve kötü döşenmiş yer karolarıyla bir ilgisi yoktu. Artık parlak, krom kaplı, mikroplardan arındırılmış bir alandaydılar.

– Schüller? diye seslendi Kleinert, merdivenin dibine vardıklarında.

Önlerinde birçok oda vardı. Karşılarına yerden tavana kadar camı olan aydınlık bir oda çıktı, ama film kaplı cam içeriyi görmeye imkân vermiyordu.

– Schüller? diye yeniden seslendi Alman, eli kapı kolunun üstündeydi.

Niémans Ivana'yla göz göze geldi. Aynı anda silahlarını çektiler. Kleinert'i kenara ittiler ve ellerinde tabancalarıyla laboratuvara daldılar. Işıl ışıl laboratuvar tezgâhları, parlak kromajlı çelikler, her yer tertemizdi. Deney tüpleri ile santrifüjler düzeni oluşturuyordu ve içerinin sıcaklığı 10 dereceden fazla değildi.

– Schüller? diye bağırdı Niémans.

Âdet yerini bulsun diye sesleniyordu: Herkes doktorun, donmuş numuneleri kadar soğuk bir halde yattığını anlamıştı.

Etrafa dağılmışlardı bile, nitril eldivenlerini takarak ölü noktalara, masaların altlarına bakmaya başlamışlardı. Ivana, sağ tarafta başka bir inoks kapı gördü ve kulpunu tutup açtı.

Schüller arkadan aydınlatılmış rafların dibinde, kırılmış deney kaplarının ve etrafa dağılmış numunelerin arasında kolları dağınık, sırtüstü yatıyordu. Bir mermi boynunu delip geçmiş ve kuşkusuz parçalanmış malzemeler arasında bir yerlere saplanmıştı. Düşey uzun bir kan hattı zavallı adamın düşme yörüngesini gösteriyordu.

Schüller, Schnaps düşkünü, köpeksever doktor, kızıl sakallı iyi adam, bu gece yaptığı ve onlarla paylaşmak istediği keşfin bedelini pahalı ödemişti.

Cesedin etrafına diz çöktüler. Ivana alt rafta, hemen doktorun yanında duran ceset torbasını tanıdı. Berbat bir ironiydi, bu röetkenin cesedini bozulmadan korumakta kullanılan torbaydı.

Sadece çok geç geldiklerini kabul etmekten başka söyleyecek ve yapacak hiçbir şey yoktu. Kleinert ayağa kalktı ve destek çağırmak için telefonunu çıkardı, ama Niémans ayakları üstünde doğrulup eldivenli elini telefonun üstüne koydu.

Anlaşılan başka bir planı vardı.

51

Olayı herhangi birine söylemeden önce bu komün çiftliğin bütün çıkışlarını kapatmak istiyordu. Çiftliği iyice aramak niyetindeydi. Her bilim insanını sorgulamayı düşünüyordu. Soru şuydu: "Katil Schüller'in meslektaşlarının arasında mıydı?" Niémans'ın buna verecek cevabı yoktu ama doktorun katili tanıdığından emindi: Diğerleri akşam yemeği yerken, doktor onu laboratuvarında kabul etmiş ve ona keşfinden bahsetmişti. Bunun üzerine ziyaretçi de onu öldürüp kaçmıştı.

Niémans tüm bu açıklamaları yaparken yeni bir metamorfoza uğramış gibiydi. Gösterdiği şiddetten ve ilgisizlikten sonra, şimdi sakin, kendinin farkında bir tavır sergiliyordu. Özellikle, Bruch'ı sorgulamak yerine doğrudan Schüller'i görmeye gitmiş olsaydı, doktorun hâlâ hayatta olacağı düşüncesini aklından çıkaramıyordu.

– Bir polis bu şekilde düşünmemeli, dedi Kleinert.

– Gerçekten mi?

– Her yeri aramak ve laboratuvar çalışanlarını sorgulamak için iki saatimiz var. Sonra, haberi veriyoruz.

Kleinert alter egosundan daha iyi görünmüyordu, ama tüm bunlar onu coşturuyordu. Şimdilik, bu dava ona tek bir gerçeği ispatlamıştı: O sadece küçük bir taşra polisiydi ama okyanustaki bir bardak su kadar gerekliydi. Ama yine de gevşemiyordu.

İşte bu nedenle, Niémans'ın bu yeni yöntemini kabul etmişti. Yeniden umutlanıyordu: Yenilgiyi kabul etmeden önce önemli bir bilgiye ulaşabilirlerdi. Garip bir biçimde, Schüller'in ölümü katile biraz daha yaklaşmak, amacını öğrenmek, onu korkutan şeyin ne olduğunu anlamak için bir şans olabilirdi...

– Tüm laboratuvarın güvenliğini sağlamak için adamlarımı çağıracağım.

– Hepsi gerçekten güvenilir adamlar mı?

Kleinert Niémans'a yiyecekmiş gibi baktı. Fransız polis özür mahiyetinde, onun önerisini kabul etti: Çiftliği kuşatmak ve araştırmacıları sorgulamak için on kadar adam yeterliydi.

Niémans depoyu ve laboratuvarı en ufak ayrıntısına kadar aramakla meşgulken, Ivana – eldivenlerini çıkarmamıştı– Schüller'in bilgisayarıyla ilgileniyordu. Ama ne yazık ki, makineyi açmak için şifre gerekiyordu ve filmler dışında, böyle güvenliği aşmanın imkânı yoktu.

– Telefonda, diye sordu Ivana, bir yandan kurbanın doğum tarihi ya da köpeğinin adı gibi (Schüller çocuksuz bir bekârdı) rastgele şifreler deniyordu, size ne söyledi?

Niémans laboratuvar tezgâhının diğer ucunda ayakta durmuş, üzerinde rakamlar ve anlaşılmaz kısaltmalar bulunan kâğıtlarla dolu klasörleri inceliyordu.

– Hiç. Sadece bana bir şey göstermek istiyordu.

Kafasını kaldırdı ve çevresine baktı, geriye doğru çekilerek tüm mekânı gözleriyle taradı, sanki bir ayrıntıyı yakalamak ya da tam tersine gözlerinden kaçmış bir kanıtı bulmak istiyordu.

Ivana şimdi bir post-it, üzerine şifrenin yazılı olduğu herhangi bir belge arıyordu. Ama bir bilgisayar, şifresi uluorta bir yere yazılamayacak kadar çok kişisel bir eşyaydı.

– Size göre, neyle ilgili olabilir?

Niémans çevresindeki her şeyi dikkatle incelemeye devam ediyordu.

– Köpekle. Röetkeni ona bıraktık. Hayvan üzerinde daha ileri analizler yapmış ve şaşırtıcı bir şey bulmuş olmalı.

Ivana odanın diğer ucuna, hâlâ açık duran kapısından Schüller'in ayaklarının göründüğü küçük depoya dikkatle baktı. Bir saniye bile kafasının acımayla ya da üzüntüyle meşgul olmadığını fark edince çok şaşırmıştı. Yanlış zamanda tehlikeli bir bilgiyi ortaya çıkarmış bu sempatik adam için tek bir şey bile düşünmüyordu.

Ama katili bulmak gerekiyordu, ivedilikle yapılması gereken tek şey buydu. Daha sonra, ceset toprağa verildiğinde ve katil hapse tıkıldığında ağlarlardı.

Ivana hâlâ kahrolası şifreyi arıyordu. Niémans haklıydı, bilim adamı köpek üzerinde genetik analizler yapmıştı. Ürpererek, bir kurgu senaryosu hayal etmeye başladı: Genetik değişikliğe uğratılmış ya da DNA'larında bir Nazi geni taşıyan köpekler. Son derece iğrenç, son derece moral bozucu... ve kuşkusuz imkânsız bir şey.

– Burada zaman kaybediyoruz, dedi, Schüller'in bilgisayarını kapatırken. Ne aradığımızı ve ne bulacağımızı bile bilmiyoruz. Laboratuvar çalışanlarını sorgulamak daha iyi, belki Schüller meslektaşlarından birine söylemiştir.

Niémans bir baş hareketiyle onu onayladı ama ekledi:

– İçeride bir tur daha atalım.

Bu kez, gerçek bir arama tarama işine giriştiler: Mobilyaların yerlerini değiştirdiler, dolapları boşalttılar, santrifüjlerin altına baktılar, Schüller'in bir şey gizleyebileceği en küçük gizli yere kadar her tarafı aradılar.

Bir cinayet mahallini kirletiyorlardı, ama her biri, Kleinert'in bulduğu, deponun duvarına saplanmış 9 mm'lik mermi dışında katilin en ufak bir iz bırakmadığına ikna olmuştu.

Salonun ısısına rağmen, hızla ter içinde kaldılar. Hiçbir şey bulamıyorlardı ve bulacaklarına da inanmıyorlardı, bu tür bir arama başka bir çağa aitti. Schüller'in sırrı soyut bir dünyada ya da iCloud'un sonsuzluğunda bir yerlerde olabilirdi.

Kleinert'in telefonu çaldı.

Birkaç saniye sonra polis haberi verdi:

– Adamlarım geliyor.

– Çok iyi, dedi Niémans, yeniden duruma hâkim olmuştu. Bizim hippiler akşam yemeklerini bitirmiş olmalı. Tatlı için onları bir araya toplayalım.

52

Yeni gelen dokuz adamla birlikte, Kleinert, Ivana ve Niémans işbölümü yaptılar: şoke olmuş on yedi araştırmacıyı sorgulamak, çiftlik evlerini tepeden tırnağa kadar aramak gerekiyordu. Fransızca ve İngilizce bilen enstitü çalışanlarının sorguları Niémans'a bırakılmıştı. Diğerleri Ivana, Kleinert ve onun üç polisi arasında pay edilmişti. Geri kalan polisler ipucu bulmak için laboratuvarları ve odaları arayacaktı (elbette, bu ekolojik inde güvenlik kamerası diye bir şey yoktu).

Cinayet büro adamlarına haber vermeden önce kendilerine iki saatlik bir süre tanımışlardı, bu da tam bir saçmalıktı. Bu trionun genel alarm vermek için üç saatten fazla bir süre oyalandığını, zamanda geri giderek ispatlamak kolay olacaktı. Bilgi saklamak bir tanığa pahalıya mal olabilirdi, ama bir polis söz konusu olduğunda, bunun lafı bile edilmezdi.

Kleinert bunu göze alıyordu çünkü hâlâ, herkesin çenesini kapatacak ve kendisini zirveye taşıyacak bir ipucu bulma umudu taşıyordu.

Bunların yanı sıra, Alman polis Schüller'in telefon dökümlerinin araştırılmasını da emretmişti. Katil ona telefon etmiş ya da o katili aramış olabilirdi, bunun göz ardı edilmemesi gerekiyordu.

Ivana konuştuğu ilk iki kişiden hiçbir şey öğrenememişti ama sakallı üçüncü kişi Schüller'in yakın arkadaşıydı, adı Ulrich Taffertshofer olan bilim insanı maktulün son günlerde ne üzerinde çalıştığını biliyordu.

– Birçok DNA örneğini karşılaştırıyordu.

– Köpek DNA'ları mı?

– Köpek DNA'ları?

Sandalyesinin üzerinde tünemiş gibi oturan Taffertshofer şaşırmış gibiydi. Boyu iki metreden daha uzundu, bir olta kamışından daha enli değildi, beyaz bir salopet içinde yüzüyor gibiydi. Omuzlarına dökülen dağınık saçları ve münzevi sakalı kafasını sivri gösteriyordu.

– Neden köpekler? diye şaşkınlık içinde sordu.

– Ona getirdiğimiz röetkenin karyotipini incelemiyor muydu?

– Hayır. Geyersberg ailesinin DNA'sını inceliyordu.

– Yani?

Dağının üstündeki bir bilge gibi uzun ve derin bir nefes aldı, teleskopik kolunu açtı ve yandaki laboratuvar tezgâhının üstünde duran bir bilgisayara uzandı.

Kendine doğru çevirdi, iki parmağıyla birkaç tuşa bastı.

– Büronuzun bilgisayarını mı açıyorsunuz?

– Hayır, Philipp'in bilgisayarını.

– Şifreyi biliyor musunuz?

Ivana'nın bu afallamış yüz ifadesi karşısında, Taffertshofer açıklamada bulundu:

– Bu enstitünün ruhunu anlamadınız. Burada kimsenin kimseden gizlisi saklısı yoktur. Herkes özgürce kendi araştırmalarından bahseder.

Ivana'nın parmakları karıncalanıyor, ensesi terliyordu. Enstitünün komün felsefesinden bihaberdi. Anladığı tek şey, bu saydamlığın Schüller'in son çalışmalarına ulaşma imkânı vereceğiydi.

– Philipp son günlerde ne üzerinde çalışıyordu, bana söyleyin.

Taffertshofer parmaklarını klavyenin üzerinde gezdirdi. Uzun parmaklarıyla tuşları yeniden yerlerine yerleştiriyormuş gibi bir izlenim uyandırıyordu.

– Philipp bu sabah Jürgen von Geyersberg'in otopsisiyle ilgili analizleri almıştı.

– Hangi analizler?

– Bir karyotip.

– O mu istemişti?

– Sanıyorum Almanya'da bu mecburi yapılıyor. Bilmiyorum.

Ivana koltuğunda kıpırdandı. Ellerindeki karıncalanmalar, akıntıya karşı yüzen piranalar gibi kolları boyunca yukarı doğru çıkan topluiğne başlarına dönüşüyordu.

– Bu karyotipte özel bir şey var mı? diye sordu Ivana, cızırtılı bir sesle.

Soruyu sorar sormaz, romanlara layık bir senaryo hayal etti: Jürgen'in tedavi edilemez bir genetik hastalığı vardı ve aile bunu gizlemek istiyordu. Vücudu hastalığı "açığa çıkarmasın" diye onu öldürmüşlerdi. Kuşaklar boyunca, Geyersbergler, bir ağacın çürümüş dallarını keser gibi çocuklarını öldürüyordu.

Ama Ulrich sakin bir şekilde "hayır" diyerek onun bu teorisini geçersiz kıldı.

– Jürgen'in DNA'sı son derece normal. Dikkati çeken bir şey yok.

– Öyleyse?

Taffertshofer'in parmakları hâlâ klavyede geziniyordu.

– Neden bilmiyorum ama Philipp'te Laura'nın karyotipi de vardı. Sanırım bir güvence olarak. Yine de o, Laura'nın DNA'sı ile Jürgen'in DNA'sını karşılaştırdı. Sonuç umulmadık bir şeydi.

Ivana'nın artık ağzında tükürük kalmamıştı, artık nefes alamıyordu, hiçbir şey yapamıyordu.

– Nasıl umulmadık? diye sormayı başardı, soluk soluğaydı.

Araştırmacı ekranı Ivana'ya doğru çevirip iki şemayı da gösterdi.

– Uzman olmayan biri için bile, fark oldukça anlaşılır.

Ivana gülümsedi: Sonunda katili harekete geçiren nedenin izini buluyordu.

53

Niémans çakıllı avluda frene asıldı ve bloke olan bütün tekerlekler nedeniyle araba birkaç metre kaydı. Cam Villa gecenin içinde, kadife yataktaki bir elmas gibi parlıyordu. Hatları, köşeleri, yüzeylerinin değişmezlikleriyle doğadaki gece dalgalanmalarına –otların esnek dalgalanmaları, siyah köknarların ağır salınımları, bulutların gösterişli resmi geçitleri– karşı koyuyordu.

Ama Niémans'ta şair mizacı yoktu. Kafası patlamaya hazır bir bomba gibiydi. Küçük Slav ona öğrendiklerini anlatınca, "Onu öldüreceğim" diye bağırarak birden kapıya doğru koşmuştu.

Bu laf olsun diye söylenmiş bir sözdü, ama yine de... Volvo'sunun direksiyonuna geçmiş ve Laura'nın malikânesine kadar ayağını gazdan çekmemişti.

Artık bu onun ile Laura arasındaydı.

Çok diri olmayan bir polis ile yalancılar kraliçesi arasındaki teke tek bir mücadeleydi.

Laura'nın arabası buradaydı. Onu korumakla görevli polisler avlunun bir köşesinde dikiliyordu. Onları eliyle belli belirsiz selamladı ve basamakları çıktı.

Saat 23'e yaklaşıyordu ve evdeki her şey uyuyor gibiydi. Kapıyı çalacağı sırada fikir değiştirip kapı kolunu yokladı. Açıktı. İçeri süzüldü ve bir an hizmetçiler bir yerlerde olabilir mi diye düşündü. Hayır. Saat çok geçti ve burada hiçbir zaman çok fazla hizmetçi görmemişti.

Işıldayan büyük pencereler. Metal parlaklığında mobilyalar. Gümüş sessizliği. Niémans hiç ışık yakmadan ilerledi. Şömine de suskundu. Sönmüş ocaklığı, neredeyse bakımsız bir mezar kadar mutlu kara bir ağzı andırıyordu.

Niémans merdivene doğru yöneldiği sırada karanlığın içinde cılız pembemsi bir ışık parladı. Bir sigara. Bir an, çıtırdayan kâğıdın sesini duyduğunu sandı. Kontes, 30'lu yıllardaki gibi duman kıvrımlarının içine gizlenmiş, "vintage" kanepesinde oturuyordu.

Niémans selamsız sabahsız söze girdi:

– Bunu bana ne zaman söylemeyi düşünüyordunuz?

Laura cevap vermedi. Gördüğü kadarıyla üzerinde bir jean pantolon ile gece renklerinde kalın bir kazak vardı. Son derece kayıtsız bir tavırla bir kolunu koltuğun arkalığına uzatmıştı.

– Jürgen ile siz abi kardeş değilsiniz.

– Bu neyi değiştirir? diye, dumanı üfleyerek mırıldandı. Size ikiz gibi olduğumuzu söyledim ve...

– Aptalca davranmayı bırakın! diye patladı Niémans. Kahretsin, ikinizden biri evlat edinilmiş!

Laura ona dikkatle baktı. Neredeyse yaşla dolu gibi görünen ıslak gözleri sanki iki küçük siyah mürekkep damlası gibi karanlığı yansıtıyordu.

– Annem çocuk sahibi olmayı başaramıyordu, diye sakin bir sesle açıklamaya başladı. Babam gizlice evlat edinmeye karar verdi. İmparatorluğun bize ait olan hissesini kuzenlerimize bırakmamız söz konusu olamazdı.

– Jürgen miydi?

Laura bir önceki sigarayla yeni bir tane yaktı. İşte o zaman, Niémans onun titrediğini gördü. Karşı konulamaz kadın tavırları artık yoktu.

– Peki, siz? diye sert bir şekilde sordu.

– Ben mi?

Laura ayağa kalktı ve onunla koltuğun arasından geçerek yerden tavana kadar uzanan pencereye kadar yürüdü. Yuvarlak kalçalar, iri memeler, kilolu bir beden, bu ona göre değildi. Laura bu tarz çekiciliğe sahip bir kadın değildi. Bir zıpkın kadar inceydi, geniş camda bir Endonezya kuklası gibi görünüyordu.

– Ben sonra doğdum. Küçük oğlan çocuğu evlat edinilmişti, annem hemen hamile kaldı. Klasik durum.

Tütünün kokusu Niémans'a Ivana'yı hatırlattı. Yanında olmasını çok isterdi. Onu, Niémans'ı, karşısında donup kaldığı bu güzel yaratıktan koruması için.

– Jürgen evlatlık olduğunu biliyor muydu?

– Asla bilmedi.

– Nerede doğmuştu?

Laura ona sırtını döndü ve gizli ışıklandırmayla aydınlatılan bahçeye baktı. Bulunduğu yerden, Niémans deniz dibindeymiş gibi dalgalanan bu karmaşık manzaranın algıladığından daha fazlası olduğunu anlıyordu.

– Doğu Almanya, sanırım. Ailem bana gerçeği, yeniyetmelik dönemimde söyledi. Fazla ayrıntıya girmediler. Zaten beni de ilgilendirmiyordu. Benim için Jürgen, benim kardeşimdi. Benim ikizim. Kardeşlik ne kan ne de DNA olayıdır.

– Neden hiçbir şey söylenmedi?

Laura bir anda döndü. Saçları cama bir kırbaç gibi çarptı ve bukleleri cam parçalarıyla doluymuş gibi kristalimsi bir ses çıktı.

– Babamın ölümünden sonra, yaşımıza rağmen, tecrübesizliğimize rağmen grup içinde meşruiyetimizi kanıtlamak için mücadele ettik. Eğer bu evlatlık meselesi ortaya çıkmış olsaydı, bu tartışma konusu olacaktı. Bugün VG'nin başında yalnızım ve bütün işleri dengelemem gerekiyor. Sorun değil.

Laura bulunduğu yerden ayrıldı ve bir pencereden diğerine geçmek için karanlığın içinde birkaç adım attı. Akvaryumunda bir denizkızı.

– Ayrıca, diye devam etti, bir anda ses tonu değişmişti, bunun cinayetlerle olan bağlantısını anlamıyorum.

– Peki, Max?

– Max, ne?

– O da evlatlık mı?

– Ama... hayır. Siz neyin peşindesiniz?

– Kontrol edeceğiz, dedi, her yeri mühürleyecek bir polisin ses tonuyla. Eğer o da bir Geyersberg değilse, elimizde bir cinayet nedeni olacak.

Laura gerçekten şaşırmış gibiydi, ama kısa bir süre sonra da gerçekten öfkelenmişti. Gözleri yeniden doğal duygusuzluğuna kavuşmuştu. Mürekkep damlaları göle dönüşmüştü.

– Kan, diye devam etti Niémans. Biri, her kuşakta, grup vârisinin gerçek bir Geyersberg olmasını sağlamak için Geyersberglerin kanını arılaştırmak istiyor olabilir...

– Her kuşakta mı? Siz neden söz ediyorsunuz?

– 20. yüzyıl boyunca ortadan yok olan vârislerden...

Laura yeniden Niémans'a doğru yürüdü ve aile tablolarının önünde durduğu sıradaki tavrın aynısını takınarak kollarını göğsünün üzerinde çaprazladı. Bu haliyle bir tür karikatüre dönüşüyordu.

– Çünkü onların da evlat edinildiklerini düşünüyorsunuz, değil mi? diye sordu alaycı bir ses tonuyla. Soruşturmanızın sonucu bu mu? Sizin gibi polislerle, suçlular rahatça uyuyabilir.

Alaycı tavrının içi koftu. Niémans'la alay ediyordu ama sesi korkusunu, sıkıntısını ele veriyordu. Belki de bu aptal Fransız sonunda Geyersberglerin sırrını keşfedecekti...

– Buraya geldiğinizden beri, diye devam etti, somut tek bir kanıt bile bulamadınız. Söylentilere ve kıyıda köşede kalmış efsanelere, yüzyıllardan beri halkımızı kör eden bütün bu inançlara kafa yormayı tercih ettiniz!

Bu kez Niémans ona doğru birkaç adım attı.

– Sizin bahsettiğiniz bu efsaneler, katil ya da katilerin ilham kaynağını oluşturuyor. Ama ben de sizinle aynı fikirdeyim, katil ya da katillerin tamamen objektif bir sebebi var.

– Ne gibi bir sebep?

– Uzun zamandan beri Geyersberglerin doğurganlık sorunu var. Her kuşak çocuklar evlat edindi ve adamlar, Kara Avcılar, üremeleri için onları öldürmekle görevlendirildi.

– Evimden def olun ve bana söyleyecek daha ciddi bir şeyiniz olduğunda gelin.

Tam tersine, Niémans biraz daha yaklaştı.

– Somut bir şey mi istiyorsunuz? Az önce Philipp Schüller'i laboratuvarında bulduk. Öldürülmüş. Karyotipleriniz arasındaki farkı keşfetmiş ve bana haber vermek istiyordu.

– Schüller? diye, ruhsuz bir sesle tekrarladı.

Yüzü bir anda korku dolu, neredeyse gizemli bir ifadeye büründü.

– Şimdi bütün gerçeği bilmek istiyorum. Zaman daralıyor...

Laura geri çekildi, sırtı cama dayanmıştı. Arkasında orman, ağaçlar toprak rengi kabuklarından kurtulmak için eğilip bükülüyormuş gibi sanki kıpırdanıp duruyordu.

– Bir şey bilmiyorum, diye fısıldadı.

Niémans bir adım daha yaklaştı. Farkında olmadan, her an bir mayına basmaya hazır bir asker gibi onun parfümünü solumayı bekliyordu.

Ama hiçbir koku almadı ya da çok daha özel bir kokuyu, gözyaşlarıyla ıslanmış teninin kokusunu duydu. Bir yastık kılıfı üzerindeki gözyaşları kadar gizli, utanç verici bir histi.

– Bu konudan kimin haberi var? Jürgen'in evlatlık olduğunu kim biliyor?

Laura bağırarak onun üzerine saldırdı:

– SİZE HİÇBİR ŞEY BİLMEDİĞİMİ SÖYLÜYORUM!

Bu şiddetli tepki karşısında şaşıran Niémans geri çekildi, ama kontes ona sarıldı. Bu kez Niémans'ın sırtı cama yapıştı, kadın kollarının arasındaydı.

Teselli edecek bir söz bulmak için kafa patlatırken -polis saldırganlığının cesareti yok olmuştu- kadın doğruldu ve onu daha iyi görmek için geri çekildi.

Bütün çocukluğu Sergio Leone'nin kovboy filmlerini seyretmekle geçmişti, kendi şiddet dolu hayatına rağmen (sekiz caniyi öldürmüştü), hiçbir zaman düello heyecanı, beklemek ile gerilim, yaşam ile ölüm arasına sıkışmış o saniyeleri yaşamamıştı.

Laura'nın karşısında, sonunda bu baş dönmesi hissini yaşayacağından emindi.

Silahını ilk kim çekecekti?

Laura'nın ılık, tatlı ve teslimiyetçi dudakları ona cevap verdi.

Bir kovboy filminde, çoktan tahtalı köyü boylamıştı.

54

Her zaman fiziksel aşkın tek bir amacı olduğunu düşünmüştü. Cinsel faaliyet, doğası gereği iki kişilik bir oyun olmasına rağmen ona hep yatakta biri ipleri elinde tutuyormuş gibi geliyordu. Alacağı zevki mahvedecek kişiyi hesaba katan biri. Bu diğerini unutmak istediği için değildi. Tam tersine: Onu daha fazla düşünüyordu. Paylaşmıyordu, gölgede kalıyordu. Her aşk gecesi, daha mükemmel olmak kaygısıyla heder olmuştu. Ereksiyonu kusursuz muydu? Doğru yerleri öpüyor muydu? Okşamak için en mükemmel yerleri seçmiş miydi? Kimin hazırladığını bilmediği bir şartnameye zorlandığını hissediyordu.

Bu seks uşaklığı tutumunun nereden kaynaklandığını bilmiyordu, zira çoğu zaman yanında kimin olduğunu umursamamıştı ve partnerine zevk verdiği için hiç gurur duymamıştı (her zaman mükemmel taklit kabiliyeti olan kadınlarla birlikte olmuştu).

Bunun açıklaması çok basitti, daha ziyade onun taşeron özelliğinden kaynaklanıyordu. Tıpkı Volvo'sunu kullanırken olduğu gibi. Direksiyonun başına geçiyor, arabayı iyi sürmeye özen gösteriyor ve çevresindeki manzarayla ilgilenmiyordu. Son derece dikkatli bir adam. İşte bu nedenle seks konusunda çok başarılı değildi. Çok soğuktu, çok köşeliydi, çok özenliydi. Dudaklarının kenarındaki içgüdüleriyle kadınlar, çok erkeksi görünen bu iriyarı adamın suratsız bir entelektüel, zevk düşkünü olmayan biri olduğunu hissediyorlardı. Mönünün tadına varmak yerine kalori hesabı yapan bir adamla akşam yemeğine çıkmak gibiydi.

Ama bu gece, ya bu gece, her şey çok iyi gidiyordu.

Hayvan postundan bir halının üstünde omuzları yere yapışık bir halde yatarken Laura çıplak, ata biner gibi onun üzerindeydi ve onu soyuyordu. Ne yapacağını düşünmesine gerek yoktu, partnerinin parmakları anlık tepkilere yol açıyordu. Sonuçta bu, tamamen bedenden bedene, kendiliğinden gelişen karşılıklı bir ilişki, bir diğerini doğuran bir hareket, birbiri peşi sıra gelen bir zevkti...

Sadece onun ince siluetini ve üzerlerinde bir fırtına gibi dalgalanan karanlıktan daha siyah saçlarını ayırt ediyordu. Diğer duyuları gelişmiş bir kör gibi, aynı anda her yerden bir anda fışkıran cinsel hazzın keyfini yaşıyordu. Laura onu öpüyor muydu yoksa onu okşuyor muydu, tam olarak bilmiyordu, onları birleştiren binlerce dokunuşun niteliğinin farkında bile değildi, ama etkileşim son derece gerçek, eksiksiz ve baş döndürücüydü.

Laura ona dokunur gibi yapıyordu. Onu hafifçe okşuyor, ona fısıldıyor, ona mırıldanıyordu... Sadece öpüşme tarzı saldırgancaydı. Ağzı çok açıktı, bir mızrak gibi uzattığı dilini, onun dişlerinin arasından bir yılan misali içeri sokuyordu, bu da korkuyla karışık bir zevke yol açıyordu.

Birden onun erkeklik organını tuttu ve içine yerleştirdi. Niémans orada varlığından habersiz bir yoğunluk hissetti. Sanki o anda, tüm varlığı çok sıkı, çok dar ardışık zevk katmanlarına kilitlenmişti.

Bununla birlikte Laura tüm ağırlığını vermiyordu. Kuşkusuz, yarı karanlıkta onun ürkütücü yara izini görmüştü ve oraya dokunmamaya özen gösteriyordu. Avuçlarını kalçalarının üstüne koymuştu, kollar gergindi, bir sumo pozisyonu almıştı, bedeninin görüntüsü ironikti: Açık, kıvrılmış, topuklardan destek alan bacaklar. Niémans için gerçek temas erkeklik organını çevreleyen sıkılıktı.

Birden Laura geriye doğru kavislendi ve yüzü ay ışığıyla aydınlandı. Gördüğü şey Niémans'ı ürküttü. Gözleri öfkeyle parlıyordu ve yüz hatları, bütün kemikleri ve kasları dışa doğru taşmış gibi donup kalmıştı. Vücudu bir esinti gibi dalgalanırken yüzü sabit bir şekilde kasılıydı.

Aslında, Niémans onu anlıyordu. Erkek kardeşi ile kuzeninin öldürülmesi, Uğultulu Tepeler'in saydam görüntüsüne sahip cam evi ve onu insanlardan uzak tutan bu serveti Laura'yı bir ava, bir kıskançlık ve açgözlülük nesnesine dönüştürüyordu... Neden bir anda rahatlamış olabilirdi? Hayatta kalmanın mutluluğu mu? Bu gece halının üzerinde yuvarlandıkları için mi?

Yeniden ahenklerine kavuştular, bir tür kesintisiz bir hareket halinde ayarlı, dengeli ve çılgınca bir uyum. Uzlaşma içinde bedenler, kalp çarpıntıları bile Japon davulları gibi tam bir uyum içindeydi... Niémans hiç uyuşturucu kullanmamıştı, ama bir vuruş kuşkusuz bu tarz yalancı bir mutluluk veriyordu – ama bu kez *for real*'di.[39]

Nehir artık fiziksel üstünlüğünü kabul ettiriyordu, yumuşak, neredeyse yüzeysel tek bir hareketi her zaman aynı coşku, aynı akıntı izliyordu. O anda dünya bu dalgalanmayla özetlenebilirdi. Niémans başını geniş pencerelere doğru çevirdiğinde sanki yaprakların gölgelerinin de onlarla uyum için olduğunu görüyordu, sürekli olarak salınıyorlar, fır dönüyorlar ve yeniden bir araya gelmek ve ani bir rüzgârla ferahlamak istiyorlardı.

O sırada zevkin doruğuna ulaştı ve polis birden "orgazm" sözcüğünün ona ne ifade ettiğini hatırladı. Her seferinde, zevkin en son evresi sırasında, tüm bedeni şehvetle sarsılırken Meyankökü'nün birdenbire ortaya çıktığını görüyordu. Çocukluğunun köpeği, bugünkü kâbusu, onun en özel gecesine giriyor ve onun cinsel organlarını parçalıyordu.

Bu gece, ikramiye olarak, Meyankökü'ne röetken eşlik ediyordu, açgözlü iki köpek onun gırtlağını parçalamaya ve canlı canlı derisini yüzmeye hazırlanıyorlardı. Niémans tam canhıraş bir çığlık atacaktı ki o anda bir mucize gerçekleşti. Kara derili iki köpeğin bir anda karanlığın içinde kaybolduğunu ve belli belirsiz gölgelere dönüştüğünü gördü. O anda patladığını hissetti. Bedeni gevşedi, soluğunu kesecek bir tür mutlu boğulma yaşıyormuş gibi, kelimelerle anlatılması güç bir zevk dalgası içini kapladı.

Köpekler neredeydi? Kendini yeniden sırtüstü yere bıraktı, alabros saçlı kafası bir petang bilyesi gibi halıya çarptı. Artık sadece hırıltılı ve tıknefes biriydi – merhaba kondisyon– , ama cinsel doyuma ulaşmıştı, evet, gerçekten ulaşmıştı.

Hâlâ onun içindeydi, o da hâlâ onu içinde tutuyordu, bedenleri birbirine karışmış, lehimlenmişti ve şimdi, artık onu rahatsız etmeyen köpekler görüyordu. Yorgun ve dingin, uslu bir köpek olarak Meyankökü bile oradaydı, sürünün arasındaydı.

İyileştiğini düşündü – ister bu gece nedeniyle ister kontesin kollarında olduğu için– ve omuz çukurunda ağır ağır nefes alıp veren kontese minnettarlığını ifade etmek istedi. Ama tek bir kelime söyleyemedi, mırıldanamadı bile: İki gözü iki çeşme ağlıyordu.

39. "Gerçek, ciddi" anlamında İngilizce sözcük. (ç.n.)

55

Ivana, Franz von Geyersberg'in şatosunu gündüz gözüyle hiç görmemişti ama gece vakti bu gerçekten imkânsızdı. Cafcaflı, çirkin ve zevksiz bir yapının yükseldiği bir tepe. Alüminyum levhalar kesilerek yapılmış gibi görünen kuleler, ay ışığının altında hareleniyordu. Pencerelerin yuvalarında katedrallere özgü vitraylar göze çarpıyordu. Duvarlar kireç taşından inşa edilmiş gibi solgundu. Mazgallar, mazgal delikleri ve bir iner-kalkar köprü sözde bir kuşatmaya karşı koymak amacıyla yapılmıştı.

Bu Ortaçağ üslubuna rağmen, şato dün inşa edilmiş gibiydi. Sivri kuleleri ve tonozlu kapılarıyla mavi gecenin içinde parlayan şato, eski havası kazandırılmaya çalışılan ama daima bir Lego kutusundan çıkmış gibi görünen Amerikan kiliselerini çağrıştırıyordu.

Max-Planck Enstitüsü'nden ayrıldıklarından beri ne Kleinert ne de o konuşmuştu. Ivana, Jürgen ile Laura'nın karyotipleri arasındaki farklılığı keşfedince, katili harekete geçiren sebebi bulduğunu düşünmüş, ama bu coşkusu çok çabuk kaybolmuştu. Sonuç olarak, bu bilgi hiçbir şeye açıklık getirmiyordu, daha ziyade her şeyi karmaşıklaştırıyordu.

Jürgen kuşkusuz evlat edinilmişti; eee öyleyse? Onu bu yüzden mi öldürmüşlerdi? Tam olarak bunu, artık neredeyse çelişki içinde olmayan Niémans söylemişti. Önceki gün, VG vârisinin katillerinin Kara Avcılar olduğunu iddia etmişti. Daha sonra, bunun tam tersini ilan etmişti: Nazi taklitçileri aristokratları kendi lanetlerinden korumaya çalışıyordu, yani bir katil sistematik olarak soyağacındaki bir vârisi ortadan kaldırıyordu. Şimdi de, Norton marka motorlara binen kaçak avcıları ailenin "yabancı"sını, evlat edinilmiş çocuğu öldürüyordu. Ama Max da başka bir kandan mıydı? Ya önceki kuşaklardaki kayıplar? Kim onlara bu temizliği yapmalarını emretmişti?

İki kuzen gerçekten biyolojik kuzen mi diye anlamak için Udo'nun evine adamlar yollamışlardı. Playboyun söyleyeceklerine çok fazla güvenmedikleri için ondan DNA örneği alacaklardı. Ne olduğu o zaman anlaşılacaktı.

Aslında Ivana korkuyordu. Kara Orman'ın üzerine kapandığını hissediyordu. Kara Avcılar yeniden onunla görüşmeye geliyorlardı. Onun parmaklarını dişli mekanizmasının içinde koparmak isteyen adamlar. Küçük bir çocuğun yüzüne bir röetken salan adamlar. Belarus'ta ateşe vermeden önce kadınları ve çocukları kiliselere toplayan adamlar.

Kleinert'in varlığı bile onun için en ufak bir teselli olmuyordu. Bir sonraki görevlerine dikkatini verdi: Evlat edinme ve Schwarzes Blut Vakfı hakkında yaşlı Franz'ı sorgulayacaklardı.

– Konuşmayı bana bırakın, olur mu?

Ivana düşüncelerinden kurtuldu. Kleinert şatonun avlusuna park etmişti. Her şey çok alımlıydı: gürül gürül akan çeşmeler, taş saksılıklar. Onu en fazla şaşırtan şey, Alman polisin "Kara Avcılar" konusunu Stuttgartlı memurlardan saklaması olmuştu. Demek ki o alçakları cinayet büronun adamlarından önce yakalamak için her şeyi yapmaya –pek saygıdeğer yöntemlerin ötesine geçmeye bile– hazırdı.

Arabadan çıktılar. Çakılların üstündeki ayak seslerinin gürültüsü Ivana'ya bir kemik mezarlığındaki kıkırdak çatırtılarını hatırlatıyordu. Yüksek giriş kapısına yaklaştıklarında, içeride onları Son Yargı bekliyormuş gibi bir izlenime kapıldı.

Birkaç dakika sonra, iki yüz metrekareden büyük bir salondaydılar. Onları karşılayan baş uşak çoktan gözden kaybolmuştu. Belli etmeden Kleinert'e baktı, yola çıktıklarından beri, birbirlerine surat asıyorlardı, nedenini bilene aşk olsun. Ivana onun da kendisiyle aynı durumda olduğunu hissediyordu, çok yorgun, bitkin ve aşırı coşkulu.

Salon, bir balo gecesi için aydınlatılmış gibiydi. Dip tarafta, cilalı uzun meşe bir masa bir yüzme havuzunun yansıması gibi parlıyordu. Sağ tarafta, içinde bir at pişirilebilecek kadar büyük bir şömineden alevlerin çıtırtısı yükseliyordu. Daha yakında, koyu renkli kanepeler, taht kadar geniş koltuklar, her yeri pırıl pırıl eşyalar tüm mekânı paylaşıyordu.

Bir dişçi matkabının dönerken çıkardığı gürültü gibi hafif, boğuk bir ses yükseldi. Ivana anında yirmi yaş dişlerinin birinde sızı hissetti. *Kahrolası, kendine gel*, diye içinden söylendi, her şeyden vazgeçmenin eşiğindeydi.

Vızıltı yoğunlaştı ve tekerlekli sandalyesinde oturan Kont von Geyersberg'i gördüler. Drakula değildi, ama ona yakındı. Selin sürükleyerek getirdiği bir tahta parçası kadar kuruydu, bir balık kılçığı kadar inceydi, kafasında tek bir kıl yoktu, kaşları yok denecek kadar azdı ve ona bir yüz oluşturma işini üstlenen ise kemiklerdi. Köşe taşını andıran bir surat, bu suratın dibinde, pusuda bekleyen yırtıcılarınki gibi parlayan iki göz.

– Sayın Kont... diye Almanca konuşmaya başladı Kleinert. Sizi bu geç saatte rahatsız ettiğimiz için üzgünüz. Uzun kalmayacağız.

Lanet olsun, diye içinden söylendi Ivana, *işte daha şimdiden Kleinert pantolonunu indirmişti.* Tutanakları gizleyen ve meslektaşlarından önce sonuca ulaşmak isteyen kararlı polisle alakası yoktu.

– Ne istiyorsunuz? diye sert bir sesle sordu, yaşlı Franz.

Bir anda Ivana'ya ilham geldi ve kendi lisanıyla söze girdi:

– Ben Teğmen Ivana Bogdanović, Fransız polisinden. Daha önce tanıştığınız Amir Niémans'la çalışıyorum.

– Sorumu tekrarlıyorum, dedi Kleinert'e hitaben, ama bu kez Fransızca olarak: Ne istiyorsunuz?

Alman tam cevap verecekti ki Ivana daha hızlı davrandı:

– Ailenizle ilgili bazı şaşırtıcı olaylar hakkında sizinle konuşmaya geldik.

Sonunda Franz onu dikkate alma lütfunda bulundu:

– Yeğenlerimin cinayetlerinden bahsediyorsanız, oldukça tuhaf bir ifade tarzınız var.

Ivana konta yaklaştı, kendilerine oturmalarını teklif etmemişti. Buraya hâkim olan parıltılı hava, işlevsiz bir sarayı, dansçıları olmayan bir balo salonunu çağrıştırıyordu, şatafatlı saray erkânı olarak sadece yaşlı bir hastabakıcı vardı...

– Ben cinayetlerden söz etmiyorum, diye bağırdı Ivana. Jürgen ile Laura kardeş değiller. Max ile Udo'nun DNA'larını karşılaştırmak için analiz yaptık ve biyolojik bağlarının olmaması bizi şaşırtmadı. Sizin bir açıklamanız var mı?

Kontun ağzı açık kaldı. Ivana bu durumdan büyük bir zevk duydu. Onda her zaman, yüksek sınıfa mensup insanların burnundan getirmeyi seven şu proleter kompleksi vardı. Bu tamamen acınasıydı...

Aslında, adam rahatlamış gibiydi.

– Buraya gelin, diye buyurdu, şöminenin yanındaki kanepelerden birini işaret ederek. Size açıklayacağım.

56

İki polis tek kelime konuşmadan oturdu. Franz halı ile sehpanın çevresini dolandı ve sanki kemiklerini alevlerin yansımalarına sergilemek ister gibi şömine ocaklığının diğer tarafında, hafifçe yanlamasına durdu.

Ivana tüm dikkatini vermek için gayret göstermek zorundaydı, bu fazla aydınlık salon onu rahatsız ediyordu. Mobilyalar, eşyalar, değerli ve tarih kokan bu halılar bugüne kadarki yaşamında gördüğü her şeyin tamamen zıddıydı.

– Max ile Udo da kardeş değillerdi, dedi kont, boğuk bir sesle. Karmaşık tahliller yapılmasına gerek yoktu.

– Evlatlık olan kimdi? diye sordu Kleinert.

– Max.

İki polis yan gözle birbirlerine baktı: Gizli sebep ortaya çıkıyordu. Katil aynı kanı taşımayan çocukları hedef alıyordu.

– Geyersberg ailesi her zaman doğurganlık konusunda sorunlar yaşadı, diye devam etti. Önce Ferdinand Jürgen'i evlat edindi, ondan çok kısa bir süre sonra da Peter Max'ı evlatlık aldı.

– Ya Laura ile Udo? diye sordu Ivana.

– Onlar normal doğumla aileye katılan çocuklar. Bazen böyle şeyler olur, ilk çocuklar evlat edinildikten sonra Ferdinand ile Peter'in eşleri hamile kalmayı başardılar.

Bir kez daha Niémans gerçeği görmüştü: Aileye dışarıdan gelen kan temizleniyordu. Bu işle görevlendirilenler Kara Avcılar mıydı? Kimin emriyle? Ve neden onları öldürmek için bu "davetsiz misafirlerin" otuz yaşına gelmesi bekleniyordu?

Bunlar çok doğrudan sorulardı: Daha sonra anlayacaklardı...

– Aileniz tarafından evlat edinilmiş iki çocuğun, bir haftadan daha az bir süre içinde aynı şekilde öldürülmeleri aklınıza hiçbir şey getirmedi mi?

Franz görünmez bir paltodan kurtulmak ister gibi omuzlarını oynattı.

– Ben bilmiyorum... (Sesi biraz daha boğuklaşmıştı:) Max yeni... öldürülmüştü. Bunu düşünecek zamanım bile olmadı. Ben...

– Neden bu durumdan polise bahsetmediniz?

– Yeniden söylüyorum, ikinci cinayet dün gece işlendi. Ben...

Sustu ve rahatsız edici gözleriyle çevresine bakındı.

– Gerçekten bu olay ile cinayetler arasında bir ilişki olduğunu mu düşünüyorsunuz?

Ivana ayağa kalkıp konta doğru birkaç adım attı. Anında şöminenin bunaltıcı sıcaklığını hissetti. İri odunlar alevler tarafından kemiriliyordu.

– Peki, siz, diye devam etti Ivana, hiç çocuk sahibi olmadınız mı?

Franz üzüntüyle gülümsedi.

– Kısırlık ailemiz için hep bir tehdit oldu. Bir zayıflık... Şansımı denememin hiçbir yararı olmayacaktı. Bu işi kardeşlerime bıraktım. Üstelik hiç evlenmedim.

İşte daima başkalarının arkasında gölgede kalmış, hiç çocuk sahibi olmamış, Grup'la asla ilgilenmemiş bir adam. Yerini, onu tekerlekli sandalyeye mahkûm etmiş kardeşi Ferdinand'a bırakmak zorunda kalmış bir adam. Çok daha ciddi sebepleri olan mükemmel bir zanlı profili. Ama bu izin peşini bırakmışlardı, peki neden?

Fiziksel olarak, Franz katil olamazdı ve cinayetlerin işlendiği saatlerde nerede olduğuna tanıklık eden kişiler vardı, teyit emişlerdi. Ama Kara Avcılar onun için çalışıyordu...

Gerçekten de, bağdaşmayan bir olaydı: Erkek kardeşlerinden oğulları öldürerek intikam almak isteyen bir adam evlat edinilmiş çocukları seçmezdi. Tam tersine öfkesini biyolojik evlatlardan çıkarırdı. Diğer kuşaklardaki kurbanlar hariç, bugünkü cinayetlerden Franz sorumlu olsa bile, geçmiş yıllardaki cinayetler kimin emriyle işlenmişti?

Ivana başka bir alanda ilerlemeye karar verdi:

– Geçmişte, ailenizin başka vârisleri de ortadan yok oldu. Onlar da evlatlık mıydı?

– Tam olarak kimden söz ediyorsunuz?

Ivana'nın bir bilgisayar hafızası vardı:

– Herbert von Geyersberg 1988'de, Grenadin Adaları'nın açıklarında kayboldu. 1966'da Dietrich von Geyersberg hiçbir iz bırakmadan buharlaştı. 1943'te Helmut von Geyersberg, Fransız Direniş Örgütü'nün demiryoluna yaptığı bir sabotaj sonucu hayatını kaybetti. 1944'te, onun kuzeni Thomas, Amerikan çıkarması sırasında Fransa'da öldü. Bu kayıp kişilerin hiçbirinin cesedi asla bulunmadı...

– Onların da öldürüldüğünü mü söylüyorsunuz?

– Sorumu tekrarlıyorum: Ailenizin bu bireyleri de evlatlık mıydı?

– Ama... hayır. Sanmıyorum. Ben bu konuda hiçbir şey bilmiyorum.

Ivana kelimenin tam anlamıyla pişiyordu, ama yaşlı adam sıcağa karşı duyarsız gibiydi.

Eğilip tekerlekli sandalyenin kolçaklarını tuttu.

– Ve ben, diye adamın suratına haykırdı, ben bizimle alay ettiğinizi düşünüyorum!

Franz geri çekilmedi, en ufak bir korku emaresi yoktu. Ya yaşadığı acı nedeniyle duyarsızlaşmıştı – bir hafta içinde iki yeğenini kaybetmişti, bu çok ağırdı– ya da onun gibi başkalarını da görmüştü.

Ivana adamın üstüne gidecek fırsatı bulamadı. Kleinert, sertçe onu geri çekmek için gelip Ivana'yı boynundan yakalamıştı. Bu hareket onun nefesini kesti ve kendini iki büklüm olmuş, öksürür ve tükürürken buldu. Çok güzel. Alman onu göğsünden iterek kanepeye oturttu. Yüz ifadesi yoruma açık değildi: *Uslu dur!*

– Fransız meslektaşımın kusurunu bağışlayınız, dedi, dalkavuk bir sesle. Soruşturmanın ivediliği...

Franz tekerlekli sandalyesiyle yüz seksen derece çark etti ve şömineden uzaklaştı. Solgun yüzünde en ufak bir kızarıklık yoktu, sanki mermerdendi.

– Sizi yalnız bırakalım, diye devam etti Kleinert, göründüğünden çok daha uşak ruhluydu. Bu koşullar altında bizi kabul etmekle zaten çok nazik davrandınız.

Ivana ayağa sıçrayıp sakat adamın karşısına dikildi.

– Kesinlikle olmaz. Henüz bitirmedik.

– Ivana!

Kleinert ona doğru yürüdü ama Slav kız ona hiç bakmadan avucunu Kleinert'e doğru yöneltti. Bu kez mesaj çok açıktı: "Sen, sen olduğun yerde kal!"

– Johann Bruch'ı tanıyor musunuz?

– Bu ismi hiç duymadım.

– Schwarzes Blut için çalışıyor.

– Yüzlerce insan çalıştırıyoruz.

– Hayır, bu vakıf sadece bir avuç insana para ödüyor, hepsi de sabıkalı.

Yaşlı baykuş sandalyesinde yeniden güvenli bir yer bulmuştu. Değersiz bir taşın içine gömülü bir fosil.

– Bu adam yasaları mı ihlal etti?

– Johann Bruch, Avrupa'da yasak bir ırk olan röetkenleri yetiştiriyor.

– Siz cinayet büroda mı yoksa WWF'de mi çalışıyorsunuz?

– Bunu biliyor musunuz? diye alaycı bir soruyla karşılık verdi Ivana.

Franz yeniden omuzlarını oynattı: Yakasının içindeki etiketleri gerçekten kesmek gerekiyordu.

– Size bu adamı tanımadığımı söylüyorum, diye otoriter bir ses tonuyla cevapladı Franz. Ve yasadışı köpek yetiştirmek, bu dünyanın sonu demek değil. Her ne olursa olsun, bunun Jürgen ile Max'ın ölümleriyle ilgisini anlamıyorum.

– İki gün önce bir röetken Laura von Geyersberg'e saldırdı.

Franz bir kaşını kaldırma lütfunda bulundu.

– Bahçedeki köpekten mi söz ediyorsunuz?

– Aptala yatmayın.

Ivana, ayakları yere sağlam bir şekilde basılı, yumrukları kalçalarının üstünde tam onun karşısında duruyordu. 9-3'ün herhangi bir karakolunda olabilirdi. Artık (üzeri gümüş kaplı) o pırıl pırıl titiz kız yoktu.

– Neden söz ettiğinizi bilmiyorum.

Franz girişe doğru gitmek için tekerlekli sandalyesini döndürmek istedi. Ivana onun yolunu kesti. Kleinert müdahale etmiyordu: Kuşkusuz onun bu küstahlığı karşısında şoke olmuştu ama sonuç itibarıyla, bir şey ona, Ivana'nın bu şekilde bir bilgi koparabileceğini söylüyordu.

– Schwarzes Blut'un tam faaliyeti ne?

– Vakıf ormanlarımızın faunasının ve florasının bakımıyla ilgileniyor ve...

– Size gerçek faaliyetinden söz ediyorum.

– Ne demek istiyorsunuz?

– Size Norton motorlar üzerinde motorculuk oynayan cani avcılardan bahsediyorum. Size küçük bir kız çocuğunun üzerine köpeklerini salan pisliklerden söz ediyorum.

Franz bıkkınlık ifade eden bir el hareketi yaptı.

– Beni yoruyorsunuz...

– Bu adamlar sizi ya koruyor ya da tehdit ediyor. Belki ikisi de. Tam olarak hangisi?

Farkında olmadan, Ivana onun hizasına kadar eğilmiş ve suratına bağırıyordu. Şöminenin alevlerinden bile hiç etkilenmemiş görünen Franz genç kadının saldırgan tutumu karşısında da huzursuz olmuşa benzemiyordu.

– Bırakın, geçeyim. Size söyleyecek başka bir şeyim yok, dedi yaşlı Franz, onun çevresinden dolanırken.

Ivana onu durdurmak için en ufak bir harekette bulunmadı.

– Ya Kara Avcılar, diye son çare olarak arkasından bağırdı, bu size bir şey ifade ediyor mu?

Franz çoktan koridorun karanlığında kaybolmuştu.

Kleinert, hemen onun yanına geldi ve kulağına fısıldadı:

– Çok iyi, haydi gidelim.

Ivana karşı çıkmadı. Kleinert bir akıl hastanesindeki hastabakıcının sakinleştirici ses tonuyla konuşmuştu.

57

– Yardımın için teşekkür ederim. Son derece *cool*, tam bir takım. Gerçekten.

– Almanya'yı hiç anlamıyorsun.

– Polis olarak işimi biliyorum!

Kleinert'in arabasındaydılar ve Alman motoru çalıştırmıyordu. İçeride çamaşır suyu ve sandal ağacı kokulu ıslak mendil kokusu vardı. *Bir polisle konuşuyorsun.*

Ivana geç de olsa, senli benli konuşmaya başladıklarını fark etti, öfkesi bir nebze azaldı.

– Şöminenin üstünde, dedi Kleinert, üç genç adamın olduğu bir resim vardı. Franz'ı tanıdım, anlaşılan o yıllarda hâlâ yürüyebiliyordu. Diğer ikisi Ferdinand ve Peter olmalı.

– Eee, yani?

– Üçü de aynı şekilde duruyordu, sağ el sol kalçanın üstünde. Böyle.

Vücudunun üçte dördünü Ivana'ya doğru döndüren Kleinert sol elini sağ tarafa koydu.

– Dikkatle bakınca, üçünün de işaretparmaklarını fazla belli etmeden bir diğerinin üzerine çaprazladığını gördüm.

– Bu bir işaret mi?

– Çaprazlanmış el bombaları. Kara Avcılar'ın sembolü.

– Söylemek istediğin...

– Üç kardeş kendilerinin hep bu milisin vârisleri olduğunu düşündü. Kaçak avcıları, tecavüzcüleri, canileri serbest bıraktırdılar, ama şef onlardı. Sonderkommandolara karşı derin ve marazi bir saygı duyuyor olmalılar.

– Hangi amaçla? Motorların üzerinde Nazi motorcularını oynamaktan, onlar gibi görünmekten zevk aldıkları için mi?

– Öncelikle güvenliği sağlıyorlar, koruma hizmeti veriyorlar.

– Bunu durdurmak gerekiyor. VG elektronik mühendisliği alanında faaliyet gösteren bir grup. Patentleri ve lehimlenecek devreleri korumak için güvenlik ordusuna ihtiyaç yok.

– Seninle aynı fikirdeyim. Ve Yeniş olayı sadece bir kez yaşandı. Eğer başka saldırılar olsaydı bundan haberimiz olurdu. Demek ki bu Kara Avcılar'ın başka bir görevi var.

– Evlatlıkları öldürmek mi?

– Bu, Niémans'ın fikri ve ben onun yanıldığını düşünüyorum. Tam tersine, ben onların Geyersbergleri kuşaklar boyunca faaliyet gösteren ve geri dönen bir katile karşı koruduklarını düşünüyorum.

– "Kuşaklar boyunca" mı? Sen ne söylediğini işitiyor musun?

– Bunun en başından beri elle tutulacak yanı olmadığını biliyorum, dedi, gücenmiş bir ses tonuyla.

– Eğer gerçekten onların görevi buysa, demek ki bu konuda yetenekli değiller. Her seferinde, Geyersberglerin oğulları kayboluyor ya da öldürülüyor.

Aklına yeni bir fikir gelmiş gibi, polis Ivana'ya biraz daha yaklaştı. Koltukların yumuşak kokusu arasından Ivana onun kokusunu duyabiliyordu. Baharat ve tütsü kokusu yayıyordu. Aklına Tibet çayı geldi. Bir anda, yakışıklı silahşoru Himalayalar'daki bir rahibe dönüştü. *Sakin ol, kızım.*

– Kesin olan bir şey var, diye devam etti. Niémans bahçedeydi. Röetkenin orada olmasının sebebi kontese saldırmak değil, onu korumaktı. Röetken Niémans'a saldırdı, çünkü onun katil olduğunu düşündü.

Ivana'nın migren ağrıları başlıyordu. Düşünceleri, hiçbir yere çıkmayan bir labirentin duvarlarına çarparak seken yankılar gibi yön değiştiriyordu.

– Pirsch avı, dedi Kleinert, kontak anahtarını çevirirken. Kara Avcılar. Evlat edinme. Bu üç konu arasındaki bağlantıyı bulduğumuzda katili de bulacağız. Ya da en azından onu harekete geçiren sebebi öğreneceğiz.

Ivana bir sigara çıkarıp camını açtı. Gözlerini kapattı ve başını arkaya yasladı. Araba hızlandı. Çakıllar tekerleklerin altında gıcırdıyordu. Dışarının soğuk havası yüzünü tokatlıyordu. Kleinert'in göz ucuyla hâlâ ona hayranlıkla baktığını hissetmenin tadını çıkarıyordu. O Uyuyan Güzel'di, ulaşılmaz prensesti...

Zaman bu şekilde geçti, sessizlik her ikisini de kendi uyuşukluklarıyla, karşılıklı anlayışsızlıklarıyla sarmalamak için dondurucu rüzgâra karışıyordu. Arazide bir yerlerde yol alıyorlardı; çok güzeldi.

Birden Ivana Kleinert'in yavaşladığını fark etti. Gözlerini açtı: Bir orman patikasına giriyordu. Paniğe kapıldı. Midesinden yükselen reflü boğazını yaktı.

Polis elini onun kasılmış parmaklarının üstüne koyduğunda Ivana çoktan silahının kabzasına yapışmıştı. Kleinert sadece farların aydınlattığı, çamlarla ve kavaklarla çevrili bir açıklık seçmişti.

Polisin sıcak elinin altında buz gibi parmak kemiklerini hissediyordu. Ilık bir suyun içinde çıtırdayan buz parçaları gibiydi.

– Korkma, diye fısıldadı.

– Ben asla korkmam.

– Ben tam tersini düşünüyorum, sen her zaman korkuyorsun ve bunu gizlemek için olağanüstü çaba gösteriyorsun.

Bir vantrilok gibi ağzını açmadan konuşuyordu. Elini çekmişti ve Ivana şimdiden onun elini özlüyordu.

– Neden durduk? diye geveledi.

– Durum saptaması yapmak için.

– Kara Avcılar hakkında durum saptaması yapmaktan bana gına geldi...

– Ben ikimizden söz ediyorum.

Karısını terk edecek, diye düşündü. Bir savaştan sağ çıkmıştı, evlat katili bir babanın elinden kurtulmuştu, mahzenlerde taş kokain kullanma alışkanlığını bırakmıştı, torbacısının cinayetinden yırtmıştı, artık polisti ve günlük hayatında kaba güç kullanmıştı, ama işte hâlâ aklından kendiyle ilgili düşünceler geçiyordu. *Zavallı kız...*

– Stuttgartlı polislere Kara Avcılar'dan bahsetmedim. Otopsiye girecekler ve Max'ın çevresindeki insanların tanıklıklarına başvuracaklar, cinayet saatlerinde nerede olduklarını teyit edecekler. Niémans'a gelince, o kontesini sorgulayacak ve yarın sabaha kadar saçmalıklarla uğraşacak. Önümüzde koca bir gece var, Ivana. Schwarzes Blut'un tüm adamlarını enseleyebiliriz ve onları sert koşullar altında sorgulayabiliriz.

Yine bir hayal kırıklığı daha. Ama sonuçta, bu da onun tercihiydi. İş, önemli olan tek şey buydu.

– Hangi suçlamayla?

– Artık bunu düşünecek durumda değiliz. Şimdi sen ve ben varız. Onları iyice silkelemek için birkaç saatimiz var. O herifler işin iç yüzünü biliyorlar.

Gösterge panelinden Kleinert'in yüzüne bir yığın küçük ışık yansıyordu. Narçiçeği rengi, limon sarısı, nane yeşili parlak küçük noktalar... Arabanın içi bir karaoke salonuna benzemeye başlıyordu. Dayanmak gitgide güçleşiyordu...

Son bir sağ kalma refleksiyle cep telefonunu çıkardı.

– Ne yapıyorsun?

– Niémans'ı arıyorum.

– Babayı yardıma mı çağırıyorsun?

Ivana tam ona küfredecekti ki elindeki telefon titreşti.

Niémans, diye düşündü, ekrana baktı ama arayan akıl hocası değildi. Hemen boğazı düğümlendi. Çağrıyı reddetti.

– Yine gizemli yakışıklı mı?

Ivana cevap vermedi, gözleri telefona sabitlenmişti.

– Seni arayıp da konuşmayan kim?

Dirseğini iki koltuğun arasına yerleştirmişti, ilgili bir meslektaştan ziyade bir plaj çapkını gibi duruyordu.

Ivana sessizliğini koruyordu, cep telefonuyla oynuyor, sırrının ağırlığını bir avucundan diğerine geçiriyordu.

– Oğlum, dedi, boğuk bir sesle.

Kleinert'in şaşkınlığını, hayal kırıklığını, tiksintisini yakalamak için onun suratına baktı. Ama poliste en ufak bir şaşkınlık emaresi yoktu.

Gerçek bir polis her zaman en kötüye hazır olmalıydı.

– Orada olmadığın zamanlarda, diye sordu, onunla babası mı ilgileniyor?

– Babası yok.

– Kaç yaşında?

– On yedi.

– Onunla kim ilgileniyor?

– İnsanlar.

– Yani?

– Sana göre? diye bir anda patladı Ivana. Onu doğurduğumda on beş yaşındaydım. Onunla hiç ilgilenmedim. Hep çocuk yurtlarında ve koruyucu ailelerin yanında büyüdü.

– Ya şimdi?

– Şimdi mi? Benden nefret ediyor. Beni arıyor, hiç konuşmuyor, ama on yedi yıllık kızgınlığını ve kinini duyuyorum.

Kleinert koltuğuna yaslandı, sanki onun biraz soluklanmasını istiyordu. Hakemin saymasına saygı gösteren bir boksör gibiydi.

– Onunla neden hiç ilgilenmediğimi öğrenmek ister misin?

– Senden hiçbir şey istemiyorum.

– Ama istemelisin! diye güldü, sesi titriyordu. Nasıl böyle bir anne olunur bilmek istemez misin?

Tek kelime edemeden, tepki göstermeye, kapıyı açıp ormana kaçma fırsatı bulamadan, Alman dudaklarını onun dudaklarına yapıştırdı.

Çok yakıcıydılar. Kara Orman'la kesinlikle alakası yoktu. Memur-silahşor-Tibetli çöldeki vahada bir kuyunun güneşten kızmış kenar taşında oturan bir Tuareg'e dönüşmüştü.

Adamın soğukluğunun bir zırh olduğunu düşünerek kendini o duyguya teslim etti. Tehlikeli ve muhteşem çiçeklerin yetiştiği bir seranın içindeydi.

Bu düşünce onu allak bullak etti, zira o anda, kendini ne çiçek ne de herhangi bir canlının olduğu bir tapınak kadar soğuk hissediyordu.

III

Çok özel mermi

58

Niémans hayvanın yanında uyandı. Sert, siyah ve gür kıllar.

Ürperdi ve doğruldu, kapıldığı korkuyla eli ayağı boşalmıştı. Ama hemen bunun, Laura'yla üzerinde seviştikleri hayvan postu halı olduğunu anladı.

El yordamıyla gözlüklerini buldu ve çevresine göz gezdirerek yeniden bir durum saptaması yaptı. Yerden tavana kadar uzanan geniş pencerelerle aydınlatılmış salon. Sönmüş ve kapkara görünen şömine. Aralarında çevreye saçılmış giysilerin bulunduğu koltuklar ve kanepe. Her şeye kül kokusu ve sabahın soğukluğu sinmişti.

Saat sabah 7.20'ydi. Lanet olsun. Burada, yerde, örtüsü içindeki bir evsiz gibi küçük halıya sarılarak uyumuştu. Muhteşem dedektif. En azından sevişmelerini hatırlamaya çalıştı. Aklına sadece kaygı verici, çok belirsiz kırıntılar geldi. Dün geceyle ilgili hiçbir zevk kalıntısı yoktu.

Ve üstelik Laura'dan da hiç iz yoktu.

Onun kahvaltı hazırlamakla meşgul olduğunu düşünmüyordu.

– Laura? diye seslendi, ayağa kalkarken.

Cevap olarak sadece sessizlik vardı: İçeride ne bir hareket belirtisi ne de bir insan vardı.

Kemerini bağlarken ve gömleğini iliklerken seslenmeye devam etti. Sırtına ceketini geçirince salonu boydan boya kat etti ve kuzenlerle birlikte akşam yemeği yedikleri odaya geldi, sonra döndü ve Amerikan mutfağı gördü. Her yer kusursuz, boş ve tertemizdi.

Bu cam blokun içinde gidip geliyor ve yaptığı şeyi kabullenemiyordu. Bir tanıkla yatmak o kadar korkunç bir şey değildi. Ama Laura'yla yatmak, bu tamamen yoldan çıkmak demekti: Yarı şüpheli, yarı kurban olan kontes, gerçekten de yakınlaşması gereken son kişiydi.

Aklına dün geceyle ilgili yeni anı kırıntıları geldi. Dayanılmaz bir deniz tutması gibi bağırsaklarını buran muğlak zevkler. Surata yumruk yedikten sonra görülen yıldızlar gibi beynini aydınlatan solgun alevler.

Niémans bu anı kırıntılarını yeniden düşünmüyordu, gece güçlü akışlarla aklına geliyor ve onu yeni derinliklere sürüklüyordu. Resiflerde kayıp düşmemeliydi...

– Laura?

Merdiveni çıkarken, gözünün önünde hâlâ görüntüler vardı. Nefes nefese kalmış Laura. Arkaya doğru kavislenmiş Laura... Aslında, herkesi, her bedeni, her aşk gecesini ele geçirmiş olan bu hayvanı asla ne anlıyor ne de kabulleniyordu.

Duvarlara ve kapı pervazlarına vurarak koridorda ilerledi; sanki 20. yüzyılın başında bütün erkekler cüceydi. Hiçbir kapı kilitli değildi, her odaya baktı ve işe yarar hiçbir şey yoktu.

Kendi kaldığı odaya girdi, camı açtı ve dışarıya göz attı. Sabah serinliği ona iyi geldi. Havada çok ince bir pus –ya da çiy– vardı.

Laura'nın 4x4'ü avluda duruyordu. Demek ki gitmemişti ya da en azından arabayla gitmemişti. Şapelde miydi? Kardeşinin mezarı başında düşüncelere mi dalmıştı?

Pencereyi kapatmak için kolunu uzatınca burnuna Laura'nın kokusu geldi. Gömleğine kumaş yanmış gibi, sert ve yakıcı bir parfüm kokusu sinmişti.

Merdivenden inip yeniden salona döndü. Laura bir mesaj bırakmış olabilir diye düşündü. Paltosundan telefonu çıkardı. Elbette mesaj yoktu. En azından kontesten mesaj yoktu. Ivana gece boyunca ona on iki mesaj bırakmıştı. O horul horul uyurken küçük Slav kuşkusuz yeni bilgilere ulaşmıştı.

Onu geri aramadan önce, mutfağa girdi ve kafasını suyun altına soktu. Çok hoş değildi, ama kafasını toparlamanın en iyi yolu buydu. Kız çocuğunun öfkesi karşısında hemen cevap verebilmeliydi.

Salona döndü, Ivana'nın numarasını tuşlamaya hazırdı, ama onu olduğu yere çivileyen bir ayrıntı fark etti.

Silahlıkta bir tüfek eksikti. Hangisi olduğunun bir önemi yoktu, tek parça metalden dökülmüş gibi görünen antrasit tüfekti, Laura bunun babasının tüfeği olduğunu söylemişti. Pirsch avında kullanılan ve hedefi iki yüz metreden vurabilen bir şaheser.

Hiç kuşkusuz Laura kendisinin özenle hazırladığı fişeklerden, azami tahribata neden olması için yumuşak uçlu özel mermilerden de bir avuç almıştı.

Niémans bir koltuğa oturdu. Dün gece olan şuydu: Laf arasında Niémans, Laura'ya kardeşinin katilinin o olduğunu ima eden bir şey söylemişti. O da oyalamak için Niémans'la sevişmişti, *teşekkürler hanımefendi* ve elinde silahla gitmek, yarım kalan işini tamamlamak için onun uyumasını beklemişti. Kahretsin, ne söylemişti? Sevişerek onu kandıramadığını mı anlamıştı?

Telefonu titreşti, Niémans az kalsın sırtüstü düşüyordu.

– Ne haltlar karıştırıyorsunuz Niémans? diye telefonda bağırdı Ivana. Lanet olsun, bütün gece sizi aradım!

– Ben... Ben sana kontesi görmeye gideceğimi söylemiştim.

– Ama geceyi onunla geçireceğinizi söylememiştiniz.

Baskın çıkmak amacıyla bağırmaya –cılız bir bağırma– teşebbüs etti:

– Bize bu kadar sinirlenmen gerekmez! Ne oldu?

– Dün gece Schüller'in telefon dökümünü aldık. Onu son arayan kişi Laura'ymış, ölümünden bir saat önce aramış.

Niémans verecek cevap bulamadı.

– Yani siz, bizim bir numaralı şüphelimizle yattınız, diye belirtti Ivana.

– Sen neredesin?

– Sizin önünüzde.

Niémans kafasını kaldırdı ve geniş pencerelerden avluya çıkarma yapan polis arabalarını gördü. Bira şişeleri gibi yeşil arabalar Titisee Gölü'nü çağrıştıran mavi ışıklar saçıyordu. Bir, iki, üç, dört araba frenlere asılırken içinden üniformalı polisler boşalıyordu.

Panik halinde tabanca kılıfını kemerine taktı ve paltosunu sırtına geçirdi. Telaş yok, yoldaş. Kapıya kadar koştu ama kapı çoktan açılmıştı: Polisler ellerinde silahlarla Bauhaus'tan esinlenerek inşa edilmiş evin içine giriyorlardı.

Kimse ona dikkat etmedi. Onlar kontesi istiyordu, en başından beri huysuzluk yapan ve gerçekleri görmezden gelen boktan bir polisi değil. Kleinert göründü, ne zafer kazanmış ne de yenilmiş hali vardı, sadece bir sarmala dönüşmüş bu soruşturma onu yıpratmıştı. Bin yaş yaşlanmıştı, artık ne bir Alman memura ne de bir silahşora benziyordu. Daha çok ölümünden birkaç gün önceki Troçki'yi andırıyordu.

Niémans kısa bir süre onu süzdü ve tek kelime etmeden her yeri didik didik arayan Kleinert'in ekiplerine katılmayı tercih etti. Ivana neredeydi? Onu bu durumdan sadece Ivana'nın kurtarabileceğini düşünüyordu. Ama yanılıyordu.

– Nasıl? Kendinizden memnun musunuz? diye sordu Ivana, bir anda kapıda belirivermişti.

– Ivana... diye mırıldandı, Niémans.

Kafasının içi, sarhoşların konulduğu bir ayılma hücresi gibiydi. Aşk gecesinden sonra, yere iniş çarpma etkisi yapıyordu.

– Şimdi her şey çok açık ve bu sizin sayenizde olmadı.

– Haydi. Anlat.

– Size en önemli şeyi zaten söyledim: Schüller'in telefonda konuştuğu son kişi kontesmiş.

– Bu bir şey kanıtlamaz.

– Yine de doktorun ona bir şey söylediğini, bunun üzerine onun harekete geçtiğini ve laboratuvara gittiğini varsayabiliriz.

– Tamamen spekülasyon, diye karşılık verdi Niémans. Onu gören olmuş mu?

– Evet. Araştırmacılardan biri onun 4x4'ünü, cinayet saatinde park alanında görmüş.

Arkasında, polisler Almanca sözcükler –çocukluğu süresince ona nefretle öğretilen kelimeler– bağrışarak gidip geliyordu. Kötü adamların lisanı. Nazilerin lisanı. Arabaların tepe lambalarının mavimsi ışıkları camları soyut tablolara dönüştürmek için doğan günün bakır rengi sonsuzluğuna karışıyordu.

Bir Faraday kafesi içinde, Niémans kendini tutuklanmış, mahkûm edilmiş, yalnızlığa terk edilmiş olarak gördü. Hayır, işlediği suçlar nedeniyle değil, ama son derece aptalca ve safça suçüstü yakalandığı için.

59

Ivana ile Kleinert bütün gece çalışmışlardı. Schüller'in telefon dökümlerini sabahın çok erken saatlerinde almışlar, ama ondan önce Schwarzes Blut Vakfı'nın önemli adamlarını tutuklamışlar ya da tutuklatmışlardı. Alman polis ne prosedürlere ne de nesnel gerekçelere riayet etmişti. Ağını atmış ve az da olsa bilgi koparabileceği bütün şüphelileri yakalamıştı. Ve üstelik tüm bunları cinayet büro adamlarına belli etmeden yapmıştı.

Şimdi, gözaltına alınan serserileri sorgulamak için Freiburg Merkez Karakolu'na dönüyorlardı. Niémans'ın bu şenliğe katılmasına izin verilip verilmeyeceği belli değildi. Arabanın arka koltuğunda oturmuş, uslu bir çocuk gibi kilometrelerce akıp giden köknarları seyrediyordu. En azından şüpheli değildi...

Kleinert tek eliyle direksiyonu tutarken telsizinden çetrefil bir dille bir şeyler söylüyordu ve Ivana ise kuşkusuz Almanca yeni bilgilere ulaşmak için bütün dikkatini iPad'ine vermişti.

– Ne haltlar karıştırıyorsunuz? diye, keyifsiz bir şekilde sordu Niémans.

– Laura hakkında arama emri çıkartıyorum ve sınırları kontrol altına aldırıyorum.

– Saçmalık.

Kleinert dikiz aynasından ona dik dik baktı.

– Niémans çenenizi kapatın. Soruşturmanın en başından beri hep yanıldınız. Av kazası iddianızla kafamızı şişirdiniz, fos çıktı. Kara Avcılar'ın kontese saldırdığına bizi ikna ettiniz, ama tam tersi olduğu ortaya çıktı: Köpek Laura'yı sizden koruyordu. Ardından aile laneti hikâyesiyle bizi bir maceraya sürüklediniz ve bir kez daha en ufak bir sonuç elde edemedik. En sonunda, cinayetlerin sebebinin evlat edinme olduğuna bizi inandırdınız. Elimize ne geçti? Fazladan bir ceset daha. Şimdi, elimizde gerçek bir şüpheli var ve "içgüdüleriniz" size bunun yanlış olduğunu söylediği için onun peşini bırakacak değiliz.

Ivana gözünü yoldan ayırmıyordu; arabaya bindiklerinden beri ne ona bakmış ne de tek laf etmişti. Niémans, onun ensesini, ense hizasında kesilmiş küt saçlarını görüyordu.

– Laura Schüller'i hangi sebeple öldürmüş olabilir? diye sordu Niémans.

– Çünkü Jürgen ile onun kardeş olmadıklarını ortaya çıkarmıştı.

– Öyleyse olayda, bir evlat edinme meselesi olduğunu kabul ediyorsunuz. Kara Avcılar...

Ivana bu kez ona doğru döndü, elini Kleinert'in koltuğunun sırtına koymuştu.

– Niémans, hikâyeniz tutarsız. Önce bize, onların katil olduğunu söylediniz. Sonra, Geyersbergleri koruduklarını. Şimdi de, onların sadece vârisleri öldürdüklerini...

– Onlar paralı asker. Görevleri bu yedek çocukları... öldürmek.

– Otuz yaşını geçtiklerinde mi? Ve bu işi kuşaklar boyunca yapıyorlar, öyle mi?

Ivana yeniden önüne döndü. Güneş düzenli aralıklarla onun yüzüne vuruyor ve eski tarz bir projeksiyon makinesi gibi profilinde tarama çizgileri oluşturuyordu.

Önlerinde dümdüz uzanan yol sanki ormanın sonuna ulaşmaktan âcizdi. Niémans, eyaletlerin sık ağaçlardan oluşan ormanlarını düşünüyordu, sonsuz büyüklüğe sahip bu ormanlardaki ağaçların tamamı 19. yüzyılda dikilmişti. Şüphesiz Geyersbergler de aynı şeyi yapmıştı. Daha fazla ağaç, her zaman daha fazla av hayvanının barınması demekti...

– Düşünceniz başka bir sebeple tutarsız, diye devam etti Ivana, gözlerini yoldan ayırmadan.

– Hangi sebep?

Yeniden arkasına döndü ve Niémans Ivana'nın yüzünde onun şapa oturmuş düşüncelerine duyduğu acımayı gördü. Onun öfkeli ve sinirli olmasını tercih ederdi.

– Sizin fikrinizi kabul edersek, aile çocuk sahibi olamadığı için evlat edinilen çocuk her zaman ailenin büyük oğlu oluyor.

– Doğru.

– Yani bu durumda öldürülen oğul da her zaman büyük olan olmak zorunda.

– Evet.

– Dün gece, Fabian'la Geyersberglerin arşivinde daha gerilere gittik.

Yeniden onun ilk adını kullanmıştı; Ivana'nın bir kez olsun ona "Pierre" diye hitap ettiğini hatırlamıyordu. *Kahretsin.* Bu ikisi birlikteydi.

– Ama kaybolan her zaman ailenin büyük oğlu değil, diye lafı yapıştırdı. Sizin "yedek çocuk" teoriniz tutmuyor. Bu vârisler başka bir sebepten öldürülmüş... Başka bir sorunu göz ardı edemeyiz.

– Ne gibi bir sorun?

– Eğer bu aile her seferinde bir vâris evlat edindiyse, daima erkek çocuk seçtiler, değil mi?

– Evet.

– Yaptığımız araştırmalara göre, 19. yüzyıl boyunca ortadan yok olan Geyersberglerin bazıları kadın. Yani bu çocuklar evlatlık değil.

Niémans ellerini ceplerine soktu ve omuzlarını büzdü.

Sözü bu kez Kleinert aldı; bu ikisi belli ki onu ikna etmeye karar vermişti:

– Schüller cinayetine dönelim. Ona ateş eden neden Laura von Geyersberg olamaz?

– Daha doğru soru bu: Neden bunu yapsın? Schüller Jürgen'in bir Geyersberg olmadığını ortaya çıkardığı için mi? Bu hikâye şu ya da bu şekilde ortaya çıkacaktı.

– Öyleyse Schüller başka bir şey buldu.

Ivana bir kez daha arkasına döndü ve Niémans'a meydan okurcasına baktı.

– Laura eğer masumsa neden kaçtı?

Saydam duvarlarla çevrili karanlığın içinde sigara içen Laura yeniden Niémans'ın gözünün önüne geldi. Onu mu bekliyordu? Schüller'i öldürüp eve mi dönmüştü? Daha kolay kaçabilmek için onunla sevişmeyi önceden mi planlamıştı?

– Laura kaçmadı. Kozunu paylaşmak istiyor. Babasının tüfeğini aldı. Öcünü almak için gitti.

– Siz nerede olduğunuzu sanıyorsunuz, Niémans? diye bağırdı Kleinert. Bir kovboy filminde mi?

Niémans cevap verme konusunda kısa bir tereddüt yaşadı, sonra konuştu:

– Dün gece ona, gerçeği anlamasını sağlayan bir şey söylediğimi düşünüyorum.

– Sanırım sevişirken, değil mi? diye ironi yaptı Ivana. Bu iş bir vodvile dönüşüyor.

Polis cevap vermek için ağzını açtı. Ama Kleinert daha hızlıydı:

– Buradalar.

Niémans bir an dikkatle ona baktı ve Kleinert'in gözlerinin iç dikiz aynasında olduğunu gördü. Ayaklarının üzerinde yükseldi ve o da arka camdan dışarı baktı.

Gördüğü şey tasayla gülümsemesine neden oldu.

En azından ölümleri tarihin akışına uygun olacaktı.

1941'den itibaren Nazilerin Belarus'ta ve Ukrayna'da yaptıkları Yahudi katliamları gibi.

Kara Avcılar'ın rezil işi.

60

Bir dizi koltuğun üstünde, neredeyse ayakta duran Ivana da arkaya dönmüştü ve ıssız yolda kıçlarında ayrılmayan korteje bakıyordu. Aklına ilk gelen şey, seri olarak çekilmiş *Mad Max* filmleri oldu.

Yolun tam ortasında bir 4x4 vardı, onun çevresinde de motorlar, daha önce karşılaştıkları Nortonlar. Motorların üstündeki adamlar da Freiburg'da o gece gördükleri aynı adamlardı; deri ceketler, koyu renkli yağmurluklar, Wehrmacht yeşili kar başlıkları. Kurşunsuz benzinle yol alan bir ölüm mangası.

Son hızla yaklaşan konvoy sanki hiç yavaşlamadan üzerlerinden geçip gidecekti. Kleinert de hızlanmıştı, sağ elinde telsizi vardı. Niémans Glock'unu çıkarmıştı. Ivana posta arabasına yapılan saldırıları çağrıştıran bu olaya inanamıyordu. 2018'de olmazdı. Baden-Württemberg'de olmazdı. Olmazdı...

İlk çarpma onu savurdu, önce ön cama çarptı, sonra çenesini koltuğunun kafalığına vurdu. Araba birden yolda kaydı. Ivana bu kez koltuk ile torpido gözünün arasına, yere kaydı, emniyet kemeri neredeyse onu boğacaktı. Ayağa kalktı, ağzında kan tadı hissetti, iyice çıldırmıştı.

Kleinert telsizi yerine takmış –yardım çağırmak için çok geçti– ve direksiyonu iki eliyle sımsıkı kavramıştı. Niémans camı indirmişti; elinde tabancası, başını dışarı çıkarıyordu. Ivana onu sırtından, ancak vücudunun dörtte üçünü görebiliyordu, şakağında bir ustura yarası gibi hafif bir kan çizgisi vardı. Sarsıntı sırasında, o da kafasını sert bir köşeye çarpmış olmalıydı.

Kimse konuşmuyordu ve bu her şeyden daha kötüydü. Kimsenin söyleyecek bir şeyi yoktu. Bir sonraki aşamada, ya kafa bir çukurun içine atılacak ya da enseye bir kurşun saplanacaktı. Ivana tabancasını çıkarırken –ya da daha ziyade çıkarmaya çalışırken, çünkü silah ön kısmı sırtına doğru dönmüş ceketinin altında kalmıştı ve emniyet kemeri ona engel oluyordu– ikinci çarpma onu ön konsola doğru savurdu. Çenesi polimer yüzeyde kaydı ve çarpmanın etkisini azalttı. Ama bu kez de, sanki araba köknarlara verev olarak, öne doğru savrulmuştu.

Kleinert bağırdı. Niémans ortada yoktu. Ivana doğruldu ve arka koltuk ile ön koltuklar arasında doğrulmaya çalışan akıl hocasını gördü. Başını sağa sola çevirdi, onlarla aynı hizada yol alan motorcuları gördü: bez kar başlıkları, demiryolcu gözlükleri, siyah fularlar. Bir kez daha aklına bir *"outlaw biker film"*'leri[40] geldi, ama onların kıyafetlerinde, kararlılıklarında insanın kanını donduran bir şey vardı. Gösteride değillerdi. Her ayrıntıda tarihin lanetli dönemlerini yansıtan bir gerçeklik ve katılık vardı.

Gerçekten harekete geçeceklerdi.

Bir yandan, bu çok saçmaydı; polise nasıl saldırırlardı? Öte yandan, bu sahnede derebeyinin mührü vardı. Bu topraklarda geçerli tek yasa Geyersberglerin yasasıydı. Üç polis davetsiz misafirdi, yabancıydı, inançsızdı. Ve başlarına çok çabuk bir kaza gelebilirdi...

O sırada beklenmedik bir şey oldu ya da daha doğrusu olmadı: Kara Avcılar hiçbir teşebbüste bulunmadı. Arkalarındaki 4x4 yavaşlarken, onlar bir eskort gibi yanlarından geçip gidiyorlardı.

Niémans hareketsiz bekliyor, bu tekinsiz ancak şiddete başvurmayan motorculara ateş edip etmeme konusunda tereddüt ediyordu. Ivana titreyerek 9 mm'lik tabancasını sımsıkı tutuyor ve parmaklarının arasına akan teri hissediyordu. Kleinert suratı cama yapışmış bir halde hızla yoluna devam ediyordu. Sonunda üç polis birbirlerine baktı: Burada neler oluyordu?

İçlerinden biri ne olduğunu söylemeye fırsat bulamadan motorcular gazladı ve yanlarından geçip gittiler. Aynı anda 4x4 yeniden üzerlerine geldi ve bir kez daha onlara çarptı. Kleinert, kötü bir refleksle direksiyonu kırdı ve frene bastı ya da tam tersini yaptı. Araba önce yoldan çıkar gibi bir dik açı oluşturdu sonra cayırtılı bir titremeyle lastikleri üstünde zıplayarak yeniden burnunu yola doğrulttu.

– Bu kadar aptallık yeter! diye bağırdı Niémans, o sırada Alman arabasının kontrolünü yeniden sağlamıştı.

40. "Kanun kaçağı motorcu filmi" anlamında bir ifade, bir film türü. (ç.n.)

Koltuğuna sımsıkı tutunmuş olan Ivana, Niémans'a doğru döndü: Burnu kanayan polis, kararlı bir hareketle namluya mermi sürdü. Onun arkasındaki camdan, 4x4'ün, sadece yoldan geçmekte olan bir böcek gibi ormanın içinde kaybolmadan önce sağ taraftaki bir patikaya saptığını gördü.

Yeniden önüne döndü ve motorcuların da buharlaşmış olduklarını fark etti. Kleinert yavaşladı ve en nihayetinde durdu. Motor nefes nefese kalmış gibi hıçkırdı ve kendiliğinden stop etti. Alman, ağlıyormuş gibi kesik kesik nefes alıyordu. Öne doğru eğilmiş, el yordamıyla telsizine ulaşmaya çalışıyordu. İnler gibi sesler ve hırıltılar çıkaran Ivana arkadaşlarından daha kötü durumda değildi. İki yanında köknarlar bulunan, her an herhangi bir şeyin çıkabileceği dümdüz uzanan yola sabit gözlerle bakıyordu.

Bu saldırının sebebi neydi?

Yeni bir uyarı mı?

Onları geciktirme taktiği mi?

Bu sorular sonsuza dek cevaplanmayacaktı.

Arabadaki hiç kimse ne olduğunu anlamadan, 4x4 sağdaki patikadan yer sarsıntısı gibi bir gürlemeyle fırladı. Ivana'nın, son darbe inene kadar, tüm arabayı haşat etmeye gelen 4x4'ün radyatör kafesini görebilecek kadar zamanı oldu.

Anında çarpışma meydana geldi, izleyen saniyelerde camlar patladı. Lastiklerin ya da sacın ya da motorun dışında kimse bağırmadı. Araba yoldan çıktı, toz ve yanık asfalt girdabı içinde havalandı. Ivana ön konsola tutundu ama çoktan her şey tersine dönmüştü: Polimer konsol başının üstündeydi, zeminden yukarı doğru cam kırıklarından bir yağmur vardı, ensesi arabanın tavanına sıkışmıştı. Ne ufak bir acı ne de herhangi bir öfke hissediyordu. Uçuyordu. Yerçekimi yok olmuştu, bütün düşünceler, bütün duygular gerçek dünyanın dışına itilmişti. Çarpışmanın şiddetiyle sinirlerinin koptuğunu ya da beyninin karşı cama çarparak bir su bombası gibi dağıldığını düşünmeyi becerebilmişti...

Sonra ağır gövde tavanın üzerine düştü.

Ivana bağırmak istedi ama iç organları gırtlağına baskı yapıyordu, soluğu kesiliyordu, boğuluyordu. Kusmuk ve kanlı balgamın birbirine karıştığı bir geğirti, bir hırıltı çıkardı.

Yeni şok yaşadı, ama bu kez yüzüstü durumdaydı. Toprağa saplanmak başka bir şeydi, kendi içine gömülmek, işte bu başka bir şeydi. Kemikleri kaslarının içine girmişti, sanki bir kasap çengeline asılmışlardı.

Aklına tek bir kelime geldi: takla. Evet, takla atmışlardı! Bu sözcük onu rahatlattı. Bu sözcüğe tutundu. Anılar, görüntüler, böyle bir takladan sağ çıkmış sürücülerin söz konusu edildiği konuşmalar peş peşe aklına gelirken yeniden kendini baş üstü buldu... Ama hâlâ yuvarlanıyorlardı. Parçalanan plastikler, kırılan camlar, tavan, başını omuzlarının arasına kıstırarak büzüldü, kendini ölüme unutturmaya çalışan, bir yumurta kabuğu kadar kırılgan, dayanıksız ve ince küçük bir beden.

Son çarpma o kadar şiddetliydi ki, duyduğu acının onu bir enkaza dönüştürdüğünü düşündü. Ama bilinci hâlâ yerindeydi. Ve muhakeme yeteneği kaybolmamıştı: Araba sağ ön tarafından bir köknarın gövdesine çarpmıştı, iki tekerlek havada diğer iki tekerlek toprağın üstündeydi.

Eğreti dünya, bu duyguyu daha önceden çok iyi biliyordu. Hırvatistan anılarına gittiğini hissetti. Bunları hemen aklından çıkardı ve Kleinert'e doğru döndü: imkânsız. Hava yastığı onu koltuğuna sıkıştırmıştı. Yine de büyük gayretle başını baskıdan kurtardı ve Alman'ın durumunun gerçekten çok kötü olduğunu gördü. Kan içindeki yüzü hava yastığının kumaşı içinde kaybolmuştu, kırılan gözlük camları gözlerine saplanmıştı. Sağ kolu imkânsız bir açıyla direksiyon simidinin içine sıkışmıştı.

Hâlâ hayatta olduğunu söylemek olanaksızdı.

Arkasında bir gürültü duydu. Ensesi ona itaat etti ve başını tamamen hava yastığından çıkarabildi. Arka tarafta, koltuk tavana fırlamıştı ve stepne ön koltuğun arkası ile arabanın tavanı arasına kaymıştı. Niémans doğrulmaya çalışıyordu; günün en iyi haberi.

Gözkapaklarının kıvrımında bir sıcaklık hissetti. O da yüzünden yaralanmıştı. Bunu düşünmenin sırası değildi. Çoktan Niémans iri eliyle onun koltuğuna tutunmuş doğruluyordu, ona çok yakındı.

– Buradan çıkmamız lazım, dedi, tuhaf derecede sakin bir sesle. Araba alev alacak.

İşte o anda Ivana kokuyu duydu; elbette benzin kokusu, ama onun aklına bir bombanın fitilini getiren de bu önemsiz şeydi. Ardından paniğe kapıldı. Ivana sıkışmıştı. Hava yastığının kumaşı, her halükârda göçmüş olan kapısını görmesini engelliyordu. Kapıyı açmanın imkânı yoktu. Geriye tek umut kalıyordu: Sol arka kapıyı açmaya çabalayan Niémans... Ama toprak, kapının açılmasını engelliyor olmalıydı, çünkü araba 45 derecelik bir eğimle duruyordu.

O halde Ivana dua etmeliydi ama ne sözcüklerle ne ağzıyla ne de beyniyle ve belleğiyle. Ivana bedeniyle, solunumuyla, hücreleriyle dua etti. Tüm varlığı göğe doğru bir yakarmaya dönüşmüştü.

Yüce Denetçi, o anda polis patronun bedeninde cisimleşiyordu. Koruyucu meleğinin bedeninde. Kurtarıcısının bedeninde. Onları buradan çıkarması gerekiyordu. Her zaman olduğu gibi onu koruması gerekiyordu...

O anda, arabanın içinde ilk alevler yükseldi.

61

Kapının çatırtısı ona dünyanın en heyecan verici gürültüsü gibi geldi. Niémans kafesinden kurtulmayı başarmıştı. Ama duman çoktan arabanın içini doldurmaya başlamıştı ve Ivana dünyayla ilişkisinin kesildiğini ve ateş ve demir nedeniyle umudunu yitirdiğini hissediyordu.

İrkildi. Niémans onu kolundan yakalamıştı. Kısaca yardımın, yani kendisinin geldiğini belirtmek için kolunu, gerçekten kötü durumda olan Kleinert'in ensesinin üzerinden uzatmıştı.

Ivana bir şey söylemek istemişti, ama tek yapabildiği sadece öksürmek ve biraz daha duman yutmak oldu. Bununla ilgili kurslar görmüş, istatistikler okumuş, rakamlar öğrenmişti: Arabalar bu şekilde alev almazdı. Ama bazen de, bu olabilirdi. Ve bu "bazen" onun mezbahadaki bir düve gibi terlemesi için yeterliydi.

Niémans ne halt ediyordu?

Tek gözüyle hava yastığının arasından bakmaya muvaffak oldu ve yakın plandaki bıçağı gördü. Kleinert'i bu yanan kutudan çıkarmak için onun bir kolunu ya da parmağını keseceğini düşündü.

Ama hayır, sadece Kleinert'in hava yastığını deldi, yerinden sıçrayan yüzü kan içindeki polis ne olduğunu anlamamıştı.

– Niémans, dedi Ivana, boğuk bir sesle. Acele edin.

Cevap olarak, daha o tepki verecek zamanı bulamadan Ivana'nın hava yastığını da deldi. Yastık onun yüzüne patladı ama o anında büyük bir rahatlama hissetti.

Polis, kırılmış direksiyon simidi, parçalanmış gösterge paneli, bir kâğıt giyotini gibi inmiş koltuktan oluşan mengenenin arasından Kommissar'ı çıkarmaya başladı. Alevler hızla sağ kapılara doğru ilerlerken o küçük manevralarla hareket ediyordu.

Ivana ona bakıyordu. Kımıldayamıyordu, iç organlarıyla, kanla ve korkuyla bir dürüm gibi sarmalanmıştı. Kan yüzüne, gözkapaklarına, gözlerine akıyordu. Şu anda bir yığın boktan duyguya kapılıyor, kötü kehanetlerde bulunuyordu. Sol kolu korkunç acı nedeniyle hareketsizdi, kafasına bir demirci atölyesindeymiş gibi çekiç darbeleri iniyordu, içinde ne var ne yok hepsini ağzından püskürtecekmiş gibi midesi bulanıyordu.

İşte o anda, arabanın içini kaplayan dumanların arasından ön camdaki büyük çatlağı gördü. Paniğin verdiği enerjiyle, emniyet kemerini açtı ve çatlamış camdan geriye ne kalmışsa yumruklamaya başladı, cam hiç direnç göstermedi.

Öne doğru hamle yapmanın ve Alman polisi renklerini taşıyan bu çöp yakma makinesinden dışarı fırlamanın zamanıydı. Refleksle yerde duran tabancasını aldı ve işe koyuldu. Öksürerek, itekleyerek ve tırmanarak yamru yumru olmuş kaportaya ulaşmayı başardı. Kleinert'i alev almış arabadan uzaklaştırmayı başarmış Niémans'ın yanına kadar yerde yuvarlandı.

Araba her an patlayabilirdi, ama içinde onlar olmadan.

Hepsi oradaydı, ölü yapraklardan oluşan bir halı ile parlak mavi bir gökyüzünün arasında her şeye rağmen hayattalardı.

Niémans hareketsiz Alman'ı yolun üzerinde, arabadan mümkün olduğunca uzağa çekmeye çalışıyordu. Ivana da onun peşinden, ormanın diğer tarafına doğru asfaltta sendeleyerek ilerledi. Omzunun üstünden, artık ne yanmak ne de patlamak istiyormuş gibi görünen arabaya baktı. Arabanın içinden, bir anlamda başlarına gelen felaketin en iyi belirtisi olarak kara dumanlar yükseliyordu.

Kadın polis Cam Villa'da kalan polisleri düşündü, bu yoldan geçecekler miydi?

– Durumu nasıl? diye sordu.

– Nefes alıyor, tüm söyleyebileceğim bu, diye cevapladı Niémans.

Alman'ın gözkapaklarına cam kırıkları saplanmıştı, sol kaşı patlamıştı, yüzü kan içindeydi. Direksiyon simidi kaza anında kaburgalarına battığı için göğsü de kötü durumda olmalıydı. Sağ koluna gelince, görüntüsü bile korkunç olan o açıyı hâlâ koruyordu.

Ivana yolun kenarına geri döndü, hâlâ titriyordu ve etrafa dikkatle göz gezdirdi. Onlara çarpan 4x4 doğruca yoluna devam etmişti. Motorcular geri dönmüyordu. Uyarı sona mı ermişti yoksa infaz yeni mi başlıyordu? Tüm bunlarda "fırtınadan önceki sessizlik" kokusu vardı.

Bununla birlikte, tüm korkusu geçmişti. Niémans, kendinden

emin hareketleriyle, bir bağ taşından daha sağlam kafasıyla, burnunun üstünde duran –nasıl hâlâ oradaydı, bilmiyordu– gözlüğüyle ona güven veriyordu.

Bu canlılık tüm ormana yayıldı; sanki damarlarında kozalaklı ağaçlardan ve topraktan kaynaklanan verimli, yapışkan, yakıcı bir şey, sıcak ve güven verici bir özsuyu akıyordu. Bu onun hayatta kalmasını sağlayan gerçek enerjiydi.

– Suratımda ne var? diye sordu, Niémans'a doğru yaklaşırken.

Polis ayağa kalkıp yüzüne baktı, onun da şakaklarında bir sürü kesik vardı, ama cildi kanamayı reddediyordu.

– İyi, bir şey yok, sadece alında bir kesik var. Yaşayacaksın.

Ivana gözlerini kapattı. Çamların, kesilmiş otların ve nemli toprağın kokuları birbirine karışıp baş dönmesini artıyordu. Önce her şeyin yolunda olduğunu sandı ama tazyikli bir fıskiye gibi kusmak için hemen uzaklaştı.

Her öğürtüde kafatasının içinde bir şeyler çatırdıyordu.

Sonunda, kusması seyrekleşti, ardından kesildi. Dizlerinin üzerine çökmüştü, kafası ara ara sarsılıyordu.

– Ivana?

Niémans boğuk, neredeyse kısık bir sesle onun adını söylüyordu.

– Yardım çağır, diye emretti, bir yanda da Kleinert'i karayosunlarından ve eğreltiotlarından bir yatağın üzerine yerleştiriyordu.

Ivana cebinden telefonu çıkarmayı başardı. Gözlerinden iri beyaz damlalar düşüyordu.

Freiburg Merkez Karakolu'nun numarasını tuşladı ama bir sonuç alamadı. Geyersberg topraklarının özelliği: Gökyüzünden gelen bütün sinyaller, orman sesini daha yüksek ve güçlü duyurabilsin diye bozuluyordu.

Arkasında birinin olduğunu hissederek irkildi ve aniden geriye döndü: Niémans karşısında duruyordu.

– Şebeke yok, dedi, ayağa kalkarken.

– Geldiğimiz yere dönüyor ve yardım getiriyorsun.

– Ne? Ama orası en az on kilometre uzakta! Ayakta zor duruyorum.

– Diğer yönde, ilk köy yirmi kilometre ileride. Doğuya doğru yürü. Biraz şansın varsa, telefonun birkaç kilometre sonra çekecektir.

Ivana bir anlığına etrafına bakındı: Niémans omuzlarında cam kırıkları, perişan bir yüzle rüzgâra karşı ayakta duruyordu, bir köknarın dibinde yatan Kleinert canlıdan çok ölü gibiydi. Ve sahneyi tamamlayan Ivana'ydı: Dizleri titriyor, gergin bir şekilde nefes alıyordu ve gözleri kanlıydı.

– Peki, siz?

– Ben mi? Onları yakalayacağım.

Sinirli bir şekilde güldü:

– Başka bir düşünceniz olmadığından emin misiniz? Daha orijinal bir düşünce?

Niémans onu zorla yola doğru döndürdü. Kıçına bir tekme yapıştırmadı, ama aklından geçti.

– Dümdüz yürü. Eğer rüzgâr yön değiştirmezse, şansın var demektir.

– Rüzgâr mı? Siz ne anlatıyorsunuz?

– Sana bir an önce git diyorum! Onlar hâlâ buralarda.

– Ne?

– Anlamıyor musun? Av başladı.

Ivana sonunda anladı: Doğu Cephesi'nde eski zamanlarda olduğu gibi onları avlamak için yoldan çıkarıp durdurmuşlardı. Ivana köpek havlamaları, kırılan dal çatırtıları, bağrışmalar hayal ediyordu. Yanılıyordu.

Bu yürüyerek yapılan pirsch avıydı.

Başka tek kelime etmeden güneşe doğru koşmaya başladı.

62

Niémans Kleinert'e bir göz attı. Otuz yıllık saha görevi ona ne bir tıbbi kavram ne de ilkyardım bilgisi kazandırmıştı. Alman'ın durumu hakkında en ufak bir fikri yoktu; belki iç kanama nedeniyle ölmek üzereydi, belki de sadece yüzünde yaralar vardı ve birkaç kaburgası kırılmıştı...

Kleinert'in silahını aldı ve onun eline yerleştirdi. Sembolik bir önlem: İt herifler onu bulmadan önce kendine gelmesi için dua etmekten başka çare yoktu. Ayrıca yırtıcı hayvanların onu bulmamasını umut etmek gerekiyordu, çünkü birkaç köknar dalından oluşan zayıf kamuflajı yırtıcı hayvanları kandırmak için yeterli değildi.

Şimdi meslektaşını korumak için burada mı kalmalıydı yoksa onları üzerine çekmek için ormana mı dalmalıydı, buna karar vermesi gerekiyordu. Kara Avcılar gerçekten bir insan avı başlatacak mıydı? Yoksa "kaza" süsü vererek sadece onları öldürmeye mi teşebbüs etmişlerdi?

Tabancasının mermi yatağını kontrol etti ve kulak kabarttı. Ormanın uğultusu arasından sanki çok büyük, çok derin bir sessizliğin yaklaştığını hissediyordu. Arkasından, karşısından ya da herhangi bir yerden yaklaşan pirsch avcılarının sessizliği...

Şansını tek başına deneyecekti, bu kesindi. Her şeye rağmen, öncelikle onlar çok daha ilginç olan avla ilgileneceklerdi, hâlâ ayakta olan ve kendilerine direnç gösterebilecek bir avla. Daha sonra ölmek üzere olan polisle ve kadınla ilgileneceklerdi, yakından avlanma yapan avcılar için onlar önemsiz, neredeyse kabul görmeyen avlardı.

İçinden Kleinert'e elveda dedikten sonra ulu ağaçlardan oluşan ormana daldı. Yoldan görünmez hale gelince, paltosunu ve ayakkabılarını çıkarıp bir kavak ağacının dibine gömdü. Ardından gri, bol kesim gömleğini çıkardı ve toprağa sürttü, yeniden giydikten sonra yüzünü ve ensesini çamura buladı. En sonunda, bütün bedensel izleri yok etmek için giysilerini bir çam dalıyla ovaladı. Sıra silahlarını kontrol etmeye geldi: bir Glock 21, iki şarjör, yanından hiç ayırmadığı Opinel marka katlanabilir bıçak.

Sıra büyükbabasının derslerini hatırlamaya gelmişti.

Önce rüzgâr. Çıplak, açık bir yolda rüzgârın yönünü bulmak için bir parmağı ıslatmak yeterliydi, ama dalların ve çalıların arasında en ufak bir hava esintisinin olmadığı sık ağaçlı ormanlarda, bu çok elverişli bir yöntem değildi.

Niémans bir süpürgeotu demeti gördü ve pembe bir toz elde etmek için birkaç çiçek salkımını elinde ezdi ve yumruğunun içine hapsetti. Eğer Kara Avcılar hakkındaki efsaneler doğruysa, bir insanın kokusunu hissedebiliyorlar ya da kırılan bir dalın çıtırtısını duyabiliyorlardı, bu durumda yapılması gereken ilk şey rüzgâra karşı yürümekti. Avucundaki toz parçacıklarının bir kısmını havaya savurdu, rüzgârın yönünü tayin etti ve yürümeye başladı.

Sonra gürültü. En ölümcül hata koşmak ya da sürekli kıpırdanmaktı. Eğer düşmandan kaçmak için en ufak bir şansın olmasını istiyorsan ortama nüfuz etmen, küçük bir dal parçasına, bir çalıya sürtünmeden, bir yaprağı hışırdatmadan onunla bütünleşmen gerekiyordu. Büyükbabası ona ormanda yürümeyi de öğretmişti: Her adıma asla ayak parmaklarınla değil, ayak tabanının dış kenarıyla başlamalı, sonra yavaşça tabanını yere basmalıydın, bu şekilde altında çıtırdayacak, kırılacak, yuvarlanacak bir şey var mı, hissedebilirdin.

Bu şekilde süpürgeotu tozunu havaya savurarak, nemli toprağın çoraplarından içeri nüfuz ettiğini hissederek ilerledi. Tüm bu önlemler onu yeniden umutlandırdı: Belki her şeye rağmen, Ivana şebeke bağlantısı bulana kadar bu şekilde dayanabilirdi...

Aklını meşgul eden başka bir şey daha vardı: Laura'nın elinde tüfekle burada, bu ormanda, herhangi bir yerde olduğuna neredeyse emindi. Bir ya da birkaç Kara Avcı'yı öldürmeye karar vermişti, ama öfkesi onu kör etmişti. Niémans'a göre silah bakımından daha iyiydi, ama ofiste ve sosyetik av partilerinde geçirdiği saatler onu uyuşturmuş, Sonderkommandolara oranla onu paslandırmış olmalıydı. Karşısındaki, ormanla tamamen bütünleşen adamlarla hiç ilgisi yoktu.

Sadece bu katillerle savaşmayı değil Laura'nın hayatını da

kurtarmayı –ne olursa olsun bu önemliydi– kafasına koydu. Şimdilik, birkaç metre ilerlemişti. Nereye gittiğini tam olarak bilmiyordu...

Katiller onlara avans vermişti, bu kesindi. Sülünleri ya da tavşanları saldıklarında, onlara istedikleri gibi davranmalarına izin verirlerdi, amaç eşit bir mücadele olduğu izlenimi yaratmaktı. Bu düşmanların da pirsch kurallarına uyacağını ve her birinin yalnız avlanacağını umut ediyordu.

En önemli zafiyeti mesafeydi. Eğer bu caniler gerçekten deneyimli atıcılarsa, onu nereden geldiğini göremeyeceği özel bir mermiyle yüz metreden daha uzak bir mesafeden vurabilirlerdi. O, Glock'u ve bıçağıyla, sadece 30-40 metre mesafeden harekete geçebilir ya da gırtlak gırtlağa dövüşebilirdi. Olanaksız bir iş: Yakından avlanma uzmanı birine nasıl yaklaşacaktı?

Rüzgâr durağandı ve Niémans, bir kaplumbağa hızıyla hâlâ yürüyordu. Ne nereye gittiğini ne de nerede olduğunu biliyordu. Karşısında, araziyi ezbere bilen, savaşmaya alışkın adamlar vardı. Şu ana odaklanmak için bu tür olumsuz düşünceleri aklından çıkardı: Gürültü çıkarmadan yürüyecek, görünmez olacak, süpürgeotu tozunu havaya püskürtecekti...

Birden bir kuzgun sürüsü güneşe doğru kanat çırptı. Refleks olarak, ama ani en ufak bir hareket yapmadan, Niémans o yöne doğru baktı. Orada, yüz metre ötede bir avcı vardı. Her koşula alışık, ama kuşların havalanmasını engelleyemeyen bir cani. Bu gökyüzünden gönderilmiş gerçek bir mucizeydi.

Niémans bir meşe ağacının dibine, iç içe geçmiş sarmaşıklar ile böğürtlenlerin arkasına gizlendi: Onu görmesi imkânsızdı. Ayrıca gömleği ile pantolonu arasındaki ton farkı onun lehineydi. İnsanı aldatan onun bu ortama uygun pozisyonuydu. Bir çalılığın içindeki birbirinden farklı iki lekeydi.

Çamur maskesinin altında terlerken düşmanını dikkatle inceledi.

Adam kurt rengiydi. Gri ve üniformalı.

Eski bir yün ceket (yün dalların arasından geçerken neredeyse hiç gürültü çıkarmazdı, nefes alırdı, her teması soğururdu), yüzünü gölgeleyen bir kasket, ellerini saklayan parmakları açık eldivenler. Daha garibi, adam bir Lederhosen, eski askerler gibi geyik derisinden yapılmış ve asla yıkanmayan kısa bir pantolon giymişti ve gri çorapları ve siyah kısa botlarıyla tek başına dikiliyordu. Aslında, donanım kusursuzdu, son derece hafif ve esnekti, ortamla bütünleşmeye ve gizlenmeye uygundu. Bu folklorik görüntü kısa bir ceket ve pelerin tarzı bir yağmurlukla, demiryolcu gözlükleri ve çaprazlanmış el bombalarıyla tamamlanıyordu. Şimdi savaş, pirsch, sessizce avlanma zamanıydı...

Adam kuşların havalanmasıyla şaşırmış, ama kendini ele vermemişti. Bir heykelden daha hareketsizdi, ormanın doğal ahengine kavuşmasını bekliyordu. Ama kesin olan bir şey vardı: Niémans'ı fark etmemişti. Bu önemli bir avantajdı, özellikle de ona doğru yaklaşırken.

Pirsch avcısı kuş cıvıltılarının, vızıldayan böceklerle dolu güneş ışınlarının, görünmez yaratıkların çıtırtıları arasında sessizce yürüdü. O kadar ağır ilerliyordu ki onun hareket ettiğinden emin olmak imkânsızdı; diğerleri arasında organik bir unsurdu, çevre huzursuz olmadan yer değiştirebilen küçük bir ağaç kabuğuydu.

Altmış metre.

Niémans nefes almıyordu. O artık gri bir leke, hareket eden bir gölge, insan özelliğini ele vermeyen belirsiz bir şekildi. Tek kaygısı gözlüğüydü. Onu takmak zorundaydı, aksi takdirde işerken idrarından daha uzağı göremezdi. Ama camların güneş ışığını yansıtmasından korkuyordu.

Otuz metre.

Sıkılı bir yumruk gibi hâlâ nefesini tutuyordu, Niémans ellerini yavaşça, çok yavaşça arkasına götürdü. Sağ eliyle, kemerine yerleştirdiği Opinel'i aldı. Sol eliyle, bıçağı ahşap kınından çıkardı.

Yirmi metre.

Pirsch avcısı yavaş adımlarla yaklaşmaya devam ediyordu. Öte tarafta Niémans kök salmıştı. Sarmaşığın yaprakları suratını yalıyordu. Sinekler yüzünün etrafında dans ediyordu. Sağ elinin parmakları, hâlâ arkasında olan bıçağın sapını sımsıkı tutuyordu.

On metre.

Kasketin gölgesinde, aralık dudaklarının arasından çıkardığı diliyle sürekli olarak burun deliklerini ıslatan, tam seçilemeyen bir yüz. İnanılmazdı: Tam olarak bir geyiğin ya da bir karacanın yaptığı şeyin aynısını yapıyordu, nemli burun delikleri havayı daha iyi koklamayı sağlardı.

Beş metre.

Adam hâlâ onu görmemişti, yapraklı dalların, ağaç kabuklarının, böceklerin arasına katılmıştı.

Üç metre.

Niémans bir sıçrayışta düşmanın üzerine atladı. Bıçak şefkatle göğüs kemiğinin üstüne, iki köprücükkemiğini arasına girdi, trakea arterini parçaladı. Böyle bir yara ani bir ölüme neden olur ve kurbanın tüm bağırma yetisini yok ederdi.

Hemen ardından, Niémans yeniden meşe ağacının dibindeki pozisyonu almıştı. Adam elini yarasının üstüne götürmek istedi, ama namlusunu arkada, yukarı doğru tuttuğu tüfeğinin kayışı buna engel oldu. Soğukkanlılığını yitiren adam dizlerinin üstüne düştü, gırtlağı açılmıştı, kolları sallanıyordu, yüzünde donmuş, esrik bir ifade vardı.

Ormanın umurunda bile olmamıştı. Ancak yapraklar hışırdamış, dallar titremişti. Avcı bu acı karşısında pes etmiş gibiydi. Ölü yapraklardan bir halının üstüne yığılırken, Niémans çok güçlü nefes almamaya çalışarak –harekete geçtiğinde ciğerlerini özgür bırakmıştı ve nefesi kesik kesik ve hızlıydı–, yuvalarından fırlamış gözlerle hâlâ ona bakıyordu.

Birkaç dakikanın sonunda, polis gizlendiği yerden çıktı ve kurbana yaklaştı; ölmüştü, şüpheye mahal yoktu. Çevresine bakındı. Kimse gelmiyordu, etrafta insana varlığına dair en ufak bir belirti yoktu.

Niémans, bir dizi yerde, ölünün tüfeğini alırken ensesine dayanan soğuk namluyu hissetti.

– Kımıldarsan ölürsün.

Bu pes sesi hemen tanıdı ve başından sonuna kadar gerçekten hiçbir şey anlamamış olduğunu düşündü.

63

– Dön.

Hâlâ dizlerinin üstünde olan Niémans söyleneni yaptı ve standart kıyafetli bir pirsch avcısı gördü, biçimsiz ve renksiz bir ceket, markasız bir şapka, paçaları kıvrılmış çorapların içine sokulmuş eski bir pantolon... ve ayakkabı yok.

Eğer durum trajik olmasaydı, bu görüntü komik olabilirdi.

Tek eliyle tüfeği doğrultmaya devam ederken, avcı diğer eliyle şapkasını yukarı doğru itti ve gözlerine kadar kalkık yakasını indirdi. Buna karşılık, Niémans sadece kafasını sallayabildi, bir kez daha bu gerçek karşısında polislerin en salağı olduğunu kabul ediyordu.

Laura von Geyersberg önünde duruyordu. Daha birkaç dakika öncesine kadar onun pirsch avcılarına karşı müttefiki olduğunu düşünüyordu, oysa o pirsch avcılarının başıydı. Ardında hep ölüm bırakmış bir şefti.

– Silahını at.

Niémans elini arkasına götürüp Glock'unu çıkardı. Tam yere bıraktığı anda Laura onun karın boşluğuna ayak tabanıyla bir tekme indirdi. Polis sırtüstü düştü, soluğu kesilmişti. Büzüldü ve suyun dışındaki bir çamça balığı gibi kısa nefesler alarak havaya ulaşmaya çalıştı.

Laura tek harekette yerden silahı aldı, Niémans'ı yüzükoyun çevirdi ve Opinel'i bulana kadar onun üstünü aradı. Polis hâlâ nefes almaya çalışıyordu, boğazından çıkan o ince hırıltı ona hayatın özeti gibi geliyordu.

– Ayağa.

Söyleneni yapması neredeyse bir dakika sürdü. Önce bir dizi, sonra diğeri. Bir ayağı üzerinde doğruldu, kendini yukarı çekti, sonunda iki ayaklıların yüz akı olmayı başardı.

Dikkatle kontese, tek parça dökülmüş gibi duran muhteşem siyah tüfeğine ve sadece kendisinin ölümünü haber veren parlak gözlerindeki o kararlılığa baktı.

Laura von Geyersberg sıradan bir avcı değildi, yok etme gücünün yüksek çözünürlüklü hali, öldürme içgüdüsünün ta kendisiydi.

– Tüm bunları yöneten sen misin? diye oldukça aptalca bir soru sordu.

Laura cevap verme gereği duymadı. Apaçık ortada olan bir şey için nefes tüketmek gereksizdi.

– Neden evlat edindiğiniz çocukları öldürüyorsunuz? diye, bir girişimde daha bulundu.

Laura bu kez şapkasını çıkarıp siyah saçlarını serbest bıraktı.

– Çünkü öldürmek için onları evlat ediniyoruz.

Bu cümleyle her şey Niémans'ın kafasında rayına oturdu.

Kuşaklar boyunca, Geyersbergler hatta aileleri içinde bile insan avlamak için pirsch düzenliyorlardı.

– Yakından avlanma, Niémans. Tek gerçek bu.

– Açıkla.

Sanki ona gereği gibi nişan almak için yana doğru yer değiştirdi. İki metre mesafeden, Niémans onun ıskalayabileceğini düşünmüyordu.

– Avcının görevi, mümkün olduğunca çok daha güçlü olması için avını beslemek, eğitmek, yetiştirmek, ona özen göstermektir, dedi, donuk bir ses tonuyla. Yüzyıllardan beri bizim evlat edindiğimiz çocuklarla yaptığımız da bu.

Niémans rüyada olduğuna, sayıkladığına ya da kâbus gördüğüne inanıyordu. Yabanarılarının vızıltısı başını döndürüyordu. Kara Orman da...

– Evlat edinilen çocuk bizim av hayvanımızdır. Klanımız onu besler, yetiştirir, ona en iyi eğitimleri sunar, onu en tehlikeli hasım yapmak için ona avlanmayı öğretir.

– Tüm bunlar, gerçek vârisin ormanda ona meydan okuması için mi?

– Doğru.

– Ama... neden?

Laura hayal kırıklığıyla derin bir iç çekti, soylu olmayanların her zamanki vasatlığı, önemsiz insanların basitliği...

– Bugün biz müreffeh bir sanayi grubuyuz ama değerlerimiz değişmedi. Aristokratın tek bir meydan okuması vardır, kan. Eğer bir Geyersberg ormanda en tehlikeli düşmanının karşısına korkusuzca çıkamazsa, imparatorluğumuzu yönetmeye layık değildir.

– Bu akla aykırı, kaçıkça.

– Bu Alman tarzı. Bizim sevdiğimiz bir gelenek. Şerefli, etnik, acımasız. Ülkemiz hakkında yanılgıya düşme Niémans, burada her zaman "güçlü olanın yasası" geçerli olmuştur.

Niémans yeniden soğukkanlılığını kazanmaya başlıyordu, ama kuşkusuz ağzında tükürük kalmamıştı. Gırtlağı tozlu bir yamaç gibi pürtüklüydü.

– Sen bir katilsin.

– Jürgen her türlü fırsata sahipti. Otuz yıl boyunca, ona mücadele etmesi için Geyersberglere her zaman bahşedilmiş olan imkânları sağladık. Zaten o kendisinin bizden biri olduğuna inanıyordu.

– Gerçeği bilmeden mi yetiştirildi? Kurban edileceğini bilmeden mi?

– Kurban edilmedi Niémans. Paha biçilmez bir şansı vardı. Terk edilmiş o çocuk, en iyi eğitimi aldı, büyük bir zenginliğe kavuştu. Eğer beni yenmiş olsaydı her şey ona kalacaktı.

Babanın kötü muamelelerine maruz kalan, ait olduğu sınıfına, kitaplarına, başarılarına dört elle tutunan Jürgen. Daima yetenekli olmaya, gerçek bir Geyersberg olamaya çabalayan Jürgen. Ama yanılıyordu, o hiçbir zaman, bir kil güvercinden, av sabahı salınan bir adatavşanından başka bir şey olmamıştı.

– Bu ailemizin büyüklüğü, diye devam ediyordu Laura. Bu av için her şeyimiz üzerine bahse giriyoruz ve önemsiz bir kişiye imparatorluğumuza sahip olma imkânı tanıyoruz. Bizim için, sadece mücadelenin seçimi önem taşır.

Zihniyet ve anlam. Niémans zihniyeti anlamıştı. Kaçıklardan oluşan bir aile, sırf otuzlu yaşlara geldiğinde kurban etmek için zavallı bir çocuğu aralarına alıyor, ona şatafatın, kaliteli eğitim konforunun, büyük bir gelecek mucizesinin ne olduğunu gösteriyordu.

Geriye anlam kalıyordu.

Niémans bu aşağılık ve iğrenç sistemin nasıl işlediğini öğrenmek istiyordu.

Bu soru üzerine, Laura onu yeni bir gülümsemeyle ödüllendirdi. Sonuç itibarıyla, bunları sıklıkla açıklama fırsatı bulamıyor olmalıydı.

– Her kuşakta, ailelerimiz bir çocuğu evlat edindi, özenle seçilmiş bir çocuğu.

– Dişlerine mi bakıyordunuz?

Niémans'ın alay ettiğini anlamamış gibiydi.

– Sağlık karnesi yeterliydi. Ve soyu sopu hakkında asgari bilgi.

Jürgen'in mezarı üstündeki Alfred de Vigny mısraları anlam kazanıyordu: "Yap olanca gücünle uzun ve ağır işini / Kaderin seni çağırdığı yolda, / Sonra acı çek ve öl, sessizce, benim gibi."

Burada söz konusu edilen buydu: bir çocuk-kurt. Bir çocuk-av. Niémans, Laura'nın onunla birlikte geçirdiği o yılları düşünüyordu. Aslında düşünmeye çalışıyordu. Tüm bunlar, yanlış bir yerde doğmasının bedelini, bir ormanın derinliklerinde, bir gece vakti, tek başına ve çıplak olarak ona ödetmek içindi.

– Bize sürekli olarak Jürgen'i ikizin gibi gördüğünü söyledin.

– Bu doğru.

– Dünyada en çok sevdiğin varlığı mı öldürdün?

– Bu fazladan bir deneyim. Yasa yasadır. Pirsch avının duygusal dünyayla hiç ilgisi olmaz.

Ve o bu öfkeli kaçıkla sevişmişti... Arıların ve kuşların ahenkli kıpırdanmaları içinde, bedenine yapışan terle ve korkuyla sıktığı dişleriyle bir buzdağına dönüşüyordu.

– Ailemiz risk almayı, kanı, mücadeleyi sever. Geyersberglerin, kendi çöplerini geri dönüşüme sokarak çevreci olduğunu sanan ve emekliliğini düşünerek geleceği hazırlayacağına inanan bu yozlaşmış çağla hiçbir ilgisi yoktur. Klanımız her zaman doğanın gerçek kurallarını, ölümün ve hayatta kalmanın temel ilkelerini izlemiştir. Para hiçbir şeydir. Sanayi grubumuz, mühendislik faaliyetlerimiz, siyasi işlevimizin önemi yok. Biz bu sefil dünyaya ait değiliz.

Niémans Laura'nın atalarının portrelerini düşünüyordu. O bu canavarlar galerisinde yer almayacaktı.

– Annen bu yüzden mi intihar etti? diye bir anda sordu.

Kontes tüfeğini indirdi, kayışını omzuna geçirdi ve Glock'u sahibine doğrulttu; namluda mermi olduğunu biliyordu.

– Onun tüm bunlardan habersiz olduğu sanılıyordu, ama o salak Franz ile Ferdinand arasındaki bir konuşmaya istemeden kulak misafiri oldu. Klanımızın bu katı yasasına dayanamadı. O bir Geyersberg değildi. O aileye sonradan katılmış biriydi. Orman bu tür ahmakları öğütür.

Böyle bir mezar taşı yazısıyla, Sabine von Geyersberg yeniden sonsuzluğa kavuşmuştu.

– 1988'de Herbert von Geyersberg. 1966'da Dietrich von Geyersberg. 1943'te Helmut. 1944'te Thomas. 1916'da Richard... Bu adamların hepsi kardeşleri tarafından mı öldürüldü?

– Kardeşleri değil, rakipleri tarafından.

– Ve hiçbir zaman... bir evlatlık kazanmadı mı?

– Hiçbir zaman, diye cevapladı, parıltılı bir gülümsemeyle. Bu da bizim mutlak üstünlüğümüzün bir kanıtı. Geyersbergler avcıdır. Hiç kuşkusuz dünyanın en iyi avcıları. Biz hasımlarımızı yetiştirirken, eğitirken, hazırlarken bile bize hiç karşı gelemiyorlar. Bu da, bunun bilgiyle asla kazanılmadığını ve doğuştan olduğunu kesin olarak kanıtlıyor. Soy her şeydir ve öğrenim aşağı tabakadan biri için zavallı bir umuttur.

Niémans bu güzel sabahın coşkusunu hissediyordu. Böyle bir cennetin bu cehennemi doğurmuş olması mümkün müydü? Ya da daha ziyade, bu cennet, kanserlere ve en kötü enfeksiyonlara neden olan doğa gibi, Geyersbergleri yaratmış olabilir miydi?

Bütün dikkatini topladı. Gerçeği istiyordu. Tüm gerçekleri. Öldükten sonra bile olsa, raporunu yazmak için.

– Somut olarak, avlarınız nasıl planlanıyordu?

– Pirsch avının ne zaman yapılacağına karar vermek zorunda olan bir hakemin, yani bir aile bireyinin talimatlarına uyuyoruz.

– Franz mı?

Bir usturanın keskin kısmının üstünden geçen manikürlü bir parmağı andıran bir gülümsemeyle onu onayladı.

– Yıllar boyunca ormanı özenle hazırladı ve yüzyıllardan beri olduğu gibi, pirsch avının burada sürdürülebilmesi için bölgeyi devamlı olarak denetim altında tuttu.

– Tarihe o mu karar veriyordu?

– Yıl ve mevsim için, evet. Ama gün için, hayır. Dolunaya ihtiyacımız var. Ne yazık ki, bu kez lanet olası sürek avının yapıldığı hafta sonuna denk geldi.

Bu çok dikkat çekici tarih Niémans'a diğer cinayeti hatırlattı, sanki ilk cinayetin gölgesinde kalmıştı.

– Max'ı Udo mu öldürdü?

– Bunu halletmesinin zamanı gelmişti.

– O dolunayı beklemedi mi?

– Kuzenlerimin dahil olduğu aile kolu altlarda. Onların ritüelleri daha esnek.

– İkinci derecede bir ölüm yani...

Laura parmaklarını kabzanın üstünde oynattı. İşaretparmağı tetiğin üstünde titriyordu. Onu sarakaya almakla hata etmişti: Kontesin sabrı tükeniyordu.

– Peki, Kara Avcılar? diye hemen sordu. Onların rolü ne?

– Benim büyük büyükbabam asla Oskar Dirlewanger'e yardım etmedi, ama onun bazı subayları bizim topraklarımıza sığındı. Ailemizin, her türlü yabancı ziyaretçiye karşı ormanlarımızı korumak için güvenilir adamlara ihtiyacı vardı. Biz de Kara Avcılar sistemini devam ettirdik. Onlar bizim dünyamızı korumak ve bizim geleneklerimize saygı göstermemize yardımcı olmak için mükemmeldiler.

– Küçük Çingene kızının linç edilmesine benzer başka olaylar da var mı?

– Elbette. Ama onları gizlemeyi başardık. Bizim "Kommando"lar serseriler, sadist ve kontrol edilemez canilerdir, ama onlara ihtiyacımız var.

– Onlar da senin pirsch avına katıldılar mı?

– Cumartesi akşamı Jürgen'i kaçırdılar ve onu ormana bıraktılar.

– Çıplak olarak mı?

– Çıplak olarak değil, hayır. Ama ne cep telefonu ne de herhangi bir iletişim imkânı vardı.

– Silahsız mıydı?

Laura elini ceketinin eteğinden içeri soktu ve Niémans'ın hemen tanıdığı bir nesne çıkardı: Bir Finlandiya *puukko*'su, sapı kayın ağacından geleneksel bir avcı bıçağı.

– Onda da aynısından vardı, diye açıkladı. 10 yaşına bastığımız için babamızın bize hediyesi. Bizim pirsch avı tarihin en hakkaniyetli avıydı.

– Jürgen'in av hayvanı rolü üstlenmesi dışında.

– Jürgen hemen bir avcıya dönüştü. Böyle yetiştirilmişti.

Laura hâlâ onun erişebileceği yerde değildi. Göğüs göğüse bir mücadele imkânsızdı. Kaçma girişiminde bulunmayı unutmalıydı. Aklına başka bir fikir gelmiyordu. Onu konuşturmaya devam etmeli ve infazını olabildiğince geciktirmeliydi...

– Ama pirsch avının temel kuralına uymadınız, diye itiraz etti, özel mermi kullanma kuralına.

– Çok basit. Bir hayvanın karşısında kusursuz olan bir şey bir insanın karşısında kusursuz olmayabilir. Avımız bıçakla göğüs göğüse bir mücadeleyle sonlanmalıydı. Ayrıca, Jürgen'in vücudunda bir mermi –özellikle de benimkilerden birini– bulmuş olsaydınız, polislerin benim kimliğimi saptaması birkaç saati bulmazdı.

– Yeterince ihtiyatlı olmadın. Bugüne kadar, Geyersbergler cesetleri saklama konusunda hep özenli davrandılar. Neden bu kez sen böyle yapmadın?

– Yedi günahtan biri, kibir. Herkesin zaferimi hayranlıkla seyretmesini istedim. İşin içinde sadece Alman polisler olsaydı, kanıt ve ipucu olmadığı için dosya hemen kapatılacaktı.

Bıçağını kınına yerleştirmişti ve iki eliyle Glock'u sımsıkı kavradı.

– Haydi Niémans, dedi, tabancanın tetiğine hafif bir basınç uygularken, Avusturya markasına özgü bu emniyet sistemini devre dışı bırakmıştı. Sanırım yeterince şey öğrendin.

O anın yalınlığı Niémans'ı şaşırttı. O, Laura, biraz esinti, bir olta tüyü gibi yumuşak güneş ışınları... ve çelik bir namlunun ucundaki ölüm. Paris'in en karanlık polisi, güzel bir sonbahar sabahında bir sülün gibi ölecekti.

– Schüller, onu sen mi öldürdün? diye sorarak, birkaç saniye daha kazanmaya çalıştı.

Kontes tereddüt etti. İşaretparmağı tetik üzerindeki baskıyı kaldırdı ve silahın emniyet sistemi hemen devreye girdi.

– Schüller hepinizden daha kurnazdı, diye fısıldadı. İki ile ikiyi toplamayı biliyordu.

– Yani?

– Jürgen'in evlatlık olduğunu keşfedince, onun ölümünün kökeniyle alakalı olduğunu anladı. Ayrıca bizim bölgemize ait eski bir efsaneyi de hatırlamıştı, bir çocuğu evlat edinen ve çocuk miras hakkı kazandığında ondan kurtulan soylu bir aileyle ilgili bir efsane. Aile av hayvanının bu istenmeyen misafir olduğu bir sürek avı düzenliyormuş... Bizim hikâye oldukça benziyor.

– Seni mi aradı?

– Bunu çok iyi biliyorsun. Benimle konuşmak istiyordu, benzer yanları olan bu olaylar konusunda benimle yüzleşmek istiyordu. Oraya gittim ve onu indirdim. Kesinlikle bir hataydı, ama zaman kazanmıştım.

Niémans'ın tek bir tatmini vardı ve önemsizdi: Yapbozun bütün parçalarının mükemmel bir şekilde yerine oturduğunu görüyordu.

– Laura, diye onu ikna etmeye çalıştı, bu felakete bir de polis cinayeti ekleme. Kesinlikle bu işten kurtulma şansın hiç yok. Bu konuda çok şey biliyoruz, biz...

– En ufak hareketinde ateş ederim.

Konuşan Laura değildi ve Niémans, onu fındık ağaçlarından (ya da ona öyle geldi: fındık ağacı büyüleyici bir ağaçtı) oluşan bir koruluğun yukarısında yandan görünce, kelimenin tam anlamıyla minnettarlıkla eridiğini hissetti, toprak rengi ceketi, kırmızı saçları ve Sig Sauer'ini sımsıkı kavramış elleriyle Ivana'nın silueti oradaydı.

Onun küçük ve sevimli Slav'ı. Onun küçük sincabı. Açıkça onun emirlerine uymamıştı, ama bu defa onu kutlamaktan başka bir şey yapamazdı.

– Silahını at ve ellerini başının üstüne koy! diye bağırdı Ivana, bu güzel sabahın ormana özgü sessizliğini bozan sert bir ses.

Niémans'ın aklına hemen diğer avcılar geldi ama bir helikopterin uzaktan gelen uğultusu onun için başka bir göstergeydi: Ivana tahmin edilenden çok daha erken bir GSM şebekesi bulmuştu...

Hemen ardından polis bakışlarını Laura'ya çevirmişti, yerinden hiç kımıldamamıştı. Hâlâ tetiğe basabilir ve onu vurabilirdi, o...

Bununla birlikte, Laura silahını indirdi, yüzü mürekkebi emen bir parşömen gibi kararıyordu. Yenilmişti, bu kesindi. Orman havasından derin bir nefes aldı ve başını arkaya doğru yatırdı.

Niémans'ın nefesi kesilir gibi oldu. Güneşe doğru duran bu beden, kristal parlaklığında siyah saçların altında, çılgınlık ve kibirle harmanlanmış yürek paralayıcı bir güzelliğin bayrağıydı.

O esnada, Laura ilk karşılaşmalarında olduğu gibi ona belli belirsiz göz kırptı. Onun hükmedici zarafetiyle uyuşmayan numaralarından biriydi, ama o bunu yapabilirdi.

Aslında, Laura von Geyersberg her şeyi yapabilirdi.

Tıpkı 45'liğin namlusunu çenesinin altına dayayıp ateş etmek gibi.

64

Laura von Geyersberg gizlice toprağa verilmişti.

Cenaze töreninde sadece birkaç aile bireyi (bunlardan biri de yaşlı Franz'dı), bir avuç kadar hissedar vardı ve elbette durumu kontrol altında tutmak için gelen bir sürü Alman polisini de unutmamak gerekiyordu. Ama tüm medya *persona non grata*'ydı.

Kontes hemen gömülmüş, herkes dağılmıştı çünkü kont kıçını kurtarmak zorundaydı, çünkü aile bu son olaylardan gurur duymuyordu, çünkü hissedarlar başsız kalan gruplarında acilen bir yeniden yapılanma çalışması başlatmalıydı.

Gerçek tam olarak açıklanmamıştı. Ne eyalet polisi ne de Stuttgart Cinayet Büro memurları Laura von Geyersberg'i Jürgen cinayetiyle ilgili olarak açık bir dille suçlamamıştı ve Fransız dedektifler sınırın diğer tarafına geçince raporlarını vermişlerdi.

Almanya'daki resmi açıklamaya göre Laura ormanda intihar etmişti, bu suçunun itirafıydı ya da erkek kardeşinin ölümü karşısında yaşadığı yıkımın bir neticesiydi ya da her ikisi de.

Zaten, Niémans ile Ivana'nın elinde bir ölünün sözlü itirafı vardı, yani hiçbir şey yoktu. Öte yandan, cinayet gecesi Laura'yla birlikte olduğunu söyleyen adam, Stefan Griebe adlı ticaret müdürü ifade vermeye gelmeyi reddediyordu. Prosedür olarak, Laura bütün şüphelerden sıyrılıyordu.

Bu karşılık, Udo Max'ı öldürmekten tutuklanmıştı. Hayatta kalanlar için acıma yoktu. Udo'nun cinayet sebebi çok net değildi –iktidar hırsı, tutku cinayeti–, ama bu zamana kadar efendilerinin korkusuyla kısıtlanmış olan medya organları artık Geyersbergler hakkında bir soyun yozlaşmış sonu diye yazmaya başlamıştı.

Polisler bile cinayetlerin gerçek sebebini aydınlatamamışlardı. Sıradan bir av olduğunu söyleyen ve bir aile mirasına dayandığı iddiasında bulunan bu ortak aile kararı sadece Niémans ile Ivana'nın raporlarında yer almış ve kimse bunun üzerinde durmamıştı. Bu çocuklarını seven ve hayvan avlayan insanlar için çok çılgıncaydı ve gerçek dünyadan çok uzaktı.

Philipp Schüller cinayetinin kabul edilebilir sebebi vardı: Laura onu Jürgen'in evlatlık olduğunu ifşa etmesine mâni olmak için öldürmüştü. Aslında, bu sebep hiç de tutarlı değildi; kurban zaten gerçek bir Geyersberg değildi, öyleyse? Böyle bir ifşa öldürmeyi gerektirmezdi, hatta aile tarafından Jürgen'in doğum belgesinin değiştirildiği, Freiburg im Breisgau belediyesi için Geyersberg ailesinde doğmuş gibi gösterildiği açığa çıkarılsa bile.

Yaşlı Franz tutuklanmış ve hemen serbest bırakılmıştı. Öncelikle, Baden Württemberg'in en iyi avukatlarına sahip olduğu için. Sonra, ona yöneltilen suçlamalar muğlak olduğu için. Dedektifler, ormandaki bu düelloları onun tertiplediğine dair en ufak bir kanıt bulamamıştı. Kara Avcılar'a gelince, orman korucularının ve Schwarzes Blut avcılarının yaptığı eylemlerden onlar sorumlu tutulamıyordu.

Herifler suçlanmıştı, ama önemsiz şeylerden: Fransız polislerin gözünü korkutmaya teşebbüs, yasadışı köpek yetiştirme, ormanda araba kazasına yol açtıktan sonra kaçma... Bunların hepsi Niémans ile Ivana'nın hayal ettiği suçlamalardan çok uzaktı: Jürgen ile Max'ın hayatına mal olmuş "av" cinayetlerine suç ortaklığı, söylenenin tam aksine onları öldürmeye teşebbüs, küçük Çingene kızına şiddet uygulama...

Sadece "boş ver" demişti Niémans yardımcısına. Dedektiflik mesleğindeki dik kafalı tavrının tersine açıkça dile getiremiyordu, bu olayda adalete inanmıyordu. Bu olaydaki gerçeğe hâlâ daha az inanıyordu. Sadece suçu önemsiyordu ve onu deliğinden çıkarmak için her şeyi yapmaya hazırdı. Ama bundan sonra itiraflar, avukatlar, yargıçlar, hükümler vardı... Sorumluluğu üstünden atmıştı, insanı küçümsüyordu. Hiçbir insanoğlu tarafsız bir adalet dağıtamazdı. "Gerçek yoktur, diyordu polis okulundaki derslerde, sadece makul yalanlar vardır."

Bu soruşturmada, Niémans ne de olsa aşağılanmış ve kınanmıştı. Sevsin ya da sevmesin katilin, Laura'nın fazla bir önemi yoktu. Sorun sadece onun bu noktaya gelmesiydi. Kuşkusuz bugüne dek gerçekten hiç bu kadar uzaklaşmamıştı. Kontesin güzelliği onu kör ettiği ya da çok iyi bildiğini düşündüğü bu topraklarda yenik düştüğü için kötülüğün geldiğini anlayamamıştı. Onu aşan, neredeyse soyut bir vahşet denklemi.

Tüm bunlardan elde ettiği tek şey, yine bir ölüydü, dokuzuncu ölüsü. Tartışmasız bir nefsi müdafaaydı, ama avcının gırtlağına giren bıçağın esnekliğini henüz unutmaya hazır değildi.

Üç günden beri, hiç ağzını açmamıştı ve Ivana göz göre göre zayıflamasına ses çıkarmıyordu. Onun yapacak çok daha acil işleri vardı: Soruşturmayla ilgili son tutanakları hazırlamak ve tüm olay hakkında varılan sonuçları kâğıda dökmek.

Tuhaf bir şekilde, Niémans'a göre bu dosyaya daha fazla hâkim olduğunu hissediyordu. Acımasızlık konusunda ona göre daha az şey görmüştü, ama ayrıcalıklı sınıflara oldum olası duyduğu öfke ve her türlü doğuştan gelen üstünlük, sosyal tahakküm ya da asil kan fikri karşısındaki doğal isyanı Geyersberglerin düzenini daha iyi kabullenmesini sağlıyordu.

Ama Ivana da art niyeti hiç anlamamıştı. Sadece çevresindeki şiddeti görmüştü -kurbanların organlarının çıkarılması, motosikletin zincir karterine sıkıştırılmış parmakları, numuneler arasında yatan ölü Schüller- ve işine odaklanmaya çalışmıştı. Asla hayal gücü Geyersberglerinki kadar ileri gidemeyecekti.

Olayla ilgili vardıkları sonuçları Fransa'da da yazabilirlerdi ama Ivana, bir dosya hazırlamak amacıyla Alman polis güçleriyle istişarede bulunmayı bahane etmişti, nedeni kısmen de olsa bu değildi.

Ivana'nın Fransa'ya dönmeyi geciktirmek için başka bir nedeni vardı: Her gün, kahramanını görmeye Universitätsklinikum'a (Freiburg im Breisgau Üniversite Hastanesi) gidiyordu. Kâğıt pijamalar içinde bile olsa yaralı bir kahraman onun yüreğini hoplatıyordu.

65

Kleinert kefeni yırtmıştı. Röntgenlerde kafa travması görünüyordu ama hematom yoktu, üç kaburgası kırılmıştı, bir köprücükkemiği çatlamıştı ve bir kol kemiği ekleminden ayrılmıştı, bunların tamamı bedeninin sağ tarafındaydı. Bununla birlikte, kaburgalar ters dönerek batmış ve bir fileto bıçağı gibi farklı kasları, dokuları ve hatta organları yaralamıştı. Ivana tam olarak anlamamıştı: Çünkü servis şefi her ünsüz harfi şaklatan bir İngilizce konuşuyordu.

En önemli yaralara gelince, onlar gözlerdeki yaralardı, yüzeysel olduğu anlaşılmıştı. Gözkapaklarından çok küçük cam parçalarını ayıklamak zorunda kalmışlardı, sabır gerektiren bir işlemdi, gözlerini iki büyük pansumanla kapatmışlardı, bir savaş filminden fırlamış gibiydi.

Ivana onu ziyaret ettiğinde, gözleri bantlı Alman onu göremeden sadece dinliyordu. Tam romanlardaki gibi. Ivana, gizli bir metresin hep hissettiği alçaltıcı duruma katlanarak sadece Kleinert'in karısının ve iki çocuğunun ziyaret saatlerine dikkat etmek zorundaydı. *Sana oh oldu*, diye kendi kendine söyleniyordu. Sadece resmi görevi bitince dönmek zorunda olduğu için değil, çocuklarını yetiştiren ve onlarla birlikte babalarını da gözetmeyi bilen saygıya layık bu anne örneğini de sindirmek zorundaydı. Tüm bunlar, onun yapmayı beceremediği şeylerdi, o...

Kısacası, çabucak esrarlı sigara içer gibi, hiçbir meşru gerekçesi olmadan ve Niémans'tan gizli olarak Kleinert'ini görmeye geliyordu. Hafif kafayı bulmuş gibi duvarlara tutunarak ve bir çıkmaz sokaktan farksız olan hayallerine, rapordaki bir mühürle ve en iyi ihtimalle yeşil şapkalılarla el sıkışmayla sonlanacak hayallere veda ederek onun yanından ayrılıyordu.

Soruşturmanın son gecesi, Franz'ın şatosuna yeniden gittiklerinde sevişmişlerdi, sonuna kadar gitmemişlerdi, ama bu istek vardı. Sadece filmlerde görülen, camları buhardan buğulanmış arabaların içinde ilk kez oynaşan âşıklar gibiydiler. Yine de bundan büyük bir keyif almıştı, gönül keyfi. Hiçbir şey olanaklı değil, diye düşünüyordu, o halde bundan azami keyif al. Umut olmaması umudun en ulu zaferiydi, ne hayat ne de erkekler tarafından hayal kırıklığına uğratılmama umudu.

Ama bugün, ortam değişmişti. Son ziyaret için, Niémans da yanlarındaydı ve aşk kaçamağı yapmaları söz konusu olamazdı. Meslektaşlarına elveda diyeceklerdi, nokta, hepsi bu.

66

Ivana'yı bir sürpriz bekliyordu: Kleinert'in ne bandajı ne gözlüğü vardı. Görüntüsü ona tamamen değişmiş gibi gelmişti. Travma sonrası yorgunluk ve stres belirtilerinin tamamı sanki göz çukurlarında toplanmıştı. Zayıflamıştı, solgundu, polis bir maskeye benziyordu. Alnının üzerindeki kabarık saçları ve çenesinin altındaki keçisakalı şimdi takma gibi görünüyordu.

Ziyaretçilerinin yüz ifadesi karşısında haberi vermek için sabırsızlık gösterdi:

– Doktorlara göre, bir hafta içinde taburcu olabileceğim.

– Süper, dedi Niémans, neşeli bir ses tonuyla. Biz de bugün Fransa'ya dönüyoruz.

– Raporlarınızı yazdınız mı?

Polis gerildi, sonra gülümsedi, onun laf dokundurduğunu geç de olsa anlamıştı.

– Can sıkma Kleinert.

Ivana kollarını kavuşturmuş, çamurun içinde tek bacak üstünde bekleyen bir balıkçıl gibi biraz geride duruyordu.

Kleinert kolunu yatağın yanındaki çekmeceli dolaba uzattı ve eski usul, karton kapaklı ve içinde bir yığın basılı kâğıt olan bir dosyayı aldı.

– Sizin, ikiniz için bir bilgi var, dedi, dosyayı açarken ve yatağın içinde doğrulurken. Ulrich Taffertshofer, Max-Planck'taki genetikçi, araştırmalarına devam etti.

– Hangi araştırmalar?

– Geyersberglerin DNA'sıyla ilgili. Karşılaştırmalarına devam etti ve şaşırtıcı bir gerçek keşfetti: Jürgen'in karyotipi ailenin genetik mirasıyla birçok ortak noktaya sahip.

– İmkânsız, Jürgen evlat edinilmiş bir çocuktu.

– Öyle sandık, çünkü DNA'sı Laura'nınkinden farklıydı, ama tersiydi.

– Evlatlık olan Laura mıymış? diye sordu Ivana, nefesi kesilmişti.

– Kesinlikle. Taffertshofer emin: Jürgen klandan.

– Ya Max?

– O evlatlıkmış, bunda şüphe yok. Jürgen ile Udo biyolojik çocuklar.

Niémans parmaklarını sinirli bir şekilde karyolanın çubuklarında piyano çalar gibi gezdiriyordu.

– Laura bir Geyersberg olduğuna inanıyordu...

– Onları daha fazla motive etmek için, kuşkusuz her birinin kendi kanının meşru olduğuna inanmalarına izin veriyorlardı.

Ivana daha sonra birbirine kırdırmak amacıyla çocukları –ya da doğrusu yeniyetmeleri– terbiye etmeye dayanan bu son derece sapkın sistemi hayal ediyordu. Bu çocuklar birbirlerini sevmişti, baba baskısına ve eğitimlerinin acımasızlığına göğüs germek için birbirlerine destek olmuşlardı, ama üstün bir dava onları ayırmıştı.

Ivana olayın bir diğer yönüyle de ilgileniyordu: Bu kez kazanan yabancı çocuktu. Onun basit ve önemsiz bir soydan gelen kanı, Geyersberg imparatorluğunu alt etmişti, sanki bir anda yeniden halka geri verilmişti. Ne olursa olsun, bu düşünce onun hoşuna gidiyordu, sonuçta hesaba katılmayan bir şey vardı, kazanan bir kadındı.

Kleinert gitgide heyecanı artan bir sesle sunumuna devam ediyordu. Ivana bu soruşturmanın onun düşlerini ne derece yıktığının farkındaydı ama polis olarak onu geliştirmişti. Bu olaydan daha büyük, daha güçlü olarak çıkıyordu ve bu da Ivana'nın duyduğu derin inancı cesaretlendiriyordu: Polisler gübre üstünde büyürlerdi.

Az sonra hastane odasına sessizlik hâkim oldu. Niémans pencereye doğru döndü ve birkaç saniye boyunca manzarayı seyretti. Ivana onun ne düşündüğünü tam olarak biliyordu ya da en azından hissediyordu: Guernon zamanlarından çok iyi bildiği aşırı sıcak odadan, bu nekahet ortamından ayrılmak için acele ediyordu.

Ivana onun paltosunun yakaları arasından bir "elveda" diyerek kapıya yönelmesini bekliyordu, ama Niémans arkasına döndü, gülümsüyordu.

Kleinert'e yaklaştı ve onun sağ elini tuttu, beyaz derisinin altından nekahet halindeki damarları ve tendonları görülüyordu.

– Hoşça kalın, Kleinert. Bunu size söylemek benim için güç ama sizin olağanüstü bir polis olduğunuzu kabul etmek zorundayım.

Alman, sanki bir sabun kabarcığı söz konusuymuş gibi havaya üfler gibi gülümsedi.

– Ivana'yla konuşabilir miyim?

Gözlüklü dev anlamış gibi göründü ama güleç ifadesi devam ediyordu. Koruyucu bir maço gibi davranmanın lüzumu yoktu.

– Vedalaşmanız için sizi yalnız bırakayım.

Kleinert'le yalnız kalan Ivana kafasının içinde hiçbir şey olmadığını fark etti. Dilinin ucunda ne bir cümle ne de sözcük vardı. Polisine hayranlıkla bakıyor ve onu daha şimdiden bir anı olarak görüyordu. Alman sanki onun hissettiklerini anlamıştı, belki o da aynı duyguları hissediyordu.

– Bir daha görüşeceğimizi sanmıyorum, dedi.

Ivana yatağın kenarına oturdu ve onun elini tuttu, bir tebeşir parçası kadar kuru ve hafifti. Alman kımıldamıyordu, Ivana onun karşısında gülümsemekle yetiniyordu.

Hâlâ tek kelime etmesi mümkün değildi. Belki konuşmasını yazmalıydı.

– Bir felaketten sağ çıktık, diye ona yardımcı oldu Kleinert. Biz kurtulduk ama kazanan ölüm oldu.

Eh peki, böyle söylüyorsun, ağır ortamı hafifletmek amacıyla diye düşündü. Yine de daha iyi ya da daha kötü ne söyleyeceğini bilmiyordu. Küçük bir çocuğun kafasına öpücük kondurur gibi onu alnından öpmek için eğildi ve sanki çiviyi iyice çakmak için, yumuşak ve sevecen bir el hareketiyle onun saçlarını dağıttı.

İşte sen böylesin, canım, diye yeniden aklından geçirdi. *Senin çocuğun bir erkek ve sen erkeklere çocukmuş gibi davranıyorsun...*

Son bir kez daha ona gülümsedi ve yataktan uzaklaştı. Kapıyı açarken, şefkati öfkeye, sevgisi kine dönüştü. Kleinert'in karısını, çocuklarını, onun huzurlu aile hayatını düşündü ve bu kadar vasatlık karşısında kusma isteği hissetti.

Üzüntüsünü artırmak dışında bir boka yaramayan, küçümseme ve hınç dolu iğrenç bir düşünceydi. Kendisi böyle olduğu için ona kızıyordu. Onun sıradanlığını, huzurunu, kabullenişini kıskanıyordu çünkü hiçbir zaman bu yalınlığa ulaşamamıştı.

Kapının eşiğini geçince arkasına döndü ve ona yeniden gülümsedi, bu kez içten ve daha belirgindi. Sonuç olarak bir fikir, bir proje, bu boktan ortamın üzerinde süzülerek uçan ve bir daha asla uçtuğunu göremeyeceği bir şey olarak onu seviyordu.

Silahşor da ona gülümsedi ve Ivana, sen salaktan başka bir şey değilsin, diye düşündü. Kapıyı kapatırken sürekli bu cümleyi tekrar edip durdu, aslında geri dönüp onu gerçekten öpmesi gerekirdi.

Ama asansöre doğru yürürken çoktan kendini toparlamıştı. Öfkesinin geri geldiğini hissediyordu. Her şeye rağmen onu ayakta tutan bu hınçtı.

Niémans onu asansörün önünde bekliyordu. Kabinde, en sonunda hıçkırarak ağlamaya başladı, amiri yere, sonra tavana, ardından kumanda tablosuna bakıyordu. Niémans bir kafesin içinde vahşi bir hayvanla, küçük Slav'ını altüst eden üzüntüyle baş başa kalmış bir mahkûm gibiydi.

67

Volvo'ya binmeden önce Ivana gökyüzünün çiğ maviliğine baktı ve bir sigara yaktı, amacı boğazını tıkayan düğümü sonsuza dek yakmaktı.

– Geliyor musun?

Niémans onun bu duygulu halini yok etmek için sadece tek bir taktik biliyordu: homurdanma.

Sigarasından bir fırt daha çekti ve izmariti botunun ucuyla ezdi.

– Geldim.

Arabanın içine girdikten, koltuğuna iyice yerleştikten, topuklarını ön panele dayadıktan sonra, artık bir daha Kleinert'i düşünmüyordu, yani bunu, bu değerli tılsımı zaman zaman heyecanlanmak için daha sonraya saklıyordu.

Niémans otoyol yönünde yol almaya başladı. Her türlü görünümüyle hâlâ ormanın içinde ilerliyorlardı, ama sanki orman ikiye bölünmüştü, trafik yoğunluğundan uzakta bir orman yolu. Yakında, ovaların ve ekili tarlaların olduğu yerde trafik başlayacaktı. Daha sonra, Paris taşrasının külrengi tekdüzeliğiyle, kurşuni renkte ve toksik bir gökyüzüyle örtülü beton dolu arazileriyle karşılaşacaklardı – nihayet.

Onun mutlu olması için çok az şey gerekliydi ve tüm bu şeyler şehirle, gürültü ve kirlilikle alakalıydı. Her bir öğeyi ayrı ayrı değerlendirdiğinde tiksinti duyuyordu: arabalar, kirlilik, pis kokular, şehirliler... Ama bunların hepsi bir araya geldiğinde, en azından onun gözünde büyüleyici bir manzara oluşturuyordu.

Bir anda uyandı: Paris'in uğultusunu hayal ederken uyuyakalmıştı. Çoktan sınırı geçmişlerdi. Camını açıp yeni bir sigara daha yaktı. Niémans bir yorumda bulunmadı. Zaten polis saatlerden beri tek kelime konuşmadan durabiliyordu. Bundan nefret ediyordu. Yine de, bu sessizliğin herhangi bir özel anlamı yoktu: Ne kayıtsızlık ne de öfke vardı, sadece görünmez bir duvar söz konusuydu.

Sigarasını hızla tüketen dışarıdaki rüzgâra yetişmek ister gibi derin nefesler çekerken bu Çin Seddi'ni yıkmak için hangi konudan bahsetmesi gerektiğini düşünüyordu.

İyi bir intihar yolu olarak en kötü olanı seçti:

– Niémans, bir şey sormak istiyorum.

– Camını kapatabilir misin?

Ivana izmaritini dışarı attı ve söyleneni yaptı.

Bir tabuyu yıkacaktı ve bu düşünce onu korkuttuğu kadar heyecanlandırıyordu.

– Köpeklerden neden korkuyorsunuz?

68

Bir anda sessizlik sanki çok daha baskın hale geldi ve Ivana, ne şekilde olacağını bilemese bile bir öfke patlamasından korktu. Yaşlı polis, homurdanma ile iç çekme arasında bir soluk aldı. Sesi o denli derinden geliyordu ki, deprem dalgasına yaklaşan, anlaşılmaz tonlara ulaşıyordu.

– Sana daha önce ailemden bahsettim, değil mi?

– Bana hiçbir şey anlatmadınız.

– İyi. Hiçbir hikâyesi olmayan bir ailede Alsace'ta doğdum. Hep meşgul olan bir baba ve sınırda yaşayan depresif bir anne.

Ivana, Geyersberg çocuklarının ailesini düşündü ama karşılaştırma fazla ileri gidemiyordu.

– Her şey erkek kardeşim tarafından berbat edildiğinde bile hiçbir şey fark etmemişlerdi.

– Kardeşiniz mi?

– Benim üç yaş büyüğüm. Her şeyi, kesinlikle her şeyi paylaşıyorduk. Ve bir gün, o saçmalamaya başladı.

Niémans devam etme konusunda tereddüt ediyordu. Motorun hırıltısı, kapalı camlar nedeniyle duyulmasa bile sanki motorun dönme hızı yükselmişti.

– Jean, diye devam etti, birkaç saniye sonra, bu onun ön adıydı, kendi kendine konuşmaya başladı. Geceleri, odamızda tavana bakarak konuştuğunu duyuyordum, tamamen kendini kaybetmiş bir halde.

– Bir akıl hastalığı mı vardı?

– Bugün olsa, çok çabuk şizofreni teşhisi konulabilirdi, ama o dönemde, Alsace'ta... Ayrıca, Jean patolojisini saklamayı biliyordu. Bunu bilen tek kişi bendim...

Yeniden sessizlik peyda olmuştu, tıpkı geçtiği sanılan ve çok daha yakında, çok daha güçlü bir şekilde patlak veren bir fırtına gibi.

– Başlarda, Jean beni müttefiki olarak görüyordu. Bana sanrı dünyasıyla ilgili her şeyi en ufak ayrıntısına kadar anlatıyordu. Geçen arabaların üzerine kendi gücüne dikkat çekmek amacıyla taşlar düşürmek için otoyol köprüsüne nasıl kapan kurduğunu. Karanlıkta titreşimleri hissetmek ve işitme yetisini iyileştirmek için kanını içtiği köstebekleri nasıl yakaladığını. Her ucuna bir karatavuk yavrusunu boğazından bağladığı örümcek ağlarını andıran tuzakları neden yaptığını. Her sabah onları besliyordu, onların büyümesini ve çelik telle boğulmalarını izliyordu...

– Bu durumdan ailenize bahsetmediniz mi?

– Benim bunları uydurduğumu düşündüler. Bir kez daha, Jean yetişkinler karşısında nasıl davranacağını biliyordu. Onun çılgınlıklarla dolu dünyası özenle gizlenmişti.

– Peki, okulda?

– Aynı şekilde, meydana gelen tuhaf kazalar, sabotajlar dışında...

Ivana ağır, bozuk bir yamaçtan kayıyormuş, ama duramıyormuş gibi hissediyordu. Ve aşağıda onu neyin beklediğini bilmiyordu...

– Kaç yaşlarındaydınız?

– O 13, ben 10 yaşındaydım.

Niémans tüm dikkatini yola veriyordu ama asfalt dışında başka bir şeye bakıyormuş izlenimi yaratıyordu. Ivana, Niémans'ın direksiyon simidini sımsıkı kavrayan kollarındaki gerginliği hissedebiliyordu.

– Jean bana güvenmemeye, benimle konuşmamaya başladı, sadece beni korkutuyordu. Bu imkânsız gibi görünse bile, beni öldürmek istediğini anladım.

Ivana nereye bakacağını bilmiyordu: Önünde uzanan ufuk çizgisi bu son derece içten hikâyeyle uyuşmuyordu. Ama ona, Niémans'a bakması söz konusu değildi. Hareket kabiliyetini kaybetmiş kaslara sahip bir ölünün yüzüyle karşılaşması sürpriz olmazdı.

– Büyükbabam ile büyükannemin evinde yaz tatilindeyken onun planını anladım. İhtiyarların Meyankökü adında bir köpekleri vardı. Bir cane corso, Roma lejyonlarının dövüş köpeklerinin mirasçısı. Arenada aslanlarla dövüşebilen ya da Roma'nın izbe yerlerinde fahişeleri koruyan bir köpek.

– Irk olarak sevimli gibi görünüyor...

Niémans bu laf dokundurmayı ciddiye almadı. Her zamanki alaycı, kötü alışkanlık.

– Beni öldürmek için onu eğitiyordu, diye devam etti Niémans. Meyankökü iri bir oyuncak ayı gibiydi, sevgi dolu ve koruyucu özellikleri olan iyi bir köpekti, ama Jean onun öldürme içgüdülerini uyandırmaya çalışıyordu. Orada olduğumuz her gün, hiçbir düşmanı olmayan Meyankökü'nü bana karşı bir dövüş köpeğine dönüştürmek için uğraştı.

– Ya anne babanız?

– Büyükbabam ile büyükannem demek istiyorsun. Ne olup bittiğini anlamıyorlardı. Hatta benimle, bizim sadık köpeğimizden korkan küçük ödlekle alay ediyorlardı.

– Size saldırdı mı?

– Hayır. Hâlâ ona engel olan bir şeyler vardı. Alışkanlık ağır basıyordu, mizaç olarak uysaldı, bilmiyorum... Ama onun en ufak hırlamasını, hareketlerini dikkatle izliyordum. Bu tehdidi her yerde, her an hissediyordum...

Niémans yeniden derin bir nefes aldı ya da yeniden dağıtmak için iskambil kâğıtlarını toplar gibi anılarını topluyordu. Daha gerilere gidecek, daha derine inecekti.

– Bir pazar günü, büyükbabamlar saçma bir tarım toplantısı için, elli kilometreden daha uzakta bir yere gittiler. Jean bana göz kulak olacaktı. Ben taş kesmiştim, ama o gün deliliğinden eser yok gibiydi. Sakindi, mantıklıydı, aklı başındaydı. Hatta, benim asla onun hayvanları terbiye etme ve cezalandırma hikâyelerine inanmadığımı düşündüğünü söyleyerek şakalar bile yapıyordu. O anda, neredeyse ona karşı yeniden güven duydum. Televizyonun karşısında öğle yemeği yedik (ondan Meyankökü'nü kulübesinin yakınına bağlamasını istemiştim). *Tatlı Sert* dizisinin TV'de oynadığı yıllardı, sen bilmiyor olabilirsin...

"Uyandığımda gözlerim bantlıydı. Annem bir tür uyku ilacı olan fenobarbital kullanıyordu. Jean yemeğime o ilaçtan karıştırmış olmalıydı. Ne saatten haberim vardı ne de nerede olduğumu biliyordum. Belirli yerlerle sınırlı yanma hisleri vücuduma, önkollarıma, ayak bileklerime, belime çok acı veriyordu... Ama en berbat his bedenimin tam ortasında, bacaklarımın arasında bir yerdeydi, uyluklarımın içini kesen ve kıpırdayan, keskin kenarlı, yaygın bir sıcaklık."

– Bağırmaya çalıştım ama ağzımda tıkaç vardı. Çırpınarak, panik halinde titreyerek burun deliklerimi parçalarcasına nefes alıyordum... İşte o anda, kokuyu aldım, cildimin bütün gözeneklerinden giren o lanet hayvan kokusunu... Orada bir hayvan vardı, çok yakınımdaydı, belki de benim içimdeydi ve terim vahşi pis kokunun ve ıslak tüylerin bu iğrenç karışımı gibi kokmaya başlıyordu... Meyankökü oradaydı, çok yakında, ama nerede?"

Ivana, Jean'ın küçük Pierre'in göz bandını çıkaracağı andan korkuyordu, çünkü her şey şimdi, burada, Volvo'nun içinde cereyan ediyordu. Kapı koluna sımsıkı tutunmuş, parmak eklemleri beyazlamış, kanatmak istermiş gibi tırnaklarını avucuna batırmıştı.

– Büyükbabamın bahçenin dip tarafındaki kulübesindeydik, diye devam etti, sanki anılarında gözlerindeki bandı çıkarması zaman almıştı. Bir örümcek ağı gibi içeriyi boydan boya kat eden, bisiklet fren kablolarıyla beni bir sandalyeye bağlamıştı. Meyankökü de benimle birlikte bağlanmıştı. Jean onu benim bacaklarımın arasına sıkıştırmıştı, ağzı benim cinsel organlarımın üstünde açık duruyordu. Köpek acıyla ya da öfkeyle harekete geçip beni sivri dişleriyle iğdiş etsin diye onu daha sıkı bağlamıştı... Ama Meyankökü kımıldamıyordu. Ağzı taşaklarımın üstünde açık, pantolonumu salyalarıyla ıslatarak, nemli gözlerle öylece duruyordu. Tuhaf bir şekilde, tüm saldırganlığı yok olmuştu. Gözlerinde, sessizlik içinde yalvararak sahiplerinden bir şeyler bekleyen köpeklerin o ağlak bakışları vardı...

Onu sakinleştirmek için en yumuşak sesimle, en yatıştırıcı mırıldanmalarla konuşmak istiyordum, ama gırtlağımdan hiçbir şey çıkmıyordu. Korkum son haddini çoktan aşmıştı. Yapabileceğim tek şey, hareket etmemek, sessiz olmak, orada yokmuşum gibi davranmaktı... Beynimin milyonlarca yıl önce oluşan bir bölümü tarafından yönetilen son derece korku dolu saniyeler...

Ön panelden zar zor ayırdığı gözleriyle Ivana iyice koltuğunun içine büzülmüştü. Eski bir halatın gemi gövdesine vurması gibi soru şakaklarına vuruyordu:

– Ya... Kardeşiniz?

– Karşımda, yerde uyuyordu. O salak, beni bu ölümcül durumda bırakarak kurban etme sırasında uyuyakalmıştı. Bu çok sık oluyordu: Bir krizin ortasında, aşırı ısınan beyni dinlenmeye geçmiş gibi bir anda uykunun etkisiyle yere yıkılıyordu. Manzara gerçekten... tuhaftı. Ben, patronları tarafından işkence edilen bir uyuşturucu torbacısı gibi bağlanmıştım, keskin ve sivri dişleri taşaklarımın üzerinde, nefes nefese kalmış bir köpek ve eserinin karşısında rahatça horul horul uyuyan kardeşim...

Niémans sustu. Hikâye sona mı ermişti? Şu ya da bu şekilde, çocuk kurtulmuştu, ama hangi durumda? Niémans'ın da eksiksiz bir erkek olmadığı düşüncesi kızgın bir lav dalgası gibi Ivana'nın kanında yayıldı...

– Erkek kardeşim uyanana kadar hiçbir şey kıpırdamadı. Bana baktı, eserini hayranlıkla seyretti ve tek kelime etmeden ayağa kalktı. Kabloları kesip beni serbest bıraktı. Köpek hemen iniltiler çıkararak kaçtı ve ben bayıldım. Kendime geldiğimde, yatağımda yatıyordum. Jean bir daha bu olaydan söz etmedi. Sanki bunlar hiç olmamıştı, ben rüya görmüştüm. Aslında, rüya gören oydu, hiçbir şey hatırlamıyordu. Ben kâbuslarla boğuşan birine dönüşmüştüm... Volvo'nun vınlaması ses olarak eşliğini sürdürüyordu. Daire gibi sürekli bir hırıltı.

Ivana'ya nüfuz eden coşku onda büyük bir istek uyandırıyordu, her zaman daima fazla bilgi isteyen bir polisin büyük isteği.

– Yani, diye ağzından kaçırdı, hepsi bu mu?

Niémans ona doğru döndü ve tükürür gibi konuştu:

– Bu kadarı sana yeterli gelmedi mi?

Ivana kafasını omuzlarının arasına gömdü. Bozulmuş kişiliğinin sert çekirdeğini ona sergilemişti ve şimdi Ivana'da filmin sonunu anlamamış bir kız hali vardı.

Derin bir iç çekti, gerçekten ona birkaç şey daha anlatabileceğini sanki bir anda kabullenmişti:

– Ailemin bu işkence olayından hiçbir zaman haberi olmadı... Hastalandım, günümüzde "depresyon" diyorlar. Okula gitmeyi reddettim, odama kapanmıştım, dışarı çıkmak istemiyordum. O sırada peş peşe iki olay meydana geldi.

Önce Meyankökü öldü, biz hâlâ büyükbabamların evindeydik. Kimse ne olduğunu asla öğrenemedi, ama herkes benden şüphelendi. Jean sürekli beni suçluyordu... Diğer olay, Jean'ın okuldayken geçirdiği bir sinir kriziydi. Ayrıntıları tam olarak hatırlamıyorum –aslında bana asla ayrıntı vermediler–, ama onun zihinsel bozukluklarını inkâr etmek artık imkânsızdı: Öğrencilerin yarısı olaya şahit olmuştu. Hastaneye yatırılmış ve tımarhane tımarhane dolaşan kafası ilaçlarla uyuşmuş bir zombiye dönüşmüştü.

Bu zaman boyunca, alarm zillerini zamanında çalmayı beceremeyen erkek kardeş olarak, neredeyse bir hain olarak sorumluluk bana yüklendi. Bir daha asla evime dönmedim. Bu aile bana hiçbir şey vermemişti ve asla da vermeyecekti. Tek başıma mücadele etmeye karar verdim ve bu durumdan fena sayılmayacak bir şekilde sıyrıldım. Ben her zaman aileyi bir zayıflık ve yalnızlığı bir güç olarak değerlendirdim. İşte bu şekilde ayakta kalmayı başardım. Ama elbette, benim için, tüm bunlardan sonra köpek konusu kapandı.

Bu sözlerle yeniden sessizlik hâkim oldu. Ama Ivana bitirmemişti: O bir polisti, yıllardan beri içini kemiren ve anlaşılmaz bir şekilde, onu gizlice Niémans'a bağlayan gizemi çözmek üzereydi. Ivana da kaygılarla, fobilerle, gece korkularıyla hayata böyle bir bedel ödemişti.

– Kardeşiniz, ona ne oldu?

– 26 yaşında intihar etti. "Refakatçili bir daire"de yaşıyordu, günde sadece birkaç saat dışarı çıkma hakkı vardı. Büyükbaba ve büyükanneyi görmeye gitti ve bahçenin dip tarafındaki kulübede kendini astı. Belki de burası ona bazı anıları hatırlattı...

Sanki donmuş bir gölün ince buz katmanı üstünde yürür gibi dikkatle ve nazikçe ilerle, diye düşündü. Ama nezaket onun güçlü yanı değildi:

– Bu sizi ailenize yakınlaştırdı mı?

Niémans gülümsedi, Ivana'nın saflığı karşısında acı bir gülümseme.

– Onun ölümü mü, demek istiyorsun? Hayır. Cenazeye bile gitmedim. Şunu unutma: Aile zayıflıktır.

Ivana bu cümleyi düşünmeliydi, hiçbir zaman bir ailesi olmamıştı, bir aile kurma konusunda başarısız olmuştu. Bunun gerçek olmasını isterdi...

Niémans bu konuda yeterince konuşmadığını hissederek ekledi:

– O dönemde benim bir hayatım vardı.

– Hangi hayat?

Elbette bu yalandı. Ivana bu soruyu eski şüpheciliğiyle sormuştu, öz kardeşinin ölümünden daha önemli ne olabilirdi? Niémans'ın hayatında kesinlikle geçerliliği olmayan bu tür sıradanlıklar onun hayatındakilerden daha fazla değildi.

– Polis oldum ve başkalarının cinayetlerine daldım. Diğerleri gibi bir çıkış yoluydu. Her ne olursa olsun, bu iş beni travmalarıma karşı daha güçlü kıldı, en azından tersi olmadı. Şöyle ya da böyle bir denge kurdum ve şu an olduğum kişi olabildim.

Ivana, onun "olduğum kişi olmak" derken ne demek istediğini biliyordu, bir avcı, bir saplantılı, bir katil. Niémans, daima belirttiği bu icraatın ne olduğunu –meşru savunma durumlarında adamların üstüne ateş etmek– asla gizlememişti.

Bir gün Ivana'ya söylemişti: "Öldürmek kolaydır. Ölmeyi kabul etmek yeterlidir." Ivana onun ne demek istediğini anlamamıştı. Haftalar boyunca bu cümleyi kafasında evirip çevirmiş sonra anlamıştı: Ancak kendi ölümünü başkalarının sana anlattığı ikincil bir gerçek olarak kabul ettiğinde başkalarının ölümüne katlanılabilir. Bir şekilde, bu da varoluşu hafifletiyor.

Ivana bu düşünceyi kabul edemezdi. O da öldürmüştü –oğlunun babasını–, ama bunu ölmeyi kabul etmediği için yapmıştı. Tam tersine yaşamak ve oğlunu kurtarmak istiyordu.

Yine de bugün, Niémans ve kendisi aynıydı, son sınır çizgisine olabildiğince yakındılar. Bu düşünce onun hem içini rahatlatıyor hem de canını sıkıyordu. Fransa yollarında ilerleyen iki kamikaze, başkalarının ölümünde yaşama sebeplerini bulan iki kayıp polis.

DK'da yayımlanmış kitapları

POLİSİYE/GERİLİM
JEAN-CHRISTOPHE
GRANGÉ
ŞEYTAN
YEMİNİ
DOĞAN KİTAP
ÇEVİREN: ŞEVKET DENİZ

GERİLİM/MACERA
JEAN-CHRISTOPHE
GRANGÉ
SİYAH
KAN
DOĞAN KİTAP
ÇEVİREN: ŞEVKET DENİZ

GERİLİM/MACERA
JEAN-CHRISTOPHE
GRANGÉ
ÖLÜ RUHLAR
ORMANI
Çeviren: Tankut Gökçe
DOĞAN KİTAP

GERİLİM/MACERA
JEAN-CHRISTOPHE
GRANGÉ
KOLONİ
Çeviren: Tankut Gökçe
DOĞAN KİTAP

JEAN-CHRISTOPHE
GRANGÉ
KAIKEN

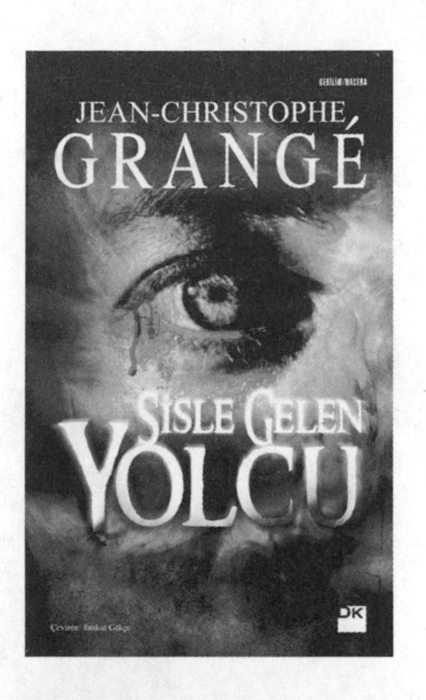
JEAN-CHRISTOPHE
GRANGÉ
SİSLE GELEN
YOLCU

JEAN-CHRISTOPHE
GRANGÉ
LONTANO

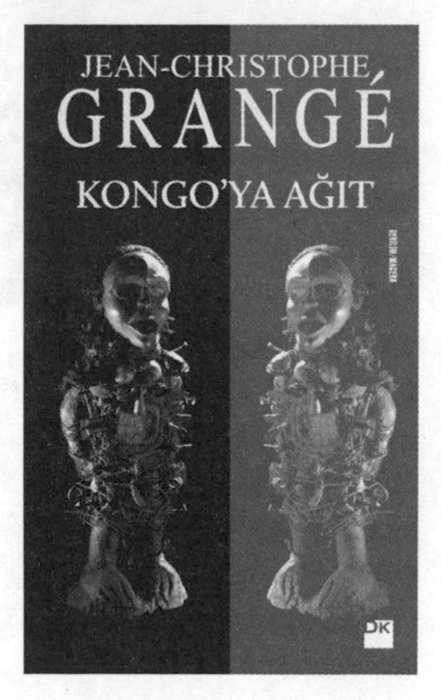
JEAN-CHRISTOPHE
GRANGÉ
KONGO'YA AĞIT

JEAN-CHRISTOPHE
GRANGÉ
ÖLÜLER
DİYARI
DK